DAVID ALDERTON

KATZEN
RASSEN

DAVID ALDERTON

KATZEN RASSEN

Der kompetente Führer mit über 1000 Farbfotos
und Bestimmungsübersicht

Fotos:
MARC HENRIE

Übersetzung und Bearbeitung der deutschen Ausgabe:
DR. SIEGFRIED SCHMITZ

Ein Dorling Kindersley-Buch

Die Deutsche Bibliothek —
CIP-Einheitsaufnahme

Katzenrassen:
der kompetente Führer
mit über 1000 Farbfotos
und Bestimmungsübersicht/
David Alderton.
Fotos: Marc Henrie
[Übers. aus dem Engl.:
Siegfried Schmitz]. –
München ; Wien ; Zürich :
BLV, 1996
Einheitssacht.: Cats <dt.>
ISBN 3-405-14851-0
NE: Alderton, David;
Henrie, Marc;
Schmitz, Siegfried [Übers.];
EST

BLV Verlags-
gesellschaft mbH
München Wien Zürich
80797 München

Titel der englischen Original-
ausgabe: EYEWITNESS HAND-
BOOKS: CATS
© 1993 Dorling Kindersley
Limited, London

Text © 1993 David Alderton

Deutschsprachige Ausgabe:
© 1996 BLV Verlagsgesellschaft
mbH, München

Übersetzung aus dem Engli-
schen: Dr. Siegfried Schmitz
Lektorat: Dr. Friedrich Kögel
Herstellung: Sylvia Hoffmann
Satz und DTP:
Studio Pachlhofer, Tirol
Einbandgestaltung:
Network, München

Printed in Singapore
ISBN 3-405-14851-0

Inhalt

Einführung 6

Der Aufbau des Buches 9
Verwandte der Hauskatze 10
Körperbau der Hauskatze 12
Sinne und Verhalten 14
Katzen und Kätzchen 16
Entwicklung der Rassen 18
Vererbung von Farb-
merkmalen 19
Die Wahl der richtigen
Katze 20
Schönheitspflege 22
Katzenausstellungen 24
Felltypen 26
Fellfarben 28

Fellzeichnung 30

Bestimmungs-
übersicht 32

Rassen-
beschreibungen 40

Langhaarkatzen 40
Perser 40
Colourpoint-Langhaar 62
Birmakatze 68
Türkisch Angora 74
Türkisch Van 78
Angora 80
Javanese 83
Maine Coon 84
Norwegische
Waldkatze 90
Sibirische
Waldkatze 93
Ragdoll 94
Somali 96
Balinese 102

Tiffanie 108
Cymric (Kymrische Katze)
110
Scottish Fold 111
American Curl 112
Rasselose Langhaarkatzen
114

Kurzhaarkatzen 118
Britisch Kurzhaar 118
Colourpoint-Britisch-
Kurzhaar 132
Exotisch Kurzhaar 136
Manxkatze 140
Japanische Stummel-
schwanzkatze 143
Scottish Fold 144
Snowshoe 147
Amerikanisch
Drahthaar 156
American Curl 158
Europäisch
Kurzhaar 160
Colourpoint-Europäisch-
Kurzhaar 164
Kartäuserkatze 165
Cornish Rex 166
Devon Rex 172
Sphynx 178

Selkirk Rex 180
Russisch Blau 182
Koratkatze 183
Siamkatze 184
Burmakatze 194
Tonkanese 200
Burmilla 204
Asian 207
Bombaykatze 210
Singapura 211
Orientalisch Kurzhaar 118
Ägyptische Mau 226
Abessinier 228
Wild-Abessinier 233
Ocicat 234
California Spangled 236
Bengalkatze 239
Rasselose Kurzhaarkatzen
240

Anhang 246
Nachweis der Katzen
und Katzenhalter 246
Begriffserläuterungen 250
Wichtige Adressen 251
Register 252
Danksagung 255

Einführung

Die Domestikation (Haustierwerdung) der Katze begann wahrscheinlich vor rund 9000 Jahren im Nahen Osten. Im Laufe dieser Jahrtausende war die Beziehung der Hauskatzen zum Menschen nicht ungetrübt: Im alten Ägypten wurden sie verehrt, aber im mittelalterlichen Europa vielfach als Gehilfen des Teufels verdammt und verfolgt. Später stieg ihr Ansehen allmählich wieder, nicht zuletzt deshalb, weil sie sich als tüchtige Mäuse- und Rattenvertilger erwiesen, sowohl in Haus und Hof als auch an Bord der Schiffe.

Bastet
Das Zentrum der Katzenverehrung in Ägypten war Bubastis, wo der Tempel der Göttin Bastet stand, hier abgebildet als eine Frauengestalt mit einem Katzenkopf.

Im frühen 19. Jahrhundert war die Katze zu einem beliebten Heimtier geworden, doch erst gegen Ende des Viktorianischen Zeitalters begann man sich ernsthaft mit der Zucht von Katzen für Ausstellungszwecke zu befassen. Die gezielte Zucht von Pflanzen und Haustieren fand im damaligen England großen Anklang, und Katzenausstellungen wurden zu gesellschaftlichen Ereignissen, die den Adel anlockten und gelegentlich sogar von Königin Viktoria mit ihrem Besuch beehrt wurden. Angetan von der Idee der Schaukatzenzucht, wurde Harrison Weir zum Begründer des Rassekatzenwesens; er organisierte die erste große Katzenausstellung, die am 13. Juli 1871 in London stattfand. Das Interesse an Katzenausstellungen breitete sich in Europa und in Übersee aus, und schon 1895 wurde in New York die erste allgemeine Rassenschau veranstaltet. Die einzelnen Rassen haben seit dieser Frühzeit eine Entwicklung durchgemacht, in der die Mode eine gewisse Rolle gespielt hat.

Harrison Weir
Erster Präsident des National Cat Club, Organisator der ersten Katzenausstellung und ein bedeutender Katzenillustrator.

Die erste Katzenschau im »Kristallpalast«
Die erste große Katzenausstellung fand im Juli 1871 im Londoner Crystal Palace statt. In der von Harrison Weir organisierten Schau wurden vor allem Britisch-Kurzhaar- und Perserkatzen gezeigt.

Heute stehen wir vor einer ständig wachsenden Zahl von Rassen und Farbschlägen, die sich bereits etabliert haben, doch weitere befinden sich noch in der Entwicklung. Einiges deutet darauf hin, daß manche Züchter sich auf ziemlich radikale Veränderungen bei der Hauskatze einstellen. Zum Beispiel hat die gegenwärtig in den USA erzüchtete Munchkin extrem kurze Beine, die sie anfällig für Arthritis machen. In diesem Bereich müssen die Zuchtverbände sehr wachsam sein und dafür sorgen, daß die Gesundheit der Katzen nicht durch die selektive Zucht beeinträchtigt wird.

Die Munchkin
Eine »Rasse«, die auf der Suche nach dem Ausgefallenen durch eine Zufallsmutation entstanden ist (erstmals 1971 in den USA vorgestellt).

Die Rolle der Zuchtverbände
Katzenzuchtverbände sind zuständig für die Anerkennung der Rassen, die auf Ausstellungen auftreten, und für die Festlegung der dort angewandten Bewertungskriterien. Der Rassestandard ist ein Versuch, mit Worten zu beschreiben, wie die »ideale« Katze beschaffen sein sollte, was ihren Typ, ihre Färbung und Zeichnung angeht. Die Standards unterscheiden sich geringfügig von Verband zu Verband und von Land zu Land. Neue Rassen kommen hinzu, sobald sie sich größerer Beliebtheit erfreuen, sich etablieren und anerkannt werden.

Die Aufgabe dieses Buches
Dieses Buch soll in erster Linie eine Bestimmungshilfe und kein »Ausstellungsführer« sein. Erfreulicherweise haben jedoch viele Spitzenzüchter daran mitgewirkt, und wir

Katzenkünstler
Louis Wain, ein anderer Präsident des NCC, wurde bekannt durch seine drolligen Katzenillustrationen.

Ausstellungssieger
Ein Ausstellungssieg steigert das Ansehen und den Wert der betreffenden Katze. Die Tausende von Katzenausstellungen, die alljährlich in der ganzen Welt stattfinden, leisten einen entscheidenden Beitrag zur Aufrechterhaltung der Rassestandards.

waren bestrebt, nach Möglichkeit hervorragende Vertreter des jeweiligen Typs vorzustellen. Doch angesichts der vielen Katzenzuchtorganisationen und unterschiedlichen Rassestandards sind gewisse Diskrepanzen unvermeidlich. Wir berufen uns vorzugsweise auf die Standards des Governing Council of the Cat Fancy (GCCF) und der Cat Association (CA) in Großbritannien, aber auch auf die Dachverbände in Nordamerika und in anderen Weltteilen.

Rassekatzen
Der Hauptunterschied zwischen Rassekatzen und rasselosen Katzen besteht darin, daß die reinrassigen Tiere einander sehr ähnlich sind, während bei »Allerweltskatzen« ohne Stammbaum das Erscheinungsbild eine viel größere Variabilität aufweist.

Die Entstehung neuer Rassen

Einige der heutigen Rassen sind durch Auswahlzucht entstanden, deren Ausgangspunkt die Kreuzung von zwei erbfesten Rassen war. Die meisten sind jedoch verfeinerte Varianten von Katzen, die sich auf natürliche Weise in verschiedenen Weltgegenden herausgebildet haben und deren besondere Merkmale weiterentwickelt wurden, bis sich der spezielle Typus der neuen Rasse herausschälte. Durch Einkreuzung anderer Rassen hat man dann die Palette der Fellfarben und -muster erweitert und differenziert.

Ein anderer Trend geht dahin, kleine Wildkatzen einzuzüchten, um deren Fellzeichnung in die Hauskatzenblutlinien einzuführen. Bestre-

DNA-Untersuchung

Alle Merkmale einer Katze sind in den Genen angelegt. Die DNA ist das genetische Material, das die Erbinformationen weitergibt. Sie ist in Ketten angeordnet, und Wissenschaftler verwenden heute die Sequenzen innerhalb dieser Ketten, um die Evolution der Katzen zu erforschen. Nahverwandte Arten zeigen in ihren DNA-Sequenzen weniger Abweichungen als solche, die weiter voneinander getrennt sind. Mit diesem Verfahren kann man auch ermitteln, wann in der Evolution größere Veränderungen eingetreten sind.

Neue Farben

Die Gruppe Orientalisch Kurzhaar wächst derzeit rapide, was Farben und Farbmuster betrifft, wie dieses Tier beweist. Die Entwicklung geht hin zu einer langhaarigen Form.

Bengalkatze

Sie ist das Produkt einer Hybridisierung – der Verpaarung einer wildlebenden asiatischen Bengal- oder Zwergtigerkatze mit einer Hauskatze.

bungen dieser Art gab es bereits in der Frühzeit der Katzenliebhaberei, doch erst neuerdings hat man ernsthafte Versuche unternommen, auf diesem Wege neue Rassen hervorzubringen. Aus solchen Paarungen ist beispielsweise die Bengalkatze hervorgegangen. Heute geht es dabei nicht nur um das Aussehen, sondern auch um die Wesenseigenschaften der Tiere; gute Eigenschaften sind ein unverkennbares Kennzeichen der neuen Rassen, die neuerdings Wildkatzengene in ihre Blutlinie integriert haben.

Der Aufbau des Buches

Der Rassenteil des Buches, der auf die Einführung und die Bestimmungsübersicht folgt, ist in zwei Abschnitte unterteilt: Langhaarkatzen auf den Seiten 40–117 und Kurzhaarkatzen auf den Seiten 118–245. Da die üblichen Klassifikationen der Katzenrassen eine genauere Kenntnis der Materie voraussetzen, wurde diese einfache Unterteilung gewählt, um dem Anfänger den Einstieg zu erleichtern und um den praktischen Nutzen des Buches als Bestimmungshilfe zu erhöhen. Das unten wiedergegebene kommentierte Musterbeispiel zeigt, wie eine typische Rassenbeschreibung angelegt ist.

Name der Gruppe oder Rasse •

Einführung in die Geschichte und Entwicklung der Gruppe oder Rasse •

Name des Landes, in dem die Rasse entstanden ist •

Die Farbschläge innerhalb der Rassengruppe werden separat behandelt •

Beschreibung des Erscheinungsbildes und Informationen über die Geschichte und Entwicklung der jeweiligen Rasse bzw. des Farbschlages •

Anmerkung zu den Bestimmungsmerkmalen der Rasse bzw. des Farbschlages •

Abbildung eines Jungtiers zur Veranschaulichung der Unterschiede zu. ausgewachsenen Katze •

• *Der Kolumnentitel auf der rechten Seite bezeichnet die jeweils beschriebene Rasse; die Überschrift auf der linken Seite betrifft die Haarlänge*

• *Bezeichnung der Katzen, die an der Rassenentstehung beteiligt waren (das »x« bezeichnet die Kreuzung von Rassen)*

• *Hinweis auf die Entstehungszeit der Rasse oder Gruppe*

• *Kleines Foto zeigt eine andere Körperhaltung als das Hauptbild*

• *Nahaufnahme einer Fellpartie; die Legende beschreibt den Felltyp*

• *Großes Foto der Katze mit Anmerkungen zu spezifischen Merkmalen*

Colourpoint-Europäisch-Kurzhaar/Kartäuserkatze 165

Kartäuserkatze

M an nimmt an, daß die französische Kartäuserkatze oder Chartreuse von Kartäusermönchen des Klosters La Grande Chartreuse bei Grenoble erzüchtet worden ist. Das Kloster wurde im 14. Jahrhundert oder noch früher gegründet, aber die tatsächliche Herkunft der Rasse ist unbekannt. Der Legende zufolge haben die Kreuzritter solche Katzen aus dem Nahen Osten mitgebracht. Sie übergaben sie den Mönchen, die die Zucht kontrollierten, indem sie nur kastrierte Tiere verkauften. Die blaugraue Fellfarbe der Kartäuserkatze ist als Rassemerkmal festgelegt; andere Farben sind nicht zugelassen.

Ursprungsland	Frankreich	Vorfahren	Rasselose Kurzhaarkatzen	Entstehungszeit	14. Jh.

Blaugrau
Die Kartäuserkatze wurde früher zum Teil wegen ihres einzigartigen Fells gezüchtet, das hoch im Preis stand. In den 20er Jahren war der Bestand stark zurückgegangen; die Rasse wurde vor allem gerettet von den blaugrauen Katzen, welche in Belle-Ile-sur-Mer umherstreiften. Diese Tiere bildeten den Grundstock eines Zuchtprogramms. Spätere Einkreuzungen von blauen Katzen dienten dazu, die traditionsreiche Rasse zu verbessern.

• **Merkmale** Die einheitlich blaugraue Fellfarbe kann zwischen Asch- und Schiefergrau schwanken.

• **Anmerkung** Die Rasse wird auch »British Blue« genannt.

blauer Nasenspiegel •

die Augen der Jungtiere verfärben sich von Blau zu Braungrau und dann zu Orange •

blaues Fell •

• *großer, breiter, trapezförmiger Kopf*

• *runde Pfoten*

• *klare, leuchtend orangefarbene Augen, die im Alter verblassen können*

FELLTYP: **mittelkurz, dicht, glänzend**

• *dichtes Haarkleid mit wolligen Unterhaaren*

• *muskulöser Körper*

• *mittellanger Schwanz mit abgerundeter Spitze*

Englischer Name	Chartreux	Wesen	Freundlich

• *Englischer Name der beschriebenen Rasse bzw. des Farbschlages (bei etlichen Farbschlägen und Rassen gibt es keine gebräuchlichen deutschen Namen)*

• *Typische Wesenseigenschaften, die allerdings durch die individuellen Erfahrungen der Katze modifiziert werden können*

Verwandte der Hauskatze

Wildlebende Katzen sind auf der ganzen Welt verbreitet, in allen von Menschen bewohnten Kontinenten mit Ausnahme von Australien. Sie leben durchweg als Einzelgänger (ausgenommen die Löwen, die Rudel bilden) und sind Raubtiere mit einem breiten Beutespektrum. Mehrere Arten sind durch Pelzjäger arg dezimiert worden, doch die internationalen Bemühungen zur Eindämmung dieses illegalen Handels haben dazu geführt,

Taxonomie ungeklärt

Unterfamilie Pantherinae

Gepard

Die Geparde sind die schnellsten Landsäugetiere der Welt. Sie erreichen Geschwindigkeiten bis zu 120 km/h. Da sie offenes Gelände bewohnen, das wenig Deckung bietet, ist Schnelligkeit für sie lebenswichtig.

KATZENSYSTEMATIK

In neueren Forschungsarbeiten, darunter auch DNA-Untersuchungen, wurden die genetischen Ähnlichkeiten zwischen verschiedenen Katzenarten verglichen. Die Resultate deuten darauf hin, daß es drei Abstammungslinien gibt, die quer durch die gängigen Klassifikationssysteme verlaufen. Es sind die Ozelots aus Südamerika; die Wildkatzen, zu denen auch die Vorfahren der Hauskatze gehören; schließlich die Gattungsgruppe Panthera, die sich aus den restlichen Mitgliedern der Unterfamilien Pantherinae und Felinae zusammensetzt.

Panthera-Gruppe

Löwe
Tiger
Leopard
Jaguar
Schneeleopard
Nebelparder
Marmorkatze
Karakal
Rotluchs
Nordamerikanischer Luchs
Eurasischer Luchs
Pardelluchs
Serval
Asiatische Goldkatze
Bengalkatze
Fischkatze
Flachkopfkatze
Rostkatze
Borneo-Katze
Iriomote-Katze
Jaguarundi
Puma
Onza

Tiger

Der Tiger, an seinem gestreiften Fell sofort zu erkennen, ist die größte Katze überhaupt; Sibirische Tiger können bis zu 320 kg wiegen.

daß der Fortbestand der betreffenden Katzen heute einigermaßen gesichert erscheint. Die meisten Arten sind durch ihre Färbung und Fellzeichnung (Flecken oder Streifen) gut getarnt, und dank dieser Tarnung und ihrer bedächtigen, lautlosen Fortbewegungsweise können sie sich nahe an ihre Beute anschleichen und sie überwältigen. Die Fellfarbe wird zuweilen direkt durch den jeweiligen Lebensraum bestimmt. So zeigen beispielsweise die asiatischen Leoparden, die häufiger in bewaldeten Regionen heimisch sind als ihre afrikanischen Verwandten, eine stärkere Tendenz zum Melanismus (Schwarzfärbung); dadurch sind sie im dunklen Wald schwerer auszumachen.

Familie Felidae (*Katzen*)

Unterfamilie Felinae

Ozelot-Gruppe
Diese kleinen Katzen, von denen einige wegen ihrer versteckten Lebensweise und entlegenen Wohngebiete kaum erforscht sind, besiedeln vielfältige Lebensräume in der Neuen Welt.

Ozelot
Kleinfleckkatze
Pampaskatze
Chilenische Waldkatze
Bergkatze
Baumozelot
Tigerkatze

Wildkatzen
Diese altweltliche Gruppe umfaßt Katzen aus Europa, Afrika und Asien. Der größte Vertreter ist die Rohrkatze, die 16 kg schwer werden kann. Die meisten sind Kleintierjäger.

Manul
Rohrkatze
Schwarzfußkatze
Sandkatze
Graukatze
Wildkatze
Hauskatze

Neue Katzen
Die Zoologen haben sich lange gesträubt, Gerüchten über eine pumaähnliche Katze, die in Mexiko leben soll, Glauben zu schenken – obwohl das Tier schon den Azteken und den frühen spanischen Eroberern bekannt war. Am 1. Januar 1986 wurde jedoch eine solche Katze geschossen; sie wird heute mit ihrem volkstümlichen Namen Onza bezeichnet.

Ozelot
In den USA kommen diese Katzen nur noch in einem Rückzugsgebiet vor, doch weiter südlich sind sie bis Argentinien verbreitet.

Wildkatze
Die »Großart« Wildkatze, zu der auch die Falbkatze gehört, hat das größte Verbreitungsgebiet und ist sehr variabel.

Die Hauskatze
Als Stammform der Hauskatze gilt die afrikanische Falbkatze. Die Streifenzeichnung der Wildform ist häufig auch bei Hauskatzen anzutreffen.

Körperbau der Hauskatze

Die Hauskatzen unterscheiden sich äußerlich nur sehr wenig voneinander; alle sind ungefähr gleich groß. Bestimmte Merkmale, etwa die Kopfform und die Haarlänge, können jedoch recht verschieden sein, vor allem bei Rassekatzen, die über Generationen hinweg durch Auswahlzucht verändert worden sind, um den von den Zuchtverbänden festgelegten Standards zu entsprechen. In vielen Punkten gleichen die Hauskatzen freilich noch immer ihren wildlebenden Vorfahren, deren athletischen Körperbau und Jagdtrieb sie bewahrt haben. Diese Merkmale demonstrieren besonders deutlich die verwilderten Hauskatzen, also jene, die wieder in die freie Natur zurückgekehrt sind.

• *aufgerichteter Schwanz*

mittellanger Schwanz •

• **Langhaarkatze**
Der kurze, buschige Schwanz sollte gut zur Körperlänge passen; er wird oft niedrig getragen.

• **Manxkatze**
Bei dieser Rasse ist der Schwanz mehr oder weniger rückgebildet. Der Rumpy-Typ ist völlig schwanzlos.

Schwänze
Schwänze unterschiedlicher Form und Größe spielen eine wichtige Rolle beim Balancieren und beim »Aufrichtreflex«, der es der Katze ermöglicht, bei einem Sturz aus großer Höhe auf ihren Pfoten zu landen.

• **Der Schwanz**
hilft der Katze, beim Klettern und Laufen das Gleichgewicht zu halten.

Körper
Katzen neigen im allgemeinen nicht zur Fettleibigkeit. •

Rippen •
Sie schützen die inneren Organe und heben und senken sich, wenn die Katze atmet.

• **Schenkel**
Die Schenkelmuskeln liefern die Schubkraft, die der Katze große Sprünge erlaubt.

• **Hinterpfoten**
Jede Hinterpfote hat in der Regel 4 Zehen.

Körperformen
Am Körperumriß einer Katze kann man meist deutlich erkennen, zu welcher Gruppe sie gehört. Perser und deren Verwandte sowie die Britisch, Amerikanisch und Europäisch Kurzhaar haben einen gedrungenen Körper, der tief auf den Beinen aufliegt. Burma- und asiatische Katzen sind mittelgroß und haben schlanke Beine, während die Orientalisch Kurzhaar und die Siamkatzen einen schlanken, geschmeidigen Körper besitzen.

Perserkatze

Britisch Kurzhaar

Burmakatze

Siamkatze

breiter
Schädel •

kleine
Ohren •

breiter
Schädel •

runde
Augen •

große
Ohren •

dreieckiger
Kopf •

flacher
Schädel •

große
Ohren •

rundes •
Gesicht

runde •
Augen

rundes •
Gesicht

kurze •
Nase

längliches •
Gesicht

schrägste- •
hende Augen

keilförmi- •
ger Kopf

ovale
Augen •

Langhaar

Britisch Kurzhaar

Siamkatze

Devon Rex

Ohren
Gewöhnlich aufgerich-
tet, können aber bei
einigen Rassen gefaltet
oder »gekräuselt« sein. •

Augen
Form und Farbe vari-
ieren, doch alle Katzen
können im Dunkeln gut
sehen. •

• **Ohrbüschel**
Die Behaarung an den Innenseiten
der Ohren ist bei den
einzelnen Rassen
unterschiedlich stark.

• **Augenlider**
Sie sollen die Augen
vor Verletzungen
schützen; ihre Fär-
bung hebt sich
manchmal von der
des Auges ab.

Kopf
Die Form des Katzen-
kopfs ist ein wichtiges
Bestimmungsmerkmal.
Von vorn gesehen, ist
der Kopf der Britisch
Kurzhaar zum Beispiel
rundlich, während er
bei anderen Rassen,
etwa der Orientalisch
Kurzhaar, dreieckig
erscheint.

• **Nasenspiegel**
Der unbehaarte
Bereich, in dem die
beiden Nasenlöcher
sitzen.

• **Schnurrhaare**
Diese Tasthaare sind ein
wichtiges Sinnesorgan für
die Raumorientierung.

• **Hals**
Der Hals trägt wesentlich
zum Erscheinungsbild
einer Rasse bei.

• **Brust**
Ihr Umfang schwankt je nach
Rasse; diese hier gehört dem
mittleren, halbgedrungenen
Typ an.

• **Halskrause**
Bei einigen Rassen sind Hals
und Brust länger und üppiger behaart; man spricht
dann von einer Halskrause.

• Die Hals-
krause kann
im Sommer
weniger stark
ausgebildet
sein.

Die Karpalballen (nur an den Vorderpfoten) verhindern, daß die Katze bei
einem Sprung auf eine schlüpfrige
Unterlage ausrutscht. •

Vorderpfoten •
Normalerweise 5 Ze-
hen, wobei die Afterkralle
nicht den Boden berührt.

Füße
Katzenpfoten spielen beim
Klettern und beim Beutefang
eine wichtige Rolle. Viele Katzenrassen, etwa die Perser,
haben große, rundliche Pfoten, doch bei den Orientalen
sind die Pfoten viel kleiner
und eher oval.

scharfe
Krallen •

Zehen-
bal-
len •

Sohlen-
ballen •

Afterkralle •

Sinne und Verhalten

Obwohl die Hauskatze viele Verhaltensweisen ihrer wild-lebenden Verwandten beibehalten hat, zeigt sie zugleich Anpassungen an das Leben im häuslichen Bereich, die vor allem ihr Territorialverhalten betreffen. Katzen in der Stadt müssen sich notgedrungen mit einem begrenzten Lebensraum begnügen und können keine großen Reviere besetzen, doch da sie von ihren Besitzern gefüttert werden und sich nicht selbst um die Nahrungsbeschaffung kümmern müssen, entstehen dadurch kaum Probleme.

Schlafen
Katzen, insbesondere junge, verschlafen bis zu drei Vierteln des Tages.

Entwöhnung
Katzenkinder (Welpen) beginnen mit etwa drei Wochen selbständig zu fressen, aber sie werden erst völlig entwöhnt, wenn sie mindestens drei Monate alt sind.

Ausreißversuche
Die meisten Katzen sind sehr fürsorgliche Mütter, die ihre Jungen gut behüten. Wenn sich die Kinder zu weit entfernen (links), werden sie zurückgetragen. Sie verfallen in eine Tragstarre, wenn die Mutter sie mit dem Maul aufnimmt (oben).

Erste Begegnung
Beim ersten Zusammentreffen benehmen sich Katzen sehr vorsichtig (links); Kater neigen dabei zur Aggressivität.

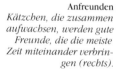

Anfreunden
Kätzchen, die zusammen aufwachsen, werden gute Freunde, die die meiste Zeit miteinander verbringen (rechts).

Jagen

Katzen besitzen zwar einen angeborenen Jagdtrieb, aber die einschlägigen Fertigkeiten müssen sie erlernen. Sie tun dies in frühester Jugend, indem sie ihre Mutter und andere Katzen bei der Jagd beobachten. Die Fertigkeiten müssen dann immer wieder eingeübt werden.

Fangen

Mit ihren Lieblingsspielen bereiten sich die Kätzchen auf die Beutejagd vor, etwa mit Anschleich- oder Fangübungen.

Balancieren

Die Balance hält die Katze mit Hilfe des Gleichgewichtsorgans (Bogengänge) im Ohr aufrecht. Wenn sie fällt, dreht sich ihr Körper herum, so daß sie auf den Pfoten landet.

Klettern

Katzen sind überaus geschickte Kletterer. Sie benutzen ihre Beine und Krallen, um festen Halt auf einem Ast zu gewinnen. Jungkatzen müssen diese Fertigkeit durch Versuch und Irrtum erlernen.

Katzenwäsche

Katzen verwenden täglich viel Zeit für die Körperpflege. Wenn sie ihr Fell lecken, werden mit der rauhen Zunge abgestorbene Haare entfernt. Verschluckte Haare können im Magen verfilzen oder Ballen (Haarbezoare) bilden.

Duftmarkieren

Unkastrierte Kater verspritzen gern ihren scharf riechenden Harn innerhalb und außerhalb der Wohnung, um ihr Territorium oder Revier abzustecken. Um ihr Territorium mit Duftstoffen zu markieren, kratzen oder reiben sie sich auch an Gegenständen und Personen.

Dunkelsehen

Als nachtaktive Jäger verlassen sich die Katzen auf eine spezielle Zellschicht (Tapetum lucidum) hinter der Netzhaut des Auges, die das Licht reflektiert. Dadurch wird der Lichtreiz verstärkt und gleichzeitig das Auge zum Aufleuchten gebracht.

Katzen und Kätzchen

Katzenkinder sehen oft ganz anders aus als ausgewachsene Katzen. Es kann mehrere Jahre dauern, bis sich bei einer Jungkatze das Fell und die Färbung vollständig ausbilden, und deshalb ist es schwierig, den »Schauwert« eines Wurfs einzuschätzen, wenn die Kleinen, wie allgemein üblich, nach der 12. Woche den Besitzer wechseln. Bei Rassekatzen sollte man jedoch darauf achten, daß sie schon in diesem frühen Alter beim zuständigen Verband ordnungsgemäß registriert werden.

Haarlänge
Die Cinnamon-Angora und ihre vier Kinder sind ähnlich gefärbt, doch das seidige Haarkleid der Kätzchen ist etwas kürzer als das der Mutter.

Kater
Die beiden Britisch Kurzhaar (links) besitzen die gutentwickelten Backenfalten des unkastrierten ausgewachsenen Katers; sie fehlen bei den männlichen Jungkatzen (unten), ebenso bei kastrierten adulten Katern.

Muster und Zeichnung
Diese jungen Britisch Kurzhaar zeigen Spuren einer Tabbyzeichnung. Während die Färbung nach mehreren Haarwechseln nachdunkeln kann, wird sich das Farbmuster nicht verändern: Die weißen Partien bleiben in Größe und Form ebenfalls konstant.

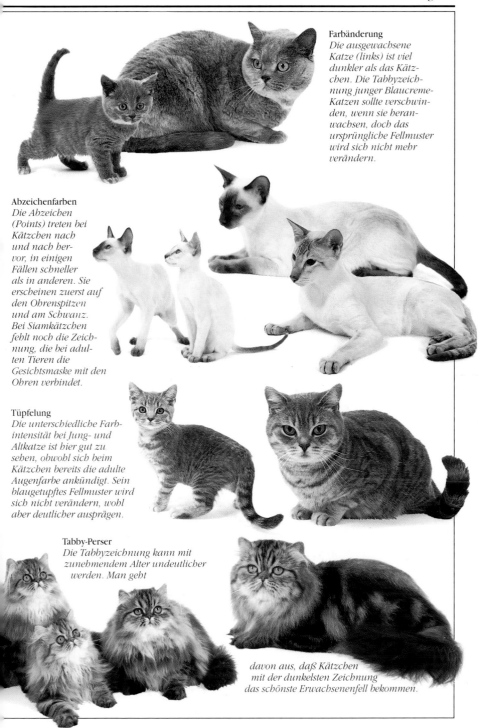

Farbänderung
Die ausgewachsene Katze (links) ist viel dunkler als das Kätzchen. Die Tabbyzeichnung junger Blaucreme-Katzen sollte verschwinden, wenn sie heranwachsen, doch das ursprüngliche Fellmuster wird sich nicht mehr verändern.

Abzeichenfarben
Die Abzeichen (Points) treten bei Kätzchen nach und nach hervor, in einigen Fällen schneller als in anderen. Sie erscheinen zuerst auf den Ohrenspitzen und am Schwanz. Bei Siamkätzchen fehlt noch die Zeichnung, die bei adulten Tieren die Gesichtsmaske mit den Ohren verbindet.

Tüpfelung
Die unterschiedliche Farbintensität bei Jung- und Altkatze ist hier gut zu sehen, obwohl sich beim Kätzchen bereits die adulte Augenfarbe ankündigt. Sein blaugetupftes Fellmuster wird sich nicht verändern, wohl aber deutlicher ausprägen.

Tabby-Perser
Die Tabbyzeichnung kann mit zunehmendem Alter undeutlicher werden. Man geht davon aus, daß Kätzchen mit der dunkelsten Zeichnung das schönste Erwachsenenfell bekommen.

Entwicklung der Rassen

Die gezielte Auswahlzucht (Selektion) von Katzen wird erst seit gut einem Jahrhundert betrieben. Davor hat man keinen Versuch unternommen, bestimmte Standards festzulegen, nach denen die Teilnehmer von Katzenausstellungen hätten beurteilt werden können. Der Standard ist heute zwar für Auslegungen offen und kann sich von Verband zu Verband leicht unterscheiden, aber er umfaßt üblicherweise zwei Aspekte: Erstens beschreibt er das ideale Erscheinungsbild (»Typ«) der Rasse; zweitens kennzeichnet er die Färbung und das Fellmuster der jeweiligen Rassen und Schläge. Erst neuerdings werden zum Teil auch die Wesenseigenschaften einbezogen.

Entwicklung der Siamkatze
Seit die ersten Siamesen in den achtziger Jahren des vorigen Jahrhunderts nach England eingeführt wurden, hat sich der Typ dieser Rasse stark verändert. Unten ist eine preisgekrönte Siamkatze aus dem Anfang des Jahrhunderts abgebildet, rechts ihr modernes Gegenstück.

der auffälligste Unterschied betrifft den Kopf, der heute eine ausgesprochene Dreiecksform hat •

neben der hier gezeigten ursprünglichen Seal-Point-Färbung gibt es heute viele neue Farbschläge •

der Rumpf ist heute länger und geschmeidiger •

• der Knickschwanz ist inzwischen weggezüchtet worden

• die heutige Siam hat längere Beine

Entwicklung der Perserkatze
Die typischen Persermerkmale der unten gezeigten Katze (Anfang 20. Jahrhundert) sind auch bei der modernen Katze rechts zu erkennen, aber sie wurden im Lauf der Jahre sehr verstärkt.

größerer und kompakterer Kopf; kürzere Nase •

Ohren kleiner, innen stärker behaart •

größerer Körper; gedrungenere Gestalt •

üppigeres Fell und größere Farbenvielfalt •

Haarbüschel zwischen den • Zehen

• buschig behaarter Schwanz

Vererbung von Farbmerkmalen

Die Katzengenetik ist heute sehr viel gründlicher erforscht als in der Frühzeit der Katzenliebhaberei, und dadurch sind die Züchter in der Lage, Zuchtprogramme zu entwickeln, die auf die Hervorbrin-gung neuer Farben oder Zeichnungsmuster abzielen. Da sich aber die Chromosomen, die Träger des Erbguts, eher zufällig miteinander kombinieren, gibt es keine Garantie für die Färbung der Nachkommen, die aus einer bestimmten Paarung hervorgehen.

rundes
Gesicht •

dicker
Schwanz mit
gerundeter
Spitze •

Die Mutter
*Diese Britisch Kurzhaar
Blaucreme kann sowohl
blaucreme- als auch cremefarbige
Kätzchen hervorbringen.
Außerdem ist sie hochge-
schätzt als Mutter von hoch-
wertigen blauen Nachkommen.*

• straffer
Körper

• gute Mischung
von Blau und
Creme im Fell

Der Vater
*Wird der Zuchtkater
sorgfältig ausgewählt,
damit er etwaige Defekte
des Weibchens aus-
gleicht, ist zu erwarten,
daß die Nachkommen
ebenso gut geraten wie
die Eltern oder sogar
einen besseren Typ
repräsentieren.*

• Backenfalten

• muskulöser,
gedrungener
Körper

tiefe, breite Brust •

Die Nachkommen
*Der Schauwert dieser Kätzchen
läßt sich nicht sicher voraussa-
gen, weil sich die adulte Färbung, auch die
Augenfarbe und der Typ, erst entwickeln, wenn sie heranreifen.*

• massiger Körper
auf kurzen Beinen

• gute,
gleichmäßig
intensive
Blaufärbung

*Andeutung einer
silbernen Spitzen-
färbung, bei adul-
ten Tieren nicht
erlaubt, kann
vorhanden
sein •*

*als Tortie
(Schildpatt) ist
dieses Kätzchen
mit ziemlicher
Sicherheit
weiblich •*

*unerwünschte
Tabbyzeichnung
kommt bei
Creme-Kätzchen
häufig vor •*

Blaues Kätzchen   **Blaucreme-Kätzchen**   **Creme-Kätzchen**

Die Wahl der richtigen Katze

Wenn Sie sich für die Anschaffung einer Katze entschieden haben, stellt sich als nächstes die Frage, ob Sie ein rasseloses oder rassereines Tier nehmen sollen. Katzen ohne Stammbaum sind meist leichter zu finden – sie werden in Zeitungsinseraten, Zoogeschäften und Tierheimen angeboten. Suchen Sie jedoch eine Rassekatze, ist es oft schwierig, ein Jungtier Ihrer Wahl zu erstehen, vor allem wenn es sich um eine seltene Rasse handelt. Bedenken Sie auch die Unterschiede zwischen den verschiedenen Rassen. Langhaarkatzen sind viel ruhiger als Orientalen, doch langhaarige Tiere brauchen viel mehr Pflege als kurzhaarige. Es gibt jedoch bei Katzen keine gravierenden rassetypischen Defekte, und gewöhnliche Hauskatzen und Rassekatzen haben ungefähr die gleiche Lebenserwartung; sie können 15 Jahre alt oder älter werden.

Wenn Sie später mit Ihrer Katze auf Ausstellungen gehen wollen, sollten Sie ein Kätz-

Gewöhnliche Hauskatze
Solche Katzen, Produkte einer Zufallspaarung, sind im Erscheinungsbild sehr unterschiedlich; wie alle Katzen sind sie auch im Wesen individuell sehr verschieden.

chen mit »Schaupotential« wählen. Die Züchter können dies in der Regel abschätzen, wenn sie die Jungtiere im Alter von etwa drei Monaten abgeben. Solche Kätzchen sind wahrscheinlich teurer als Tiere, die mit Fehlern behaftet sind (Typ oder Farbe nicht hinreichend ausgeprägt). Derlei Mängel fallen jedoch kaum ins Gewicht, wenn Sie einfach nur eine gesunde und attraktive Katze suchen.

Rassekatze
Diese Katze, das Ergebnis einer sorgfältigen Auswahlzucht, entspricht so weit wie möglich dem anerkannten Typ, der im Rassestandard festgelegt ist.

kleine Ohren mit gerundeten Spitzen •

gedrungener Körper •

• *großes, rundes Gesicht*

• *kurze Beine*

abgerundete Pfoten •

Wo man eine Katze kaufen soll

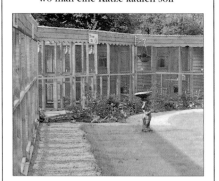

Wenn Sie sich für eine Rassekatze entschieden haben, können Sie wahrscheinlich im Anzeigenteil der verschiedenen Katzenzeitschriften einen Züchter ausfindig machen, der Kätzchen abzugeben hat, oder Sie wenden sich an den zuständigen Rassezuchtverband. Ausstellungen bieten eine weitere Gelegenheit, Kontakt zu Züchtern aufzunehmen. Es kann allerdings sein, daß Sie auf eine Warteliste kommen, denn bei einigen Rassen übersteigt die Nachfrage das Angebot.

Treffen Sie Ihre Wahl

Die Wahl eines Kätzchens ist nie eine einfache Sache, weil alle jungen Katzen so reizend sind. Entscheiden Sie im voraus, ob sie einen Kater oder eine Kätzin haben möchten. In vielen Rassen werden die Kater ein wenig größer, und sie sollten stets kastriert werden, sofern man nicht mit ihnen züchten will. Dadurch wird verhindert, daß sie zu weit umherstreunen, und das Verletzungsrisiko bei Kämpfen verringert. Eine Kätzin sollten Sie mit etwa sechs Monaten ebenfalls kastrieren lassen.

wachsame Mutter •

interessiert •

1 Beobachten Sie die Kätzchen
Nehmen Sie sich ein paar Minuten Zeit, um die Kätzchen einfach nur zu beobachten. Suchen Sie sich ein munteres, verspieltes, neugieriges Tier aus, das sich bereitwillig anfassen läßt.

• spielbereit

• zu Streichen aufgelegt

2 Prüfen Sie das Fell
Teilen Sie das Fell und halten Sie Ausschau nach dunklen Fleckchen, die möglicherweise auf Flohbefall hindeuten. Flöhe können Zwischenwirte von Bandwürmern sein.

3 Prüfen Sie Ohren und Augen
Die Ohren sollten sauber und frei von Ohrenschmalz sein. Das dritte Augenlid, die Nickhaut, darf das Auge nicht bedecken. Jeder Augenausfluß ist bedenklich.

4 Prüfen Sie das Maul
Drücken Sie die Kiefer auseinander, um einen Blick ins Maul zu werfen. Das ist besonders wichtig bei älteren Katzen, die Gebiß- oder Zahnfleischschäden aufweisen können.

saubere Ohren •

munteres Wesen •

• runde feste Brust

5 Prüfen Sie die Aftergegend
Heben Sie den Schwanz an, um festzustellen, ob das Kätzchen an Durchfall leidet; der After sollte ganz sauber sein. Gleichzeitig bestimmen Sie das Geschlecht des Tieres: Beim Weibchen (rechts) liegen die beiden Öffnungen dicht beisammen, beim Männchen weiter auseinander.

6 Sie haben gewählt
Es ist ratsam, das Kätzchen vor oder kurz nach dem Kauf tierärztlich untersuchen zu lassen. Verlangen Sie vom Vorbesitzer oder Züchter außerdem eine Impfbescheinigung für das Tier und – falls vorhanden – eine Kopie des Stammbaums.

Schönheitspflege

Alle Katzen brauchen Körperpflege. Normalerweise belecken sie ihr Fell und entfernen tote Haare mit ihrer rauhen Zunge; diese Haare können jedoch im Magen zu einem Ballen oder Bezoar verfilzen, der dem Tier den Appetit verderben und seine Gesundheit beeinträchtigen kann. Das passiert zwar am häufigsten während des Haarwechsels, aber eine regelmäßige Fellpflege ist stets angebracht, weil dabei ein Befall mit Parasiten (Flöhe, Zecken oder Läuse) entdeckt wird, der die Katze veranlaßt, sich übermäßig zu kratzen.

Auf diesen beiden Seiten stellen wir nur eine kleine Auswahl der Körperpflegeutensilien vor, die auf dem Markt sind. Mit einer Zupfbürste befreit man eine Langhaarkatze von abestorbenen Haaren, doch man muß dabei vorsichtig zu Werke gehen, damit nicht auch andere Haare ausgerupft werden. Borstenbürsten eignen sich für kurzhaarige Tiere, und den letzten Schliff vor der Ausstellung kann man mit einem Sämischleder oder einem Seiden- oder Samtuch geben. Watte braucht man für die Reinigung der Augenumgebung, der Ohren und der Nase.

Langhaarpflege
Langhaarkatzen müssen täglich gebürstet werden, damit ihr Haar nicht verfilzt oder verschmutzt.

weitzinkiger Kamm

Metallkamm mit rotierenden Zinken

Draht- und Nylonbürste

Doppelkamm

Krallen-clipper

Zupfbürsten zur Entfernung toter Haare

Naturborstenbürsten

1 Aufbringen des Puders
Verteilen Sie ungiftigen Babypuder oder speziellen Pflegepuder nach und nach ins Fell. Arbeiten Sie ihn mit der Hand gut ein, und achten Sie darauf, daß das gesamte Fell gleichmäßig eingepudert wird.

2 Entfernung des Puders
Bürsten Sie das eingepuderte Fell sorgfältig und gründlich durch. Der Puder verleiht dem Haarkleid Fülle, doch am Ausstellungstag dürfen selbstverständlich keine Puderspuren mehr vorhanden sein.

3 Ausbürsten
Bürsten oder kämmen Sie das Haar so lange, bis es sich am ganzen Körper aufrichtet.

4 Gesichtspflege
Bürsten Sie das Gesichtshaar mit einer Zahnbürste, aber gehen Sie dabei nicht zu nahe an die Augen heran. Bürsten oder kämmen Sie das Fell am Hals so ausgiebig, bis es eine Krause bildet.

Kleiebad

Bei Kurzhaarkatzen ist ein Kleiebad ein sehr wirksames Mittel, um überschüssiges Fett und Schmutz aus dem Fell zu entfernen, ohne daß man Wasser und Shampoo benutzen muß, was vielen Katzen sehr mißfällt. Erwärmen Sie 500–1000 g Kleie (erhältlich in Zoogeschäften) etwa 20 Minuten lang im auf 150 °C eingestellten Backofen. Legen Sie vorher alles bereit, was Sie brauchen: Kämme und Bürsten, ein altes Handtuch und ein Poliertuch.

1 Einreiben der Kleie
Stellen Sie die Katze auf eine Zeitung. Massieren Sie die Kleie ins Fell ein; meiden Sie dabei die Augen und die Nase. Manche Katzenhalter hüllen das Tier in ein Handtuch ein, bevor sie die Kleie ausbürsten.

2 Ausbürsten der Kleie
Bürsten Sie die Kleie gründlich und systematisch aus. Diese Methode eignet sich nicht für Langhaarkatzen, denn etwaige im Fell zurückbleibende Partikel könnten eine Verfilzung herbeiführen.

Fellpflege von Kurzhaarkatzen

Kurzhaarkatzen sollten grundsätzlich mit dem Strich gebürstet oder gekämmt werden, und zwar vom Kopf zum Schwanz hin. Benutzen Sie einen engzinkigen Kamm, um das Fell zu glätten.

Gummibürsten

Krallenclipper

Borstenbürste für die allgemeine Fellpflege

Metallkamm, praktisch für das Aufspüren von Flöhen

Polierhandschuhe aus Leder und Samt

1 Gesichtsreinigung
Säubern Sie die Umgebung von Nase, Augen und Ohren vorsichtig mit einem Wattebausch und einer schwachen Salzlösung.

2 Krallenschneiden
Wenn Sie Bedenken haben, lassen Sie sich von Ihrem Tierarzt zeigen, wie es gemacht wird, ohne Verletzungen zu riskieren. Verwenden Sie Spezialclipper, die verhindern, daß die Krallen splittern.

3 Gummibürste
Sie ist zu empfehlen für Kurzhaarkatzen, muß aber behutsam gehandhabt werden, damit nicht zuviel Unterwolle ausgerupft wird. Besonders gut eignet sie sich für Rexkatzen, da sie die Haut nicht zerkratzt.

4 Fellpolitur
Zum Abschluß der Pflegeprozedur polieren Sie das Fell entweder mit einem Handschuh, der auf der einen Seite mit Leder und auf der anderen mit Samt bezogen ist, oder mit einem Seidentuch.

Katzenausstellungen

Oft heißt es, daß nur Rassekatzen ausgestellt werden können, doch in Wirklichkeit gibt es meist auch Klassen für rasselose Katzen oder gewöhnliche Hauskatzen. Katzenausstellungen werden gewöhnlich in den einschlägigen Zeitschriften angekündigt, oder man erfährt durch andere Katzenfreunde von einer bevorstehenden Schau. In jedem Fall benötigen Sie einen Katalog, in dem alle Klassen aufgeführt sind, und ein Anmeldeformular. Einige Verbände bringen einen Terminkalender für das ganze Jahr heraus, und dort finden Sie auch die Anschriften der Ausstellungssekretariate. Wenn Sie Informationen über eine Schau haben möchten, fügen Sie stets einen selbstadressierten frankierten Umschlag bei, denn sonst bekommen Sie möglicherweise keine Antwort. Fordern Sie die Unterlagen so schnell wie möglich an, damit Sie Ihre Katze rechtzeitig anmelden können.

Anmeldung

Lesen Sie die Unterlagen gründlich, um das Anmeldeformular richtig ausfüllen zu können. Wenn Sie unsicher sind, wird Ihnen das Sekretariat in der Regel gern weiterhelfen. Die Anmeldung muß frühzeitig eingesandt werden, zusammen mit der entsprechenden Gebühr (Standgeld).

Vor dem Ausstellungsbeginn muß Ihre Katze unbedingt ordnungsgemäß geimpft sein; prüfen Sie also nach, ob Sie mit den Impfungen auf dem laufenden sind, vor allem wenn Sie nicht regelmäßig ausstellen. Sollte Ihre Katze vor der Ausstellung aus irgendwelchen Gründen erkranken, sollten Sie sofort Ihren Tierarzt aufsuchen; trotzdem können sie von

---

Auf der Ausstellung

• Alle Katzen werden nach dem Eintreffen tierärztlich untersucht, damit sichergestellt ist, daß nur gesunde Tiere mitmachen.

• Lassen Sie Ihrer Katze vor dem Wettbewerb genügend Zeit, sich in ihrem Käfig einzugewöhnen. Geben Sie eine Katzentoilette, einen Napf mit frischem Wasser und eine weiße Decke in den Käfig, der dieselbe Nummer trägt wie die Katze.

• Bürsten Sie Ihre Katze ein letztes Mal und überprüfen Sie Augen, Ohren und Schwanz.

• Die Katze wird zum Richtertisch gebracht und gemäß dem Standard der Rasse nach Punkten bewertet. Die Beurteilung durch den Richter wird notiert und die jeweilige Plazierung auf der Ergebnistafel bekanntgegeben.

Die Katze auf Reisen
Die Transportbox (links) ist ein sicheres Beförderungsmittel für Ihre Katze. Der Drahtbehälter (rechts) ist oben zu öffnen, leicht zu reinigen und mit einer auswechselbaren Unterlage ausgestattet.

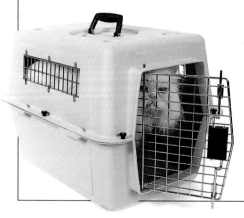

Britische Schau
In England sind Katzenausstellungen unterschiedlichster Art bereits seit 1871 Tradition.

Amerikanische Schau
In den USA können Katzenhalter mehr Ausstellungen beschicken, weil sie verschiedenen Verbänden angehören dürfen.

der Schau ausgeschlossen werden. Das ist im Interesse aller Aussteller, denn so wird eine etwaige Ausbreitung der Krankheit vermieden. Auch wenn Ihre Katze trächtig wird, können Sie sie nicht ausstellen.

Ausstellungsvorbereitung

Die Ausstellungsbestimmungen weichen, je nach Anlaß, geringfügig voneinander ab. Wenn Sie in dieser Hinsicht Zweifel haben, sollten Sie sich vorher erkundigen. Eine sorgfältige Körperpflege ist in den Tagen vor der Ausstellung unerläßlich, damit sich Ihre Katze von ihrer besten Seite zeigen kann. Gute

Ausstellungstiere müssen sich von Fremden ohne weiteres anfassen lassen; deshalb ist es so wichtig, daß Katzenkinder regelmäßig Körperkontakt zu Menschen haben, damit er für sie zu einer Selbstverständlichkeit wird. Sie sollten Ihre Katze zudem schon früh ans Reisen gewöhnen. Überprüfen Sie alles Zubehör vor der Abreise; packen Sie es möglichst schon am Vorabend zusammen. Um eine Panik in letzter Minute zu vermeiden, sollten Sie die Anweisungen für die Anreise einstecken. Kalkulieren Sie für die Hinfahrt genügend Zeit ein, und lassen Sie Ihre Katze vor der Abfahrt nicht mehr aus dem Haus!

Ausstellungszubehör
Für jede Katze braucht man in der Regel eine weiße Decke und weiße Futter- und Trinknäpfe. Eventuell benötigen Sie auch ein weißes Bändchen, um die Registriernummer am Hals des Tiers zu befestigen.

Ein Sieger!
Eine siegreiche Katze kann eine Menge Rosetten gewinnen. Hat eine Katze drei internationale Siegeranwartschaften (CACIB) auf drei Ausstellungen unter drei verschiedenen Richtern geschafft, gilt sie als Internationaler Champion.

Felltypen

U nsere Hauskatzen treten in zahlreichen Felltypvarianten auf, von denen sich einige natürlich entwickelt haben, andere durch selektive Zucht hervorgebracht wurden. Der Felltyp ist ein individuelles Kennzeichen einer jeden Rasse, unabhängig von der Färbung, und er wird bestimmt durch die spezielle Kombination von Woll-, Grannen- und Leithaaren (s. rechts). Nahaufnahmen des Fells werden überall in diesem Buch verwendet, um die Unterschiede zwischen den Haarkleidern von Katzen derselben Farbe zu verdeutlichen.

relativ derbe Leithaare •

• weiche, sehr feine Wollhaare

• Grannenhaar mit verdicktem Ende (Granne)

Leithaare •
Die Leit- oder Mittelhaare sind die längsten und am deutlichsten sichtbaren Bestandteile des Fells.

Wollhaare •
Die Woll- oder Daunenhaare sind der Wärmeschutz. Bei einigen Rassen können sie fehlen.

• Grannenhaare
Die etwas längeren, borstigen Grannenhaare bilden mit dem weichen Wollhaar das sekundäre Haarkleid.

Langhaarkatzen

Die Länge des Fells kann je nach Rasse und Jahreszeit variieren; die Felldichte ist weitgehend vom Wollhaar abhängig, das zugleich die beste Wärmeisolation bietet. Perserkatzen haben lange Leithaare, die aus dem dichten Wollhaar hervorragen und ein sehr dichtes Fell ergeben. Das Haarkleid der Angora ist feiner und weniger üppig, während das zottige Aussehen der Maine Coon durch die ungleiche Länge der einzelnen Leithaare zustande kommt.

FELLTYP: fein, seidig, ohne Unterwolle

Angora
Das manchmal als Semilanghaar bezeichnete Fell der Angora liegt dicht am Körper an, besonders im Sommer.

FELLTYP: lang, dick, seidig, fein

Perserkatze
Die Perser haben von allen Hauskatzen das längste und dichteste Fell.

FELLTYP: dicht, seidig, von unterschiedlicher Länge

Maine Coon
Diese an ein Leben im Freien angepaßte Katze besitzt eine dichte Unterwolle und ein glänzendes, wasserabweisendes Deckhaar.

Kurzhaarkatzen

Das Aussehen und die Textur des Fells sind in dieser Katzengruppe sehr variabel. Die Siamesen und Orientalen haben ein glattes, weiches Fell mit sehr kurzen, feinen Haaren. Die Manxkatze besitzt dagegen ein ausgeprägtes doppeltes Haarkleid – ein wesentliches Merkmal dieser Rasse –, das die Größe des Tiers betont; die Unterwolle ist kurz und sehr dicht, und die Leithaare sind nur wenig länger. Die Russisch Blau ist eine weitere Rasse mit auffälligem Doppelfell; es steht vom Körper ab und ist in seiner Textur weich und seidig, zugleich kurz und dicht.

FELLTYP: **kurz, fein, weich, gewellt und gekräuselt**

Devon Rex
Alle drei Haarformen sind vorhanden, doch Leit- und Grannenhaare sind so modifiziert, daß sie Wollhaaren ähneln und dadurch gewellt erscheinen.

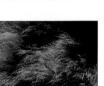

FELLTYP: **mittellang, kraus, derb**

Amerikanisch Drahthaar
Die Haare sind wellig gekräuselt und verleihen dem Fell eine elastische, drahtige Textur.

FELLTYP: **kurz, dicht, fest**

Britisch Kurzhaar
Hier steht das Fell vom Körper ab und erhält dadurch eine teppichartige Textur; es darf jedoch nicht zu lang sein.

Die »haarlose« Sphynx

Diese »Kanadische Nacktkatze« besitzt trotz ihres Namens einige Haare, vor allem an den Gliedmaßen. Sie hat auch Brauen und Schnurrhaare, doch diese sind gewöhnlich kürzer als normal. Der Körper ist größtenteils von einem Flaum aus Wollhaaren bedeckt.

FELLTYP: **spärlich, sehr kurz, flaumig**

Sphinx
Diese ausgefallene Rasse wird von vielen Katzenfreunden abgelehnt.

Semilanghaar
Als semi- oder halblanghaarig bezeichnet man Katzen mit einem relativ langen Deckhaar und stark rückgebildeter Unterwolle, verglichen etwa mit Perser- und Colourpoint-Langhaarkatzen. Die Gruppe umfaßt Rassen, die auf natürliche Weise entstanden sind, zum Beispiel die Maine Coon, und deren Fell im Winter und Sommer verschieden lang ist.

Fellfarben

Obwohl sich in der Katzenzucht inzwischen mehrere reine Farben durchgesetzt haben, bleibt das Tabbymuster die ursprüngliche Grundfärbung der Hauskatze. Die tatsächliche Färbung entsteht durch die in den Haaren enthaltenen Pigmente (Farbstoffe oder Farbkörper), doch sie wird auch beeinflußt durch das Licht, das die Haarfarbe »verdünnen« kann, so daß sie heller wirkt. Es gibt zudem natürliche Varianten derselben Farbe, so daß sogar bei Wurfgeschwistern die Farbintensität schwanken kann. Besonders einige Cremetöne können viel röter erscheinen als andere.

Einheitliche Farben

Bei einheitlich gefärbten Katzen müssen die Haare von der Wurzel bis zur Spitze gleichmäßig gefärbt sein. Doch selbst dann bewirkt die Neukombination von Pigmenten eine Verdünnung, wodurch sich das Spektrum der reinen Farben vergrößert. Bei einer einfarbigen Katze sind indes keine Spuren jenes Streifenmusters zu erkennen, das für Tabbys charakteristisch ist. Bei reinweißen Tieren ist in den Haaren kein Pigment eingelagert.

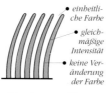

- einheitliche Farbe
- gleichmäßige Intensität
- keine Veränderung der Farbe

Neue Farben

Beige
Dies ist eine verdünnte Form der Zimtfarbe; sie ähnelt einem blassen Lilac.

Zimtfarbe
Dieser Braunton entsteht durch eine andere Mutation des »schwarzen« Gens.

Verdünnte Farben

Der Verdünnungseffekt wird hier demonstriert; dabei sind die verdünnten Farben in der oberen Reihe abgebildet über der verwandten kräftigen Farbe. Bei verdünnten Farben sind manche Partien weniger pigmentiert als andere. Diese reflektieren weißes Licht und wirken deshalb blasser.

Creme (Cream)
Das ist die verdünnte Form von Rot; ihre Farbintensität ist meist variabel, und sie zeigt oft Spuren der Tabbyzeichnung.

Lilac
Schwankungen in der Schattierung sind auch bei dieser »Fliederfarbe« häufig; manche Katzen sind heller getönt als andere.

Blau
Diese Farbe gleicht eher einem Grau als einem reinen Blau, da sie in Wirklichkeit eine Verdünnung von Schwarz ist.

Weiss
Entsteht durch ein dominantes Gen, d.h. es fallen selbst dann wahrscheinlich weiße Nachkommen an, wenn nur ein Elternteil weiß ist.

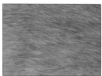

Rot
Zuweilen als Orange bezeichnet, doch die Züchter streben tatsächlich eher eine rote als eine orange Tönung an.

Chocolate
Dies ist eine dichte Farbe, die heute verschiedenen Rassen, vor allem den Orientalen, angezüchtet wird.

Schwarz
Diese allbekannte und weit verbreitete Farbe sollte durch und durch schwarz sein, ohne jede Spur von weißen Haaren.

Spitzenfärbung

Das Ausmaß der Spitzenfärbung (Tipping) auf den Leithaaren, manchmal auch auf den Grannenhaaren, wirkt sich nachhaltig auf die Gesamterscheinung eines Fells aus.

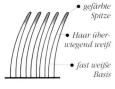

- gefärbte Spitze
- Haar überwiegend weiß
- fast weiße Basis

Beim hier vorgestellten Creme-Shell-Cameo-Perser ist die Unterwolle fast reinweiß, und die Färbung beschränkt sich fast ausschließlich auf die Spitzen der Leithaare.

Chinchilla-Perser
Der hellste Schlag der Silberserie; die leichte schwarze Spitzenfärbung erzeugt einen schimmernden Glitzereffekt.

Creme-Shell-Cameo-Perser
Das Pendant aus der Cremeserie mit weißer Unterwolle und cremefarbener Spitzenfärbung.

Schattierung

In diesem Fall sind die Unterhaare kaum betroffen, da sie überwiegend weiß sind, aber die Spitzenfärbung zieht sich auf

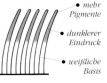

- mehr Pigmente
- dunklerer Eindruck
- weißliche Basis

den Leithaaren viel weiter nach unten, wodurch ein merklich dunklerer Eindruck entsteht. Man kann die blassere Unterwolle sehen, wenn sich die Katze bewegt oder wenn man das Fell teilt, um die darunter befindliche Kontrastfarbe sichtbar zu machen.

Cremeschattierter Perser
In diesem Fall ist die Creme-Spitzenfärbung ausgeprägter, was eine kräftigere Farbe zur Folge hat.

Rotschattierter Perser
Identisch mit dem cremefarbenen Fell, nur daß hier eine dunklere Rotfärbung das Creme ersetzt.

Smoke

Das ist die dunkelste Spitzenfärbung, weil der größte Teil des Leithaars pigmentiert ist. Die Unterhaare bleiben nach wie vor

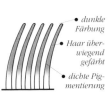

- dunkle Färbung
- Haar überwiegend gefärbt
- dichte Pigmentierung

heller, und der Kontrast kommt am besten zum Vorschein, wenn die Katze läuft. Die »Rauchfarbe« ist heute weit verbreitet; am beliebtesten sind die dunkleren Schläge, bei denen der Kontrast stark ausgeprägt ist.

Blau-Smoke-Perser
Bei den Smoke-Katzen ist die Pigmentierung am auffälligsten, so daß sie fast einfarbig erscheinen.

Schwarz-Smoke-Perser
Die Smoke-Färbung ist variabel; manche Katzen dieses Farbschlags wirken deshalb heller als andere.

Ticking

Das Ticking (Bänderung oder Agoutifärbung) ergibt für Katzen eine gute Tarnung. Weil sich

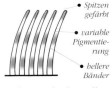

- Spitzen gefärbt
- variable Pigmentierung
- hellere Bänder

die Farbbänder über das ganze Einzelhaar verteilen, wirkt das Fell weniger auffällig. Wo die Tabbyzeichnung dicht ist, wachsen Haare ohne Bänderung; dadurch entsteht ein weiterer Kontrast im Fell (»gebrochene Färbung«).

Silber-Sorrel-Somali
Das weiße Haar ist schokoladenbraun gebändert; es entsteht der Eindruck einer silbernen Pfirsichfarbe.

Abessinier
Die Bänderung bewirkt eine unverwechselbare Färbung, deren Intensität auf dem Katzenkörper schwanken kann.

Fellzeichnung

Die meisten Katzen besitzen ein Fellmuster, das mehr oder weniger die natürliche Tabbyzeichnung ihrer wildlebenden Vorfahren widerspiegelt. Die Züchter haben diese Zeichnung verfeinert und so weiterentwickelt, daß sie dem jeweiligen Standard entspricht. Durch sorgfältige Auswahl der Zuchttiere wurden die Zeichnungsmuster über Generationen hinweg allmählich verändert, um den Anforderungen der Züchter zu genügen. Ein bißchen Glück ist vonnöten, wenn man eine Katze mit einer idealen Fellzeichnung erzüchten will, doch die Wahrscheinlichkeit erhöht sich beträchtlich, wenn man ein ausgeklügeltes Zuchtprogramm zugrunde legt.

Unerwünschte Merkmale lassen sich auch wegzüchten, wie etwa im Fall des Abessiniers. Seine Streifenzeichnung ist heute praktisch verschwunden und durch das sogenannte »getickte Tabbymuster« verdrängt worden.

Mit wenigen Ausnahmen ändert sich das Fellmuster nach der Geburt nicht mehr, aber die Zeichnung kann sich im Laufe der Zeit deutlicher ausprägen.

Verschiedenfarbig
Bei vielen Katzen grenzen weiße Fellpartien an farbige an. Dieses Spektrum reicht von einer elsterähnlichen Schwarz-Weiß-Färbung bis zu Schildpatt und Weiß mit einer Kombination von weißen, schwarzen und rötlichen Flecken.

Schildpatt und Weiss
Klar abgegrenzte Flecken von Schwarz, unterschiedlichen Rottönen und Weiß sind auf diesem verschiedenfarbigen Tier zu sehen. •

• **Zweifarbig (Bi-colour)**
Durch gezielte Zucht ist es möglich, den weißen Anteil des Fells so zu begrenzen, daß er nicht mehr als die Hälfte der gesamten Körperoberfläche bedeckt.

Schildpatt
Bei der Schildpattkatze (Tortoiseshell oder Tortie) sollten sich Schwarz und Rot gleichmäßig vermischen und über den ganzen Körper verteilen; eine cremefarbene oder rote Blesse gilt bei Torties als wünschenswert.

Schildpattkatze
Aus genetischen Gründen sind fast alle Katzen mit Schildpattzeichnung weiblich. •

Blaucreme
Bei diesen Katzen (»verdünntes Schildpatt«) wird das Schwarz durch Blau und das Rot durch Creme ersetzt; sie erhalten dadurch eine unverwechselbare Färbung. •

Mit Abzeichen (Points)

Katzen mit Abzeichen sind an der Dunkelfärbung des Gesichts, der Ohren, der Beine und Pfoten sowie des Schwanzes sofort zu erkennen. Die Intensität der Abzeichenfarbe wird beeinflußt durch die Körpertemperatur, die Haarlänge und das Klima.

Siamkatze
Die Siamesen sind die bekannteste Rasse mit Abzeichen, die sich deutlich von der helleren Körperfärbung abheben. •

Van-Zeichnung
Sie ist benannt nach der türkischen Van-Katze, kommt aber auch bei anderen Rassen vor; in diesem Fall beschränkt sich die Färbung vor allem auf den Schwanz und einen Teil des Kopfes. •

Tabby

Die verschiedenen Spielarten der Tabbyzeichnung treten auch bei Wildkatzen auf. Dieses Muster dient der Tarnung, denn Katzen mit Streifen und Tupfen verschmelzen leicht mit dem Hintergrund.

Gestromt (Classic • **oder Blotched)**
Die Stromung besteht aus großen schwarzen, austernförmigen Flecken auf den Flanken, schmetterlingsförmigen Schulterflecken und zahlreichen Schwanzringen.

Getupft (Spotted)
Die Tabbystreifen auf dem Körper lösen sich in einem Muster aus ovalen, runden oder rosettenförmigen Flecken auf, die auch den Schwanz überziehen können. •

Getigert (Mackerel) und Weiß
Die Tigerung ist die ursprüngliche Form der Tabbyzeichnung (Wildtyp). Schwarze Streifen verlaufen senkrecht über den Körper, wobei sich eine schmale, ununterbrochene dunkle Linie mitten über den Rücken hinzieht. Die Streifen sind getrennt durch Farbflächen aus gebänderten oder Agoutihaaren. •

Schildpatt-Tabby und Weiss
Diese Schildpatt-Tabbykatze oder Torbie zeigt sowohl Schildpatt- als auch Tabbyzeichnung und zugleich weiße Fellpartien. •

Bestimmungsübersicht

Diese Übersicht soll Ihnen die Bestimmung sowohl von Rassekatzen als auch von gewöhnlichen Hauskatzen erleichtern. Sie ist in vier Abschnitte eingeteilt: In Abschnitt 1 werden Katzen nach ihrer Fellänge klassifiziert; in Abschnitt 2 werden diese Kategorien nach der Gesichtsform weiter unterteilt; in Abschnitt 3 weisen Fotos einzelner Katzen aus jeder Rassengruppe, zusammen mit Seitenangaben, Ihnen den Weg zum entsprechenden Teil des Buches. Der Abschnitt 4 umfaßt rasselose Katzen, und auch hier führen Katzenfotos und Seitenverweise direkt zu den jeweiligen Stellen im Buch.

Abschnitt 1: Haarlänge

Das Fell oder Haarkleid ist das auffälligste Kennzeichen einer Katze, nicht nur was Farbe und Zeichnung, sondern auch die Gesamterscheinung betrifft. Deshalb stützen sich die Klassifikationen der Rassekatzen in erster Linie auf die Länge des Fells. Es bestehen natürlich auch Unterschiede in der Textur des Fells. Ausführliche Informationen zur Beschaffenheit des Fells sind in den einzelnen Rassebeschreibungen im Hauptteil des Buches enthalten.

Langhaarkatzen
Das Fell einer Langhaarkatze kann so üppig sein, daß sich ihre Größe fast verdoppelt, da das Volumen durch die Unterwolle aufgebläht wird. Einige Langhaarkatzen, etwa die Türkisch Angora, haben ein weniger verschwenderisches Haarkleid und werden deshalb zuweilen als Semi- oder Halblanghaar eingestuft. Wie alle Katzen können auch die langhaarigen einen großen Teil des Haars in den wärmeren Monaten abstoßen, und dadurch verändert sich ihr Aussehen erheblich.

Kurzhaarkatzen
Das Fell einer Kurzhaarkatze läßt die Körperform deutlicher erkennen, die stämmig und muskulös oder schlank und geschmeidig sein kann. Das Haarkleid dieser Tiere ist in Aussehen und Textur variabel; es ist vielleicht sehr kurz, glatt und dicht anliegend, oder die Haarlänge schwankt auf bestimmten Körperpartien. Die Textur ist fein oder derb, dicht oder plüschig, und die Haare selbst können gerade, gekräuselt, gelockt oder gewellt sein.

Nacktkatzen
Haarlosigkeit oder stark verkümmerte Behaarung ist bei Rassekatzen das Resultat einer spontanen Mutation, die anschließend durch selektive Zucht verfestigt wurde. Solche Mutationen sind zwar auch schon in der Vergangenheit vorgekommen, es wurde aber nur eine Rassekatze speziell gezüchtet, die Sphynx. Sie weist allerdings, vor allem im Gesicht, an den Ohren, den Pfoten und am Schwanz, einen feinen Haarflaum auf. Näheres zu dieser umstrittenen Rasse finden Sie auf Seite 178.

Abschnitt 2: Gesichtsform

Die Gesichtsformen sowohl der Langhaar- als auch der Kurzhaarkatzen lassen sich grob in drei Kategorien einteilen; hier müssen Sie selbst entscheiden, ob das Gesicht der Katze, die Sie bestimmen wollen, rund oder kantig und keilförmig ist oder ob es eine Zwischenstellung zwischen diesen beiden Extremen einnimmt.

Die Gesichtsform ist in der Regel abhängig vom Körperbau: Katzen mit einem runden Gesicht haben gewöhnlich einen gedrungenen Körper, während zu einem keilförmigen Gesicht normalerweise ein schlanker und graziler Körperumriß gehört.

Zu beachten ist, daß der Gesichtsschnitt bei beiden Geschlechtern insofern leicht voneinander abweichen kann, als kastrierte Kater vielfach einen starken Unterkiefer bekommen, wenn sie älter werden. Das ist ein sekundäres Geschlechtsmerkmal, das sich nicht ausbildet, wenn der Kater vor der Pubertät kastriert wird. Das Gesicht verändert sich auch im Jahreslauf, je nachdem ob die Katze das Haar wechselt oder ein volles Fell trägt.

Langhaarkatzen

Rundform
In diesem Fall ist der Kopf massig und rund, und er hat einen breiten Schädel und kleine abgerundete Ohren, die tief und weit auseinanderstehend angesetzt sind. Das Gesicht hat volle, rundliche Wangen und eine kurze, breite Nase mit einem Stop (Stirnabsatz).

Zwischenform
Bei Katzen dieser Gruppe ist der Kopf mittellang und gut proportioniert. Das Profil ist gerade oder leicht eingedellt. Die Ohren sind meist groß, spitz, gut auseinanderstehend und hoch am Kopf angesetzt.

Keilform
Das Gesicht verschmälert sich geradlinig von den weit auseinanderstehenden Ohren zum Maul und bildet einen regelrechten Keil. Das Profil ist leicht konvex, die Nase lang und gerade. Die Ohren sind groß und spitz.

Kurzhaarkatzen

Rundform
Das Gesicht ist rund und hat volle Wangen und einen mäßig breiten Schädel. Die breite, kurze Nase ist gerade, und das Profil zeigt eine gerundete Stirn und einen geringen Stop. Die kleinen, abgerundeten Ohren stehen weit auseinander.

Zwischenform
Der Kopf hat mittlere Proportionen. Er ist oben etwas breiter und verjüngt sich zu einem weichen, abgerundeten Dreieck. Die Nase kann eine leichte Einbuchtung aufweisen, während die Ohren mittelgroß bis groß und am Ansatz breit sind.

Keilform
Dieses elegante, längliche Gesicht verjüngt sich vollkommen geradlinig zur auffallend zierlichen Schnauze hin. Das Profil ist gerade, ohne Stop über der langen Nase. Die Ohren sind groß, spitz und am Ansatz breit.

Abschnitt 3: Bestimmung der Rassekatzen

Nachdem Sie in Abschnitt 1 und 2 die Haarlänge und die Gesichtsform ermittelt haben, wenden Sie sich nun den nachfolgenden Bildleisten zu, in denen alle in diesem Buch beschriebenen Rassen enthalten sind. Die Silhouetten des Körperumrisses, die jedem Gesicht zugeordnet sind, dienen als zusätzliche Bestimmungshilfe, und die beigegebenen Zahlen sind Seitenverweise.

Wo viele verschiedene Farbschläge existieren (beispielsweise bei den Persern), haben wir nur ein repäsentatives Beispiel ausgewählt; diese Katze zeigt die typischen Merkmale der betreffenden Rasse und unterscheidet sich von den übrigen nur durch die Färbung. Beachten Sie, daß die Farbe nicht unbedingt ein wesentliches Rassekennzeichen ist, da viele Rassen ähnlich gefärbt sein können. Sie ist jedoch eine große Hilfe bei der Bestimmung der mit Points versehenen Katzen, deren Ohren, Pfoten und Schwanz dunklere Abzeichen aufweisen.

Langhaarkatzen mit rundem Gesicht

Perser 40

Braungestromter Perser 54

Chinchilla 55

Colourpoint-Langhaar 62

Birma 68

Cymric 110

Scottish Fold 111

American Curl 112

Langhaarkatzen mit Gesicht der Zwischenform

Türkisch Angora 74　　　　Türkisch Van 78　　　　Maine Coon 84

Norwegische Waldkatze 90　　　Sibirische Waldkatze 93　　　Ragdoll 94

Somali 96　　　　Tiffanie 108

Langhaarkatzen mit keilförmigem Gesicht

Angora 80　　　　Javanese 83　　　　Balinese 102

Kurzhaarkatzen mit rundem Gesicht

Britisch Kurzhaar 118

Colourpoint-Britisch-Kurzhaar 132

Exotic 136

Manxkatze 140

Scottish Fold 144

Amerikanisch Kurzhaar 148

Amerikanisch Drahthaar 156

American Curl 158

Europäisch Kurzhaar 160

Colourpoint-Europäisch-
Kurzhaar 164

Kartäuser 165

Bengalkatze 239

Kurzhaarkatzen mit Gesicht der Zwischenform

Japanische
Stummelschwanzkatze 143

Russisch Kurzhaar 182

Koratkatze 183

Burmakatze 194

Burmilla 204

Asian 207

Bombay 210

Singapura 211

Abessinier 228

Wild-Abessinier 233

Ocicat 234

California Spangled 236

Kurzhaarkatzen mit keilförmigem Gesicht

Snowshoe 147

Cornish Rex 166

Devon Rex 172

Sphynx 178

Selkirk Rex 180

Siamkatze 184

Tonkanese 200

Orientalisch Kurzhaar 212

Havana 216

Orientalisch Kurzhaar
Lilagestromt 220

Ägyptische Mau 226

Abschnitt 4: Rasselose Katzen

Gewöhnliche Hauskatzen gehören von Natur aus nicht einem festgelegten Typ an, und ihr Erscheinungsbild kann sehr stark variieren, wie die Fotos unten belegen. Das Spektrum der Fellmuster ist sehr breit, weil bei diesen Tieren die Zucht keinerlei Beschränkungen unterworfen ist. Es ist auch unmöglich, sie aufgrund ihrer Gesichtsmerkmale sinnvoll zu klassifizieren, obgleich Ähnlichkeiten innerhalb einer Region auftreten können, wenn bei verwandten Hauskatzen eine gewisse Inzucht betrieben wird. Durch Selektion können solche natürlich entstandenen Merkmale verstärkt werden, so daß sich eine neue Rasse entwickelt, wie es etwa kürzlich bei der Singapura der Fall war. Ein ähnlicher Vorgang fand auf der Insel Man statt, wo sich das Gen für Schwanzlosigkeit durchsetzte und die Züchter die von der Natur eingeleitete Entwicklung weiterführten. Viele heutige Rassen sind aus solchen spontanen Mutationen hervorgegangen.

Rasselose Langhaarkatzen

Blau 114   Cremefarben und Weiß 115   Silber und Weiß 117

Rasselose Kurzhaarkatzen

Schwarz und Weiß 241   Weiß und Schildpatt 241   Blaucreme 242

Rotgestromte und Weiß 243   Blaugestromt und Weiß 243   Braungestromt und Weiß 244

LANGHAARKATZEN

Perser

D iese ebenso elegenten wie anmutigen Langhaarkatzen sind seit der zweiten Hälfte des vorigen Jahrhunderts besonders beliebt. Sie wurden in einer ständig wachsenden Zahl von Farbschlägen gezüchtet, und ihr Erscheinungsbild hat sich seit den Anfangstagen erheblich gewandelt. Sie besitzen heute ein flacheres und rundlicheres Gesicht, und die Ohren sind kleiner geworden. Auch das Haarkleid ist üppiger geworden und muß täglich gekämmt und gebürstet werden, wenn es nicht verfilzen soll.

Ursprungsland Großbritannien	Vorfahren Angoras × Perser	Entstehungszeit 1880er Jahre

Weiß mit orangefarbenen Augen

Einige der frühesten Perser in Europa und den USA waren weiß. Diese Tiere hatten in der Regel blaue Augen, und die Spielart mit orangefarbenen Augen entstand durch die Einkreuzung von Blauen, Cremefarbenen und Schwarzen Persern.

• **Merkmale** Diese ziemlich großen reinweißen, lang und dicht behaarten Katzen wirken ausgesprochen gedrungen. Die Welpen weisen gelegentlich dunkle Flecken am Kopf auf, die jedoch später meist verschwinden.

• **Anmerkung** Erst 1938 wurden die blau- und orangeäugigen Weißen Perser in Großbritannien als eigene Schläge anerkannt.

• *kleine Ohren mit runden Spitzen*

• *dunkel orange- oder kupferfarbene Augen*

rosa Nasenspiegel •

kurzer, buschiger • *Schwanz*

• *großer, gedrungener Körper, massiger Rumpf*

• *große runde Pfoten mit Haarbüscheln zwischen den Zehen*

• *dichtes, reinweißes Fell*

FELLTYP: lang, dicht, seidig, fein

Englischer Name Orange-eyed White Persian	Wesen Sanft

Ursprungsland	Großbritannien	Vorfahren	Angoras × Perser	Entstehungszeit	1880er Jahre

Weiß mit blauen Augen

Die ausgeprägte blaue Augenfarbe geht bei Weißen Persern leider oft mit Taubheit einher, und bis heute hat es sich als unmöglich erwiesen, diesen Defekt auszumerzen.

• **Merkmale** Alle Weißen Perser werden mit blauen Augen geboren; deshalb läßt sich bei Jungtieren nur schwer vorhersagen, ob sie später vielleicht taub sind.

• **Anmerkung** Die ursprünglichen Weißen Perser scheinen im 16. Jahrhundert aus der Türkei nach Frankreich gelangt zu sein. Sie wurden Angoras genannt, nach der türkischen Hauptstadt Ankara.

tiefblaue Augenfarbe erwünscht •

• *kurzer, dicker Hals*

Ohren tief am Kopf • *angesetzt*

feines, seidiges Fell •

FELLTYP:
lang, dicht, seidig, fein

• *reinweißes Haarkleid*

Englischer Name	Blue-eyed White Persian	Wesen	Sanft

Ursprungsland	Großbritannien	Vorfahren	Angoras × Perser	Entstehungszeit	1880er Jahre

Weiß mit verschiedenfarbigen Augen

Diese Katzen können in Würfen von blauäugigen oder gemischten Eltern anfallen. Die Taubheit, sofern vorhanden, beschränkt sich normalerweise auf die Seite des blauen Auges.

• **Merkmale** Die Augen sollten jeweils kräftig gefärbt sein; das Fell ist stets reinweiß.

• **Anmerkung** Diese Rasse wurde in den fünfziger Jahren in den USA anerkannt.

gut auseinanderstehende Ohren •

• *kurze, breite Nase*

• *Ohrbüschel*

• *ein Auge ist orange oder kupferrot, das andere blau*

FELLTYP:
lang, dicht, seidig, fein

Englischer Name	Odd-eyed White Persian	Wesen	Sanft

Ursprungsland Großbritannien	Vorfahren Angoras × Perser	Entstehungs- zeit 1880er Jahre

Creme

Die Creme-Färbung entstand durch die Verpaarung von Schildpatt- und Roten Persern, doch die Nachkommen waren fast ausschließlich männlich.

• **Merkmale** Ein blasser bis mittlerer Cremeton ohne Weiß im Unterhaar wird bevorzugt. Eine Tabbyzeichnung der Welpen sollte rechtzeitig verschwinden.

• **Anmerkung** Die ersten Creme-Perser hatten ein viel dunkleres Fell als die heutigen; bei manchen Tieren war es fast beige.

• *runde Stirn*

FELLTYP: lang, dicht, seidig, fein

• *kräftig orange- oder kupfer- farbene Augen*

• *tiefe, breite Brust*

• *gleich- mäßige Farbin- tensität*

Englischer Name Cream Persian	Wesen Sanft

Ursprungsland Großbritannien	Vorfahren Angoras × Perser	Entstehungs- zeit 1880er Jahre

Rot

In der Frühzeit der Katzenliebhaberei war es schwierig, diese Katzen, die damals »Orange« genannt wurden, ohne Andeutung einer dunkleren Tabbyzeichnung zu züchten. Das ist noch immer ein Problem, vor allem wegen der früher häufigen Einkreuzung von Rotgestromten Persern.

• **Merkmale** Ein sattes, kräftiges Rot ohne sichtbare weiße Haare ist erwünscht. Kätzchen zeigen gewöhnlich Tabbystreifen, die jedoch nach und nach verschwinden.

• **Anmerkung** Ein Mangel an roten Kätzinnen wurde durch die Verpaarung roter Kater mit Schildpatt-Weibchen behoben.

• *breiter Schädel*

FELLTYP: lang, dicht, seidig, fein

• *kräftig orange- oder kupfer- farbene Augen*

• *volle Hals- krause*

• *große, runde Pfoten*

gedrungener • Körperbau

Englischer Name Red Persian	Wesen Sanft

Ursprungsland Großbritannien	Vorfahren Angoras × Perser	Entstehungs-zeit 1880er Jahre

Lilac

Die Farbe des Lilac-Persers ist eine Verdünnung derjenigen des Chocolate-Persers, und beide Farbschläge haben sich ähnlich entwickelt. Die weitere Verbesserung dieses Katzentyps ist noch im Gange.

massiger Rumpf •

• **Merkmale** Es ist schwer, die gewünschte rosig angehauchte taubengraue Tönung zu erzielen, die gleichmäßig intensiv den ganzen Körper überziehen muß.

• **Anmerkung** Diese Perser-Neuzüchtung geht auf die sechziger Jahre zurück und ist noch nicht sehr zahlreich verbreitet.

FELLTYP:
lang, dicht, seidig, fein

• kurzer, dicker Hals   *• reine, gleichmäßig kräftige Färbung*

Englischer Name Lilac Persian	Wesen Sanft

Ursprungsland Großbritannien	Vorfahren Angoras × Perser	Entstehungs-zeit 1880er Jahre

Blau

Die ersten Blauperser sind aus Kreuzungen von Schwarzen und Weißen Persern hervorgegangen; durch Selektion wurden weiße Flecken im Fell eliminiert. Königin Viktoria hielt diese Katzen und hat sie dadurch populär gemacht.

• **Merkmale** Kätzchen zeigen oft ein Tabbymuster, doch merkwürdigerweise entwickeln sich jene mit der kräftigsten Stromung oft zu den schönsten Alttieren.

• **Anmerkung** Blaue Katzen haben ihren Ursprung in Rußland, Persien (Iran) und benachbarten Ländern.

Felltyp:
lang, dicht, seidig, fein

• große orange- oder kupferfarbene Augen

• Ohren weit auseinanderstehend und tief angesetzt

kurze Beine •   *• breite Schultern*

• Pfoten mit Haarbüscheln zwischen den Zehen

• kurzer, buschiger Schwanz

Englischer Name Blue Persian	Wesen Sanft

Ursprungsland Großbritannien	Vorfahren Angoras × Perser	Entstehungs- zeit 1880er Jahre

Chocolate

Der schokoladenbraune Perser ist aus einer Kreuzung von Havana und Blauperser hervorgegangen. Das erste Exemplar der Neuzüchtung wurde 1961 ausgestellt.

• **Merkmale** Das Zuchtziel ist eine Katze mit einfarbig schokoladenbraunem Fell ohne jede Markierung.

• **Anmerkung** Die Einkreuzung von Havanas erbrachte zunächst vielfach Katzen mit länglichem Gesicht und großen Ohren. Solche Fehler sind inzwischen ausgemerzt worden.

FELLTYP:
lang, dicht, seidig, fein

• *große, kräftig orange- oder kupferfarbene Augen*

kurzes Gesicht •

• *kurze, stämmige Beine*

• *einheitlicher, mittlerer bis dunkler schokoladenbrauner Farbton*

Englischer Name Chocolate Persian	Wesen Sanft

Ursprungsland Großbritannien	Vorfahren Angoras × Perser	Entstehungs- zeit 1880er Jahre

Schwarz

Der Schwarze Perser, der die Liste der anerkannten Rassen anführt, wurde erstmals 1871 auf der ersten englischen Katzenschau vorgestellt.

• **Merkmale** Eine gute Ausfärbung, ohne Schattierung, Markierungen oder weiße Haare, ist bei dieser Rasse wesentlich. Jungtiere können einen grauen oder rötlichen (»rostigen«) Anflug zeigen, der jedoch mit etwa acht Monaten verschwinden muß.

• **Anmerkung** Die frühen schwarzen Perser waren etwas kürzer behaart als die heutigen

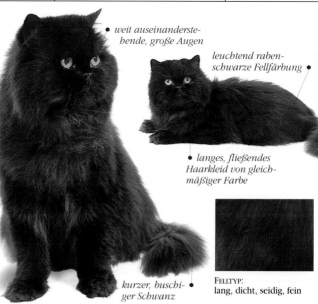

• *weit auseinanderstehende, große Augen*

leuchtend rabenschwarze Fellfärbung •

• *langes, fließendes Haarkleid von gleichmäßiger Farbe*

kurzer, buschiger Schwanz •

FELLTYP:
lang, dicht, seidig, fein

Englischer Name Black Persian	Wesen Sanft

Ursprungsland	Großbritannien	Vorfahren	Angoras × Perser	Entstehungs-zeit	1880er Jahre

Creme und Weiß

Ursprünglich strebte man bei zweifarbigen Katzen (Bi-Colours) eine Ähnlichkeit mit Holländer Kaninchen an; das Fell sollte deutlich weiß und farbig gebändert sein. Doch dieses Zuchtziel war unmöglich zu erreichen.

• **Merkmale** Ein blasser bis mittlerer Cremeton wird gefordert, und die weißen Partien sollen ein Drittel bis eine Hälfte des Fells ausmachen.

• **Anmerkung** Die Zweifarbigkeit hat eine lange Geschichte, erfreute sich aber anfangs keiner großen Beliebtheit.

• *kleine Ohren*

FELLTYP:
lang, dicht, seidig, fein

• *etwas Weiß auf dem Schwanz erlaubt*

• *große Pfoten*

Englischer Name	Cream and White Persian	Wesen	Sanft

Ursprungsland	Großbritannien	Vorfahren	Angoras × Perser	Entstehungs-zeit	1880er Jahre

Rot und Weiß

Die Zucht dieser zweifarbigen Katze ist besonders schwierig, da jede Tabbyzeichnung in den roten Fellpartien als fehlerhaft gilt.

• **Merkmale** Verlangt wird ein kräftiger, satter roter Farbton, und die weißen Partien sollten rein und nicht gebrochen weiß sein. Hinsichtlich des Typs darf die Katze nicht von anderen Persern abweichen.

• **Anmerkung** Die 1971 in Großbritannien erfolgte Abänderung des Standards für Bi-Colours hatte ein vermehrtes Interesse an diesen Katzen zur Folge. Vorher war es extrem schwierig, die geforderte symmetrische Farbverteilung zu erzielen.

leichte Schattierung im Rot auf der Stirn •

• *Gesicht zeigt sowohl Rot als auch Weiß*

FELLTYP:
lang, dicht, seidig, fein

• *Farbe auf dem Schwanz unerläßlich*

• *Abgrenzung zwischen roten und weißen Partien*

Englischer Name	Red and White Persian	Wesen	Sanft

| Ursprungsland Großbritannien | Vorfahren Angoras × Perser | Entstehungszeit 1880er Jahre |

Lilac und Weiß

Ursprünglich waren bei zweifarbigen Katzen nur die vier traditionellen Farben (Schwarz, Blau, Rot und Creme) mit Weiß erlaubt. Das änderte sich 1971, denn jetzt wurden auch andere Varietäten, wie die hier gezeigte, zugelassen.

• **Merkmale** Die Beine sind überwiegend weiß, und auch auf dem Schwanz ist etwas Weiß erlaubt.

• **Anmerkung** Sobald die Lilac-Perser fest etabliert waren, ließ sich der zweifarbige Schlag leicht züchten, indem man sie einfach mit weißen Tieren kreuzte.

• *gleichmäßig kräftige Färbung*

• *in den farbigen Partien wird ein warmer Lilacton gefordert*

• *breite Brust*

FELLTYP: lang, dicht, seidig, fein

Lilacfarbe auf • dem Schwanz

| Englischer Name Lilac and White Persian | Wesen Sanft |

| Ursprungsland Großbritannien | Vorfahren Angoras × Perser | Entstehungszeit 1880er Jahre |

Blau und Weiß

Zweifarbige Katzen sind durchweg kräftige und gesunde Tiere, doch ihr Fell braucht viel Pflege, damit die scharf abgegrenzten weißen und farbigen Partien am besten zur Geltung kommen.

• **Merkmale** Kater wachsen meist zu massigen Tieren heran; die Kätzinnen sind nur wenig kleiner. Das Fell darf keine Spuren einer Tabbyzeichnung aufweisen. Das üppige Haar bildet um die Schulter und zwischen den Vorderbeinen eine Krause.

• **Anmerkung** Dunklere Farben, wie bei diesem Blau-Weißen Perser, sind offenbar am beliebtesten.

FELLTYP: lang, dicht, seidig, fein

• *kräftige Kiefer*

Gesicht • weist sowohl Blau als auch Weiß auf

buschiger Schwanz •

• *deutlicher Kontrast zwischen blauen und weißen Partien*

• *langes Haarkleid*

| Englischer Name Blue and White Persian | Wesen Sanft |

Ursprungsland Großbritannien	Vorfahren Angoras × Perser	Entstehungs-zeit 1880er Jahre

Chocolate und Weiß

Die Varietät Chocolate und Weiß ging aus den Chocolate-Persern hervor, die mit Weißen Persern gekreuzt wurden.

• **Merkmale** Die farbigen Partien sollten die Hälfte bis zwei Drittel des Fells ausmachen.

• **Anmerkung** Die Zucht dieses Farbschlags wurde durch die 1971 erfolgte Änderung des britischen Standards gefördert.

runder, breiter Kopf mit gutem Abstand zwischen den Ohren

FELLTYP: lang, dicht, seidig, fein

kräftiges Kinn

• *klare Abgrenzung zwischen weißen und schokoladenfarbenen Partien unerläßlich*

Englischer Name Chocolate and White Persian	Wesen Sanft

Ursprungsland Großbritannien	Vorfahren Angoras × Perser	Entstehungs-zeit 1880er Jahre

Schwarz und Weiß

Diese zweifarbigen Katzen lassen sich bis in die Frühzeit der Liebhaberzucht zurückverfolgen, als sie wegen ihrer Färbung als »magpie« (Elster) bezeichnet wurden.

• **Merkmale** Wie bei anderen Bi-Colours wird eine symmetrische Farbaufteilung bevorzugt, dazu eine Blesse, wie hier zu sehen. Im Typ sollte sich dieser Schlag nicht von anderen Persern unterscheiden.

• **Anmerkung** Zweifarbige Perser waren in Großbritannien bis 1966 nicht als Siegeranwärter zugelassen, und daran änderte sich wenig, bis 1971 ein realistischer Standard eingeführt wurde.

glänzendes Schwarz ohne versprengte weiße Haare

FELLTYP: lang, dicht, seidig, fein

im Kätzchenfell vorübergehend ein rötlicher Anflug •

• *weißes Halsband erwünscht*

Englischer Name Black and White Persian	Wesen Sanft

Ursprungsland Großbritannien	Vorfahren Angoras × Perser	Entstehungs- zeit 1880er Jahre

Blaucreme

Seit ihrer Anerkennung im Jahre 1929 sind in Großbritannien einige hervorragende Blaucreme-Perser gezüchtet worden.
• **Merkmale** Die Färbung dieser Katzen variiert je nach ihrer Herkunft. Der britische Standard verlangt eine gleichmäßige Mischung der beiden Farben, während in Nordamerika unterscheidbare blaue und cremefarbene Partien bevorzugt werden.
• **Anmerkung** Diese Katzen, ursprünglich Blau-Schildpatt genannt, sind gewöhnlich weiblich; etwaige Kater sind wahrscheinlich unfruchtbar.

vermischtes Blaßblau und Creme •

• *große, orange- oder dunkel kupferfarbene Augen*

FELLTYP:
lang, dicht, seidig, fein

• *massige Schulterpartie*

breiter, runder Kopf •

• *tiefe, breite Brust*

Englischer Name Blue-cream Persian	Wesen Sanft

Ursprungsland Großbritannien	Vorfahren Angora × Perser	Entstehungs- zeit 1880er Jahre

Schildpatt

Der Schildpatt-Perser hat ein reizend sanftes Wesen, aber die Zucht von guten Schautieren ist nicht einfach.
• **Merkmale** Die Farbe sollte eine Kombination von Schwarz sowie hellen und dunklen Rottönen sein.
• **Anmerkung** Dieser Farbschlag wurde erstmals in den späten 1890er Jahren gezüchtet und erfreute sich schon bald beiderseits des Atlantiks größter Beliebtheit.

• *große Schädelbreite*

FELLTYP:
lang, dicht, seidig, fein

• *gut entwickelte Halskrause, die zwischen die Vorderbeine hinabreicht*

buschiger Schwanz •

• *kurze, breite Beine mit großen Haarbüscheln an den Pfoten*

Englischer Name Tortoiseshell Persian	Wesen Sanft

Ursprungsland Großbritannien	Vorfahren Angoras × Perser	Entstehungs-zeit 1880er Jahre

Blaucreme und Weiß

Die Zucht von Blaucreme-Katzen, deren Farben gleichmäßig gemischt sind, ist schwierig.
• **Merkmale** Bei diesem Farbschlag sollte das Fell zu einem Drittel bis zur Hälfte weiß und im übrigen blaucreme sein. Diese Partien müssen deutlich abgegrenzt sein, ohne daß weiße Haare im Blaucreme-Bereich auftreten.
• **Anmerkung** Durch Einpudern des Fells wird die Abgrenzung der einzelnen Farben bei Ausstellungskatzen verstärkt.

große, runde Augen •

• Krause erstreckt sich von der Schulter bis über die Brust

• kurze Beine

• etwas Weiß auf dem Schwanz erlaubt

FELLTYP:
lang, dicht, seidig, fein

Englischer Name Blue-cream and White Persian	Wesen Sanft

Ursprungsland Großbritannien	Vorfahren Angoras × Perser	Entstehungs-zeit 1880er Jahre

Blauschildpatt-Smoke

Auf den ersten Blick ist es schwierig, diese Kätzchen von Blaucreme-Tieren zu unterscheiden, weil die charakteristische weiße Unterwolle frühestens mit drei Wochen sichtbar wird.
• **Merkmale** Die Spitzenfärbung ist hier blau, und hinzu kommen gut abgegrenzte cremefarbene Flecken. Die Unterhaare müssen so weiß wie möglich sein, doch die Intensität der Färbung gilt nicht als ausschlaggebend. Der Nasenspiegel kann rosig, blau oder blaurosa sein.
• **Anmerkung** Die Farbe Blauschildpatt-Smoke, auch als Blaucreme-Smoke bezeichnet, ist eine Verdünnung von Schildpatt-Smoke.

• kleine abgerundete Ohren

FELLTYP:
lang, dicht, seidig, fein

• cremefarbene Flecken im Fell

kurzer Schwanz, lang und üppig behaart •

muskulöser Körper •

Englischer Name Blue Tortie Smoke Persian	Wesen Sanft

| Ursprungsland | Großbritannien | Vorfahren | Angoras × Perser | Entstehungs-zeit | 1880er Jahre |

Schildpatt und Weiß

Diese Katzen, zuweilen »Calico-Perser« genannt, waren vor ihrer Anerkennung 1950 vergleichsweise selten.

• **Merkmale** Ein Drittel bis eine Hälfte des Fells sollte aus klar abgegrenzten weißen Flecken bestehen; in den farbigen Partien dürfen keine weißen Haare wachsen.

• **Anmerkung** In Nordamerika wurde ein leicht abweichender Standard aufgestellt; dort wird eine weiß gefärbte Unterseite bevorzugt.

• *farbige und weiße Partien auf dem Kopf*

FELLTYP:
lang, dicht, seidig, fein

• *klar abgegrenzte Farbflecken*

• *gedrungener Körperbau*

• *großes, abgeflachtes Gesicht*

Schwanz muß • *Farbe aufweisen*

| Englischer Name | Tortie and White Persian | Wesen | Sanft |

| Ursprungsland | Großbritannien | Vorfahren | Angoras × Perser | Entstehungs-zeit | 1880er Jahre |

Schildpatt-und-Weiß-Van

Diese Variante des Schildpatt-und-Weiß-Persers geht auf die türkische Van-Katze zurück, ein vorwiegend weißes Tier mit farbigen Abzeichen auf Kopf, Ohren und Schwanz. Eine Reihe von Farbschlägen ist inzwischen erzüchtet worden.

• **Merkmale** Das Farbmuster ist eine dreifarbige Kombination, und beim hier gezeigten Exemplar sind die Schildpatt-Grundfarben Schwarz und Rot. Zweifarbige Formen kommen heute immer häufiger vor.

• **Anmerkung** Die FIFE, der europäische Dachverband, hat diesen Schlag 1986 unter dem Namen »Harlekin« anerkannt.

• *Farbe auf Kopf und Ohren*

FELLTYP:
Lang, dicht, seidig, fein

• *weißer Rumpf*

farbiger Schwanz •

bis zu drei kleine Farb- • *flecken auf dem Rumpf erlaubt*

| Englischer Name | Tortie and White Van Persian | Wesen | Sanft |

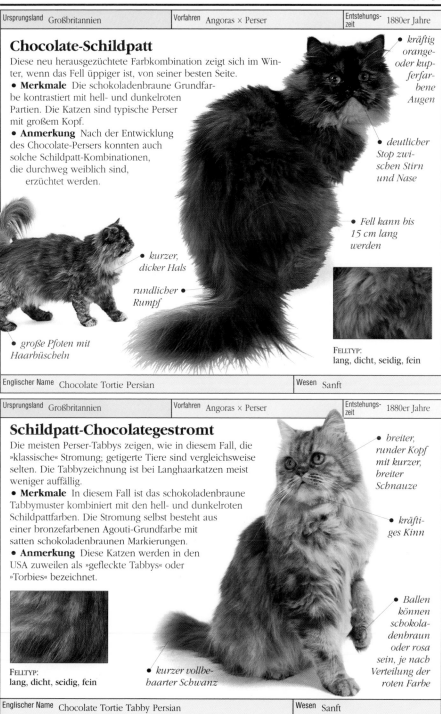

| Ursprungsland | Großbritannien | Vorfahren | Angoras × Perser | Entstehungszeit | 1880er Jahre |

Chocolate-Schildpatt

Diese neu herausgezüchtete Farbkombination zeigt sich im Winter, wenn das Fell üppiger ist, von seiner besten Seite.
• **Merkmale** Die schokoladenbraune Grundfarbe kontrastiert mit hell- und dunkelroten Partien. Die Katzen sind typische Perser mit großem Kopf.
• **Anmerkung** Nach der Entwicklung des Chocolate-Persers konnten auch solche Schildpatt-Kombinationen, die durchweg weiblich sind, erzüchtet werden.

• *kräftig orange- oder kupferfarbene Augen*

• *deutlicher Stop zwischen Stirn und Nase*

• *Fell kann bis 15 cm lang werden*

• *kurzer, dicker Hals*

rundlicher • *Rumpf*

• *große Pfoten mit Haarbüscheln*

FELLTYP:
lang, dicht, seidig, fein

| Englischer Name | Chocolate Tortie Persian | Wesen | Sanft |

| Ursprungsland | Großbritannien | Vorfahren | Angoras × Perser | Entstehungszeit | 1880er Jahre |

Schildpatt-Chocolategestromt

Die meisten Perser-Tabbys zeigen, wie in diesem Fall, die »klassische« Stromung; getigerte Tiere sind vergleichsweise selten. Die Tabbyzeichnung ist bei Langhaarkatzen meist weniger auffällig.
• **Merkmale** In diesem Fall ist das schokoladenbraune Tabbymuster kombiniert mit den hell- und dunkelroten Schildpattfarben. Die Stromung selbst besteht aus einer bronzefarbenen Agouti-Grundfarbe mit satten schokoladenbraunen Markierungen.
• **Anmerkung** Diese Katzen werden in den USA zuweilen als »gefleckte Tabbys« oder »Torbies« bezeichnet.

• *breiter, runder Kopf mit kurzer, breiter Schnauze*

• *kräftiges Kinn*

• *Ballen können schokoladenbraun oder rosa sein, je nach Verteilung der roten Farbe*

FELLTYP:
lang, dicht, seidig, fein

• *kurzer vollbehaarter Schwanz*

| Englischer Name | Chocolate Tortie Tabby Persian | Wesen | Sanft |

Ursprungsland Großbritannien	Vorfahren Angoras × Perser	Entstehungs-zeit 1880er Jahre

Lilacgestromt

Diese Tabbys sind zwar aus den Lilac-Persern hervorgegangen, die bis in die 1880er Jahre zurückreichen, gehören aber zu den jüngsten Neuzugängen der Persergruppe.

• **Merkmale** Die Grundfarbe sollte eine beige Agouti-Schattierung sein, die mit dichten, deutlich abgegrenzten Lilac-Markierungen kontrastiert. Diese sollten in Streifen vom Rücken herab verlaufen.

• **Anmerkung** Tabbymuster, bei Perserkatzen seit langem vertraut, sind im Zusammenhang mit neuen Farben aufgetaucht, sobald diese zur Verfügung standen.

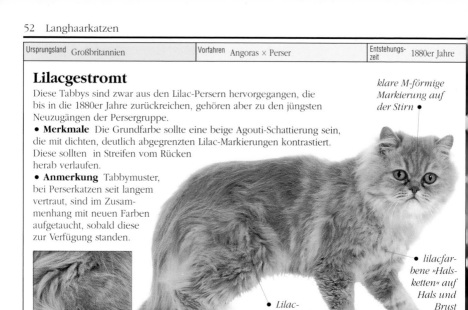

klare M-förmige Markierung auf der Stirn •

• *lilacfarbene »Halsketten« auf Hals und Brust*

• *Lilac-Flecken auf dem Unterleib*

FELLTYP:
lang, dicht, seidig, fein

Englischer Name Lilac Tabby Persian	Wesen Sanft

Ursprungsland Großbritannien	Vorfahren Angoras × Perser	Entstehungs-zeit 1880er Jahre

Blaugestromt

Die frühesten Blaugestromten Perser fielen in Würfen der Braungestromten an, doch sie können auch aus der Kreuzung von Blauen und Braungestromten Persern hervorgehen.

• **Merkmale** Das Fell zeigt einen guten Kontrast zwischen den dunkelblauen Markierungen und der hellblauen Grundfarbe.

• **Anmerkung** Dieser Farbschlag wurde in den USA 1962 offiziell anerkannt, in Großbritannien jedoch nur vorläufig.

• *blaue Nase*

FELLTYP:
lang, dicht, seidig, fein

• *dicht nebeneinander angeordnete Streifen*

gedrungener Körper auf kurzen Beinen •

klar umrissenes M-Zeichen •

gut behaarter Schwanz •

• *buschiger Schwanz*

Englischer Name Blue Tabby Persian	Wesen Sanft

Ursprungsland Großbritannien	Vorfahren Angoras × Perser	Entstehungs-zeit 1880er Jahre

Rotgestromt

Rotgestromte Perser wurden schon im vorigen Jahrhundert ausgestellt, doch ihre Zahl ist nach dem Zweiten Weltkrieg zurückgegangen.

• **Merkmale** Die Grundfarbe sollte ein satter Rotton mit einer Reihe von dunkleren Tabby-streifen sein.

• **Anmerkung** Dieser Farbschlag, ursprünglich Orange Tabby genannt, ist in Nordamerika besonders beliebt.

• kleine Ohren mit abgerundeter Spitze und dichten Ohrbüscheln

FELLTYP: lang, dicht, seidig, fein

• einfarbig roter Rücken mit drei dunkleren Streifen

Englischer Name Red Tabby Persian		Wesen Sanft

Ursprungsland Großbritannien	Vorfahren Angoras × Perser	Entstehungs-zeit 1880er Jahre

Silbergestromt

Silbergestromte Perserkätzchen, die bei der Geburt überwiegend schwarz sind und nur die Andeutung einer Stromung zeigen, entwickeln sich vielfach zu den am schönsten gezeichneten adulten Tieren.

• **Merkmale** Die silberne Grundfarbe kontrastiert mit dichten schwarzen Markierungen. Das Fell darf keine Spur von Weiß oder Braun enthalten.

• **Anmerkung** Silbergestromte Perser waren Ende des 19. Jahrhunderts beliebt.

deutliche erkennbare Tabbyzeichnung •

FELLTYP: lang, dicht, seidig, fein

• kurzer Schwanz ohne jede Spur eines Knicks

• geringelte Beine

Englischer Name Silver Tabby	Persian	Wesen Sanft

Ursprungsland Großbritannien	Vorfahren Angoras × Perser	Entstehungs-zeit 1880er Jahre

Braungestromt

Wenn man das Fell mit dem Strich bürstet, tritt der Kontrast zwischen den hellen Haaren und den dunklen Markierungen deutlich hervor.

charakteristische M-Markierung auf der Stirn •

• **Merkmale** Die Grundfarbe sollte eine warme, lohfarbene Sandfarbe sein, durchbrochen von schwarzen Streifen. Die Augen sollten orange- oder kupferfarben sein. Die Nase muß ziegelrot sein. Die Ballen sind entweder schwarz oder braun.

• **Anmerkung** Die Brown Tabby Persian Cat Society wurde schon in Viktorianischer Zeit gegründet.

• *ein schwarzer Strich zieht sich aus den Augenwinkeln nach hinten*

FELLTYP:
lang, dicht, seidig, fein

Schwanz regelmäßig schwarz geringt •

• *kurzer Hals*

Streifen auf den Beinen •

Englischer Name Brown Classic Tabby Persian	Wesen Sanft

Ursprungsland Großbritannien	Vorfahren Angoras × Perser	Entstehungs-zeit 1880er Jahre

Schildpatt-Schwarzgestromt

Diese Perser zeigen ein typisches Tabbymuster mit Schildpattmarkierungen in Rottönen; beides soll deutlich erkennbar sein.

gut abgegrenzte Farben •

• **Merkmale** In diesem Fall hebt sich die schwarze Tabbyzeichnung von der kupferbraunen Agouti-Grundfarbe des Fells ab. Die Schildpattfärbung ist ebenfalls zu sehen. Die Ballen sind rosa oder schwarz.

• **Anmerkung** Schildpatt-Schwarzgestromte Perser oder »Torbies« sind in der Regel weiblich.

• *Tabbymuster deutlich erkennbar*

FELLTYP:
lang, dicht, seidig, fein

kurzer, buschiger Schwanz •

Englischer Name Tortie Tabby Persian	Wesen Sanft

Ursprungsland Großbritannien	Vorfahren Angoras × Perser	Entstehungs-zeit 1880er Jahre

Silberschattiert

In der Vergangenheit war die Unterscheidung zwischen dem Silberschattierten und dem Chinchilla-Perser umstritten. Kätzchen beider Schläge können im selben Wurf anfallen, und dunkle Exemplare werden oft heller, entwickeln sich also im Grunde zu Chinchillas.

- **Merkmale** Beim silberschattierten Schlag sollte die schwarze Spitzenfärbung ungefähr ein Drittel der Haarlänge ausmachen.
- **Anmerkung** Die Züchter haben sich durch gezielte Zuchtwahl bemüht, die beiden Schläge eindeutig zu trennen.

Spitzenfärbung im Gesicht

FELLTYP: lang, dicht, seidig, fein

- *reinweiße Unterwolle*

schwarze Spitzenfärbung auf Rücken und Flanken

- *Färbung der Beine entspricht der des Gesichts*

Englischer Name Silver Shaded Persian	Wesen Sanft

Ursprungsland Großbritannien	Vorfahren Angoras × Perser	Entstehungs-zeit 1880er Jahre

Chinchilla

Die Trennung von Silberschattierten und Chinchilla-Persern wurde wiedereingeführt, nachdem man sie Anfang des Jahrhunderts aufgegeben hatte.

- **Merkmale** Die Spitzenfärbung ist bei der Chinchilla weniger ausgeprägt als beim silberschattierten Schlag.
- **Anmerkung** Dieser Farbschlag ist im vorigen Jahrhundert offenbar aus Silbergestromten Persern hervorgegangen.

gleichmäßig • verteilte Spitzenfärbung

FELLTYP: lang, dicht, seidig, fein

Kätzchen können gestreift sein •

- *Brust und Kinn reinweiß*

- *Beinbehaarung kann leicht spitzengefärbt sein*

Englischer Name Chinchilla Persian	Wesen Sanft

Ursprungsland Großbritannien	Vorfahren Angoras × Perser	Entstehungs-zeit 1880er Jahre

Creme-Smoke

Der Kontrast ist hier vielleicht nicht so stark wie bei den dunkleren Farben, aber gleichwohl sehr attraktiv.

cremefarbene Maske ohne Markierungen •

• **Merkmale** Die Grundfarbe ist Creme, welches auf den Seiten und den Flanken in Weiß übergeht. Die Unterhaare kommen besser zur Geltung, wenn sich die Katze bewegt.

• *cremefarbene Pfoten*

• **Anmerkung** Dieser Farbschlag muß sehr oft gebürstet werden, damit das Smoke gut zum Vorschein kommt. Wie bei allen Smoke-Katzen dürfen Jungtiere erst mit frühestens sechs Monaten ausgestellt werden.

• *von der Schulter ausgehende Krause, die auf der Brust eine »Mähne« bildet*

FELLTYP: lang, dicht, seidig, fein

• *kurzer, buschiger Schwanz*

Englischer Name Cream Smoke Persian	Wesen Sanft

Ursprungsland Großbritannien	Vorfahren Angoras × Perser	Entstehungs-zeit 1880er Jahre

Blau-Smoke

Alle Langhaarkatzen brauchen gründliche Fellpflege; überschüssiges Fett entfernt man, indem man Mehl in das Fell reibt und dann ausbürstet.

• **Merkmale** Die blaue Färbung ist zu den Körperseiten hin nach Silber abschattiert; die Unterwolle sollte so weiß wie möglich sein, damit ein schöner Kontrast entsteht. Kopf und Pfoten sind ebenfalls kräftig blau schattiert.

• **Anmerkung** Die Zahl der Blau-Smoke-Perser schwankt ebenso häufig wie deren Beliebtheit.

• *die blaue Färbung ist auf dem Rücken deutlich zu sehen*

FELLTYP: lang, dicht, seidig, fein

• *silberne Halskrause*

Englischer Name Blue Smoke Persian	Wesen Sanft

Ursprungsland Großbritannien	Vorfahren Angoras × Perser	Entstehungszeit 1880er Jahre

Schwarz-Smoke

Bei diesem Schlag, auch Rauchperser oder Silbermoor genannt, variiert die Intensität des Schwarz; britische Züchter bevorzugen die dunklere Ausführung. Ausgeprägt ist der Kontrast zwischen der weißen Unterwolle und der schwarzen Spitzenfärbung.

• **Merkmale** Im Typ ähneln diese Tiere anderen Perserkatzen, denn sie haben einen breiten, runden Kopf und einen gedrungenen Körper. Die Augen sind orange- oder kupferfarben.

• **Anmerkung** Rauchperser lassen sich bis in die 1860er Jahre zurückverfolgen und stellen einen traditionellen Farbschlag dar.

schwärzlicher Rücken •

• *silberne Halskrause*

die weiße Unterwolle kommt zum Vorschein, wenn das schwarze Körperfell geteilt wird •

dichtbehaarter Schwanz •

FELLTYP:
lang, dicht, seidig, fein

Englischer Name Black Smoke Persian	Wesen Sanft

Ursprungsland Großbritannien	Vorfahren Angoras × Perser	Entstehungszeit 1880er J.

Blaucreme-Smoke

Bei der Auswahl kleiner Smoke-Katzen sollte man sich für jene entscheiden, deren Unterwolle am hellsten ist, denn aus ihnen werden wahrscheinlich die am besten gefärbten Alttiere. Regelmäßige Fellpflege ist bei diesen Katzen besonders wichtig.

• **Merkmale** Im Fall des Blaucreme-Smoke-Persers sollte die Spitzenfärbung eine Mischung aus Blau und Creme sein, die für ein attraktives Erscheinungsbild bürgt. Die kontrastierenden Unterhaare sollten so weiß wie möglich sein.

• **Anmerkung** Durch Einkreuzung von Blaucreme-Smoke-Persern hat man früher den Typ anderer Smoke-Katzen verbessert.

Gesichtsblesse •

• *Färbung auf dem Kopf oft am intensivsten*

FELLTYP:
lang, dicht, seidig, fein

Pfoten mit Haarbüscheln •

kurze, kräftige Beine •

Englischer Name Blue-cream Smoke Persian	Wesen Sanft

Ursprungsland Großbritannien	Vorfahren Angoras × Perser	Entstehungs-zeit 1880er Jahre

Schildpatt-Smoke

Die Spitzenfärbung ist hier, wie bei anderen Smoke-Katzen, deutlich größer als bei den schattierten Persern, wodurch die Farbe intensiver wirkt. Eine cremefarbene oder rote Blesse ist bei dieser fast ausschließlich weiblichen Varietät erwünscht.

• **Merkmale** Mit ihrem rot, cremefarben und schwarz gefleckten Fell ähneln diese Katzen den Schildpatt-Persern, doch wenn sie sich bewegen, kommt das weiße Unterhaar zum Vorschein und ergibt einen herrlichen Kontrast.

• **Anmerkung** Aus Kreuzungen von Smoke- mit Schildpatt-Persern entsteht ein spezieller Farbschlag.

gesprenkelte Färbung •

• *kurze Nase*

• *große, runde Pfoten*

• *kurzer, buschiger Schwanz*

FELLTYP:
lang, dicht, seidig, fein

Englischer Name Tortie Smoke Persian	Wesen Sanft

Ursprungsland Großbritannien	Vorfahren Angoras × Perser	Entstehungs-zeit 1880er Jahre

Pewter (Zinnfarben)

Zinnfarbene und Silberschattierte Perser sehen sich zwar auffallend ähnlich, doch aufgrund der Augenfarbe kann man sie leicht unterscheiden. Beim Pewter-Perser sind die Augen orange- oder kupferfarben.

• **Merkmale** Das weiße Haarkleid mit schwarzer Spitzenfärbung ergibt einen zinnfarbenen Mantel. Die Unterwolle ist ebenfalls weiß, mit dunklerer Schattierung an den Beinen. Die ziegelrote Nase ist weiß gerandet.

• **Anmerkung** Pewter-Perser stammen von Chinchilla-Persern ab.

• *große, runde orange- oder kupferfarbene Augen*

breiter, runder Kopf mit weit auseinanderstehenden Ohren •

kurzer Schwanz •

FELLTYP:
lang, dicht, seidig, fein

Englischer Name Pewter Persian	Wesen Sanft

Ursprungsland	Großbritannien	Vorfahren	Angoras × Perser	Entstehungs-zeit	1880er Jahre

Golden

Die unverwechselbare Färbung entsteht durch die Schattierung der Einzelhaare.

• **Merkmale** Die Farbe der Unterwolle variiert zwischen Apricot und Gold; hinzu kommt eine sealbraune oder schwarze Spitzenfärbung an Kopf, Rücken, Flanken und Schwanz. Die Beine können schattiert sein und weisen eine einfarbige Partie auf, die der Spitzenfärbung entspricht und sich von der Pfote bis zur Ferse erstreckt. Die Ballen sind sealbraun oder schwarz.

• **Anmerkung** In Nordamerika ist nur eine sealbraune Spitzenfärbung erlaubt.

blaß apricotfarbene Ohrbüschel •

• *blaugrüne Augen*

• *Kätzchen oft mit Tabbyzeichnung*

FELLTYP:
lang, dicht, seidig, fein

• *kurze, dicke Beine*

• *auffällige Krause auf der Brust*

Englischer Name	Golden Persian		Wesen	Sanft

Ursprungsland	Großbritannien	Vorfahren	Angoras × Perser	Entstehungs-zeit	1880er Jahre

Schildpatt-Cameo

Ein guter Kontrast ist ein wesentliches Kennzeichen dieses Schlags; er betrifft sowohl die Unterwolle und die Spitzenfärbung der Leithaare als auch die markanten Flecken der Schildpattfärbung selbst.

• **Merkmale** Die cremefarbene, rote und schwarze Schildpattfärbung sollte sich in Flecken abheben, vor allem im Gesicht. An Beinen oder Pfoten dürfen keine einfarbigen Partien sichtbar sein, doch die Spitzenfärbung kann jede Schattierung annehmen.

• **Anmerkung** Tägliche Fellpflege ist unerläßlich, damit das Farbmuster am besten zur Geltung kommt und das Fell vor dem Verfilzen geschützt wird.

FELLTYP: lang, dicht, seidig, fein

Farbflecken im Gesicht gut abgesetzt •

hell kupferrote Augen •

kurzer, buschiger Schwanz •

• *kurze, breite Stupsnase*

• *reinweiße Unterwolle*

Englischer Name	Tortie Cameo Persian		Wesen	Sanft

Ursprungsland Großbritannien	Vorfahren Angoras × Perser	Entstehungszeit 1880er Jahre

Cremeschattiert-Cameo

Das ungewöhnliche Aussehen verdanken diese Katzen dem Kontrast zwischen der weißen Unterwolle und der Cremeschattierung.
• **Merkmale** Die auffälligsten Cremepartien finden sich in der Maske und auf dem Rücken bis zur Schwanzspitze. Die Beine und Pfoten sind gut schattiert; Ohrbüschel, Flanken, Krause und Unterleib bleiben blaß.
• **Anmerkung** Die Cameo-Perser entstanden in den fünfziger Jahren in den USA.

kupferrote, Augen, gesäumt von einer satt cremefarbenen Maske •

• *wehender »Fahnenschwanz«*   FELLTYP: lang, dicht, seidig, fein

• *durch die gleichmäßige Cremeschattierung entsteht der Eindruck eines cremefarbenen Mantels*

auffällige Halskrause •

Englischer Name Cream Shaded Cameo Persian	Wesen Sanft

Ursprungsland Großbritannien	Vorfahren Angoras × Perser	Entstehungszeit 1880er Jahre

Creme-Shell-Cameo

Shell-Cameos sind heller gefärbt als Schattierte Cameos oder dunklere Smoke-Katzen; dieser Unterschied ergibt sich aus der kürzeren Spitzenfärbung der Einzelhaare.
• **Merkmale** Das »glitzernde« Aussehen dieser Katzen ergibt sich aus der Kombination von vorwiegend weißem Fell und leicht cremefarbener Spitzenfärbung, wodurch ein etwas verschwommener Gesamteindruck entsteht. Ballen und Nase sollten rosig sein.
• **Anmerkung** Die Cameos wurden in den sechziger Jahren in Australien, Neuseeland und USA eingeführt. Der erste europäische Cameo-Perser folgte 1962 in Holland, zwei Jahre nach der Anerkennung in Nordamerika.

kupferfarbene Augen •

FELLTYP: lang, dicht, seidig, fein

• *kurzer, buschiger Schwanz ohne Knick*

Englischer Name Cream Shell Cameo Persian	Wesen Sanft

Ursprungsland	Großbritannien	Vorfahren	Angoras × Perser	Entstehungs-zeit	1880er Jahre

Rotschattiert-Cameo

Vereinzelte Cameos sind zwar schon seit vielen Jahren bekannt, aber erst in den fünfziger Jahren unternahm Dr. Rachel Salisbury den Versuch, sie gezielt zu züchten. Die American Cat Fanciers Association anerkannte diese Katzen 1960, und seitdem sind sie allgemeiner bekannt geworden. Die Bezeichnung »Cameo« verwendet man für rote Varianten von Spitzenfärbungen wie Chinchilla, Schattiert und Smoke. Der Unterschied zwischen den Formen ergibt sich aus dem Ausmaß der Spitzenfärbung, was wiederum die Fellfarbe beeinflußt. Die Spitzenfärbung beim Rotschattierten Perser ist ein mittlerer Ton.

- **Merkmale** Die weißen Unterhaare haben rote Spitzen, die das gesamte Fell kontrastreich machen. Die rote Färbung ist am ausgeprägtesten auf der oberen Körperhälfte und erstreckt sich von der Maske über den Rücken bis zur Schwanzspitze. Die untere Hälfte ist hell, abgesehen von den schattierten Beinen und Pfoten.
- **Anmerkung** Das Fell sollte keine Tabbyzeichnung aufweisen.

kräftigste Färbung auf dem Rücken

buschiger Schwanz

massiger Rumpf

kleine Ohren

Pfoten mit Haarbüscheln

relativ großer Körper auf niedrigen Beinen

breite, kompakte Nase mit deutlichem Stop

kurzer Schwanz

große, runde Pfoten

kupferfarbene Augen

rosiger Nasenspiegel

muskulöser Körperbau

Oberseite des Schwanzes rötlicher als Unterseite

Krause aus längerem Haar beginnt auf der Schulter und erstreckt sich bis zwischen die Vorderbeine

Flanken heller gefärbt

FELLTYP: lang, dicht, seidig, fein

Englischer Name	Red Shaded Cameo Persian	Wesen	Sanft

Colourpoint-Langhaar

Diese Katzen werden auch Khmer und in Nordamerika Himalayans genannt. Die dunkle Färbung der Points (Abzeichen) kommt auch bei anderen Himalaja-Tieren vor und ist auf das Siam-Gen (Maskenfaktor) zurückzuführen. Langhaarkatzen mit solchen Ab- zeichen wurden in den zwanziger Jahren von dem schwedischen Genetiker Dr. Tjebbes aus wissenschaftlichen Gründen gezüchtet. Erst als die nachfolgende Erforschung der Katzen- genetik öffentliche Aufmerksamkeit erregte, erkannte man das Potential einer neuen Rasse.

Ursprungsland	USA	Vorfahren	Perser × Siamesen	Entstehungs- zeit	1920er Jahre

Cream-Point

Der Aufbau der neuen Rasse begann 1935, und man stützte sich dabei auf die Ergebnisse des ursprünglichen amerikanischen Zuchtprogramms. Die Kreuzung einer Schwarzen Perser- mit einer Siamkatze hatte 3 schwarze kurz- haarige Kätzchen als Ergebnis. 2 davon wurden miteinander verpaart, und das Re- sultat war ein langhaariges Kätzchen. Als man diese Kätzin namens »Debutante« mit ihrem Va- ter verpaarte, wurde ein Langhaarkätzchen mit Abzeichen geboren. Dies bewies, daß die normale Einfarbigkeit und die Kurzhaarmerkmale dominant waren, daß aber die Welpen sowohl die Abzeichen- als auch die Langhaargene in sich trugen.

• **Merkmale** Die Körperfarbe ist cremeweiß, die Abzeichenfarbe ein dunklerer Creme- ton. Im Typ ähneln diese Katzen einem typischen Perser.

• **Anmerkung** Die Mas- ke ist bei männlichen Tieren durchweg größer.

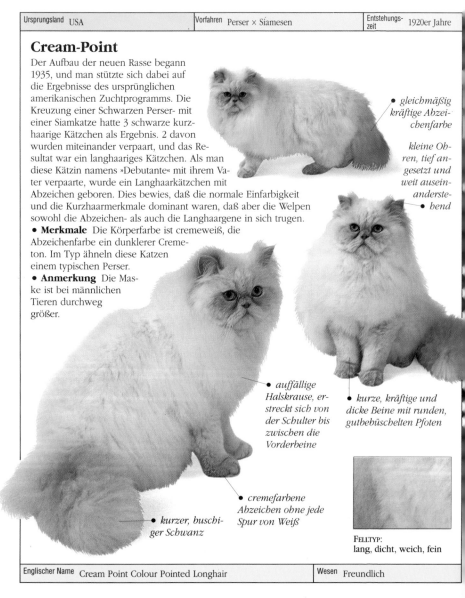

• *gleichmäßig kräftige Abzei- chenfarbe*

• *kleine Oh- ren, tief an- gesetzt und weit ausein- anderste- hend*

• *auffällige Halskrause, er- streckt sich von der Schulter bis zwischen die Vorderbeine*

• *kurze, kräftige und dicke Beine mit runden, gutbebüschelten Pfoten*

• *cremefarbene Abzeichen ohne jede Spur von Weiß*

• *kurzer, buschi- ger Schwanz*

FELLTYP: lang, dicht, weich, fein

Englischer Name	Cream Point Colour Pointed Longhair	Wesen	Freundlich

| Ursprungsland USA | Vorfahren Perser × Siamesen | Entstehungs-zeit 1920er Jahre |

Lilac-Point

Die frühen Colourpoint-Langhaarkatzen standen dem Siamtyp viel näher als die heutigen. Als erstes züchtete man die einheitlichen Abzeichenfarben heraus, und sobald die gewünschte Farbe erreicht war, legte man das Schwergewicht auf die Verbesserung des Typs.
• **Merkmale** Die warme Lilacfarbe der Abzeichen kontrastiert mit der magnolienweißen Körperfarbe. Die Augenfarbe muß ein reiner Blauton sein.
• **Anmerkung** Nur wenige Katzen haben ein sanfteres Naturell. Colourpoints ähneln im Wesen den Perserkatzen und brauchen ebensoviel Fellpflege.

Spuren der Körperschattierung auf Schultern und Flanken •

• kurzer, buschiger Schwanz, passend zur Rumpflänge

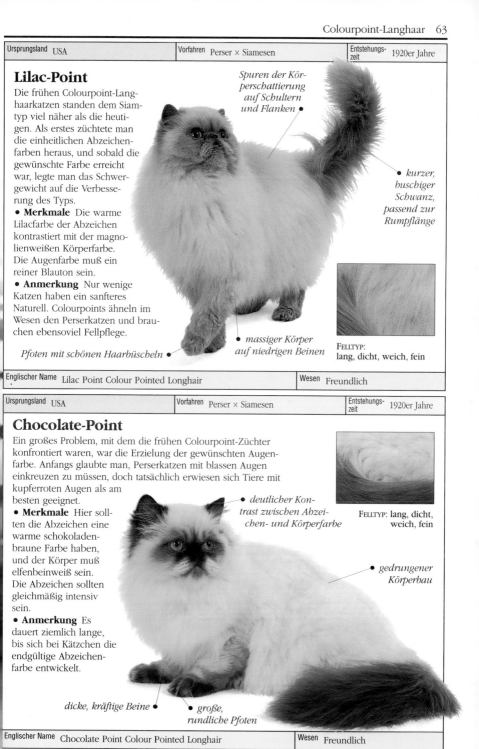

Pfoten mit schönen Haarbüscheln •

• massiger Körper auf niedrigen Beinen

FELLTYP: lang, dicht, weich, fein

| Englischer Name Lilac Point Colour Pointed Longhair | Wesen Freundlich |

| Ursprungsland USA | Vorfahren Perser × Siamesen | Entstehungs-zeit 1920er Jahre |

Chocolate-Point

Ein großes Problem, mit dem die frühen Colourpoint-Züchter konfrontiert waren, war die Erzielung der gewünschten Augenfarbe. Anfangs glaubte man, Perserkatzen mit blassen Augen einkreuzen zu müssen, doch tatsächlich erwiesen sich Tiere mit kupferroten Augen als am besten geeignet.
• **Merkmale** Hier sollten die Abzeichen eine warme schokoladenbraune Farbe haben, und der Körper muß elfenbeinweiß sein. Die Abzeichen sollten gleichmäßig intensiv sein.
• **Anmerkung** Es dauert ziemlich lange, bis sich bei Kätzchen die endgültige Abzeichenfarbe entwickelt.

• deutlicher Kontrast zwischen Abzeichen- und Körperfarbe

FELLTYP: lang, dicht, weich, fein

• gedrungener Körperbau

dicke, kräftige Beine •

• große, rundliche Pfoten

| Englischer Name Chocolate Point Colour Pointed Longhair | Wesen Freundlich |

Ursprungsland USA	Vorfahren Perser × Siamesen	Entstehungszeit 1920er Jahre

Blue-Point

Alle Colourpoint-Langhaarkätzchen werden mit einem kurzen, flauschigen und reinweißen Fell geboren. Die Abzeichen beginnen sich nach mehreren Tagen herauszubilden, und bis sie voll entwickelt sind, können 18 Monate vergehen.

• **Merkmale** Die blaue Abzeichenfarbe hebt sich deutlich vom eisfarbigen Körper ab. Die Ränder von Augen, Nase und Ballen sollten ebenfalls blau sein.

• **Anmerkung** Colourpoints reifen schneller heran als andere Langhaarkatzen – ein Erbteil der Siam-Vorfahren.

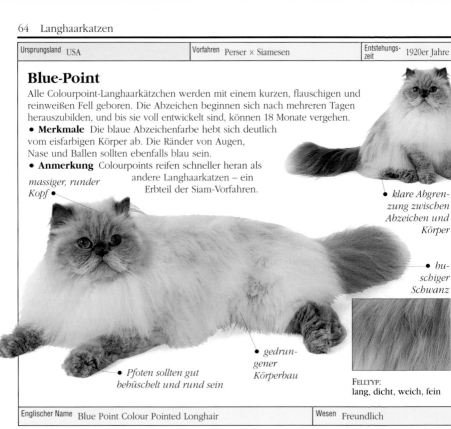

massiger, runder Kopf •

• *klare Abgrenzung zwischen Abzeichen und Körper*

• *buschiger Schwanz*

• *Pfoten sollten gut bebüschelt und rund sein*

• *gedrungener Körperbau*

FELLTYP:
lang, dicht, weich, fein

Englischer Name Blue Point Colour Pointed Longhair	Wesen Freundlich

Ursprungsland USA	Vorfahren Perser × Siamesen	Entstehungszeit 1920er Jahre

Seal-Point

Eine dunkle Abzeichenfarbe ist erwünscht, doch sie kann nie so kräftig sein wie bei der Seal-Point-Siamkatze, weil die als Wärmeschutz dienende längere Behaarung die Farbe beeinflußt.

• **Merkmale** Die dunkle Abzeichenfarbe kontrastiert mit dem cremig-weißen Körper. Die Augenfarbe sollte, wie bei allen Colourpoints, ein klarer, tiefer Blauton sein.

• **Anmerkung** Eine etwas dunklere Schattierung kann sich bei adulten Tieren entwickeln, sie muß zu den Abzeichen passen und sollte sich auf Schultern und Flanken beschränken.

FELLTYP:
lang, dicht, weich, fein

• *Fell kann bis 13 cm lang werden*

guter Kontrast zwischen Abzeichen und Körperfarbe unerläßlich •

• *satt sealbraune Abzeichen*

Englischer Name Seal Point Colour Pointed Longhair	Wesen Freundlich

Ursprungsland USA	Vorfahren Perser × Siamesen	Entstehungszeit 1920er Jahre

Lilac-Cream-Point

Während bei anderen Colourpoints, etwa der Seal-Point, das Fell mit zunehmendem Alter nachdunkelt, bleibt die Färbung hier meist erhalten.

• **Merkmale** Die Lilac-Abzeichen sind mit Creme-Flecken durchsetzt, und die Körperfarbe schwankt zwischen Magnolien- und Cremeweiß. Die dunklere Maske soll die Nase bedecken und sich bis zu den Schnurrhaarkissen und zum Kinn erstrecken, darf aber nicht den ganzen Kopf überziehen.

• **Anmerkung** Dieser Farbschlag wurde in Großbritannien erstmals 1955 anerkannt.

FELLTYP: lang, dicht, weich, fein

fünf Zehen an der Hinterpfote •

• *kräftiger, muskulöser Körper*

magnolienweißer Körper •

cremefarbene Flecken auf allen Abzeichen •

lilacfarbener Nasenspiegel •

Englischer Name Lilac-cream Point Colour Pointed Longhair	Wesen Freundlich

Ursprungsland USA	Vorfahren Perser × Siamesen	Entstehungszeit 1920er Jahre

Blue-Cream-Point

Dieser Farbschlag hat keine Typverschlechterung erlebt, da er direkt aus Kreuzungen mit Persern hervorgegangen ist. Im Erscheinungsbild unterscheiden sich die Colourpoints aus Amerika und Europa: In den USA wird der Typ übertrieben.

• **Merkmale** Die Körperfarbe dieser Katzen variiert zwischen Eisfarbe und einem warmen Cremeweiß.

• **Anmerkung** Die blauen Abzeichen sind von Cremeflecken durchsetzt.

• *kurze, breite Nase mit deutlichem Stop*

FELLTYP: lang, dicht, weich, fein

• *relativ großer Körper*

• *gerader Rücken und massiger Rumpf*

Englischer Name Blue-cream Point Colour Pointed Longhair	Wesen Freundlich

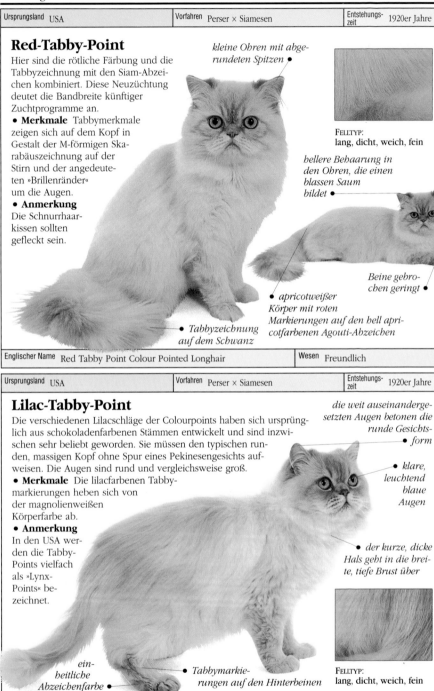

Ursprungsland USA	Vorfahren Perser × Siamesen	Entstehungs-zeit 1920er Jahre

Red-Tabby-Point

Hier sind die rötliche Färbung und die Tabbyzeichnung mit den Siam-Abzeichen kombiniert. Diese Neuzüchtung deutet die Bandbreite künftiger Zuchtprogramme an.

• **Merkmale** Tabbymerkmale zeigen sich auf dem Kopf in Gestalt der M-förmigen Skarabäuszeichnung auf der Stirn und der angedeuteten »Brillenränder« um die Augen.

• **Anmerkung** Die Schnurrhaarkissen sollten gefleckt sein.

kleine Ohren mit abgerundeten Spitzen •

FELLTYP:
lang, dicht, weich, fein

hellere Behaarung in den Ohren, die einen blassen Saum bildet •

Beine gebrochen geringt •

• apricotweißer Körper mit roten Markierungen auf den hell apricotfarbenen Agouti-Abzeichen

• Tabbyzeichnung auf dem Schwanz

Englischer Name Red Tabby Point Colour Pointed Longhair	Wesen Freundlich

Ursprungsland USA	Vorfahren Perser × Siamesen	Entstehungs-zeit 1920er Jahre

Lilac-Tabby-Point

Die verschiedenen Lilacschläge der Colourpoints haben sich ursprünglich aus schokoladenfarbenen Stämmen entwickelt und sind inzwischen sehr beliebt geworden. Sie müssen den typischen runden, massigen Kopf ohne Spur eines Pekinesengesichts aufweisen. Die Augen sind rund und vergleichsweise groß.

• **Merkmale** Die lilacfarbenen Tabbymarkierungen heben sich von der magnolienweißen Körperfarbe ab.

• **Anmerkung** In den USA werden die Tabby-Points vielfach als »Lynx-Points« bezeichnet.

die weit auseinandergesetzten Augen betonen die runde Gesichtsform •

• klare, leuchtend blaue Augen

• der kurze, dicke Hals geht in die breite, tiefe Brust über

FELLTYP:
lang, dicht, weich, fein

einheitliche Abzeichenfarbe •

• Tabbymarkierungen auf den Hinterbeinen

Englischer Name Lilac Tabby Point Colour Pointed Longhair	Wesen Freundlich

Ursprungsland USA	Vorfahren Perser × Siamesen	Entstehungs-zeit 1920er Jahre

Blue-Cream-Tabby-Point

Die Einführung neuer Merkmale brachte bei diesen Katzen anfänglich eine Typverschlechterung mit sich. Die Züchter verließen sich dann auf die Einkreuzung von Persern, um den Colourpoint-Typ wiederherzustellen.

• **Merkmale** Die Körperfärbung schwankt zwischen Eisfarbe und einem cremigen Weiß, und die Abzeichen zeigen eine Kombination von Blau und Weiß; deren Intensität ist individuell verschieden.

• **Anmerkung** Die M-förmige Skarabäuszeichnung, ein Kennzeichen aller Tabbys, sollte klar ausgeprägt sein.

• *gefleckte Schnurr-haarkissen*

FELLTYP: lang, dicht, weich, fein

die durchbrochene Ringelung, Teil der Tabbyzeichnung, zieht sich von den Krallen aus die Vorderbeine hinauf •

Englischer Name Blue-cream Tabby Point Colour Pointed Longhair	Wesen Freundlich

Ursprungsland USA	Vorfahren Perser × Siamesen	Entstehungs-zeit 1920er Jahre

Chocolate-Tabby-Point

Die dunkleren Schläge der Tabby-Points zeigen, so wie diese schokoladenbraune Form, die deutlichste Zeichnung. Kätzchen sind viel heller als Alttiere.

• **Merkmale** Die schokoladenbraunen Markierungen heben sich von der hell bronzefarbenen Agouti-Unterlage ab, die mit der elfenbeinweißen Körperfärbung kontrastiert. Die Fellpartie über der Nase darf bronzefarben sein, doch die Nase selbst entspricht farblich den Abzeichen. Zur Kopfzeichnung gehört eine »Brille«.

• **Anmerkung** Die »Daumenabdrücke« an den Ohren sind bei dunkleren Schlägen meist recht auffällig.

FELLTYP: lang, dicht, weich, fein

Ohren innen heller behaart •

massiger Rumpf •

• *dunklere Abzeichen bei adulten Tieren*

• *fünfeinhalb Monate altes Jungtier mit blassen Abzeichen*

Englischer Name Chocolate Tabby Point Colour Pointed Longhair	Wesen Freundlich

Birmakatze

Die Legende erzählt, daß einst eine weiße Tempelkatze namens »Sinh« zum Oberpriester Mun-Ha kam, als dieser im Sterben lag. Während die Pfoten der Katze dort, wo sie den Priester berührt hatten, weiß blieben, verfärbten sich die gelben Augen blau. Kopf, Schwanz und Beine nahmen einen erdbraunen Ton an, und das Rückenfell wurde golden. Das Äußere der anderen Tempelkatzen verwandelte sich daraufhin in ein goldenes Braun, so daß sie »Sinh«, dem Stammvater aller Birmakatzen, ähnlich sahen.

Ursprungsland	Birma	Vorfahren	Rasselose Katzen	Entstehungszeit	Unbekannt

Cream-Point

Der herkömmliche Schlag der Birmakatze ist die Seal-Point; die Cream-Point ist eine neuere Züchtung. Der Farbkontrast ist hier nicht so ausgeprägt wie bei Varietäten mit dunkleren Abzeichen, doch die charakteristische weiße Färbung der Pfoten (Handschuhe), die sich an den Hinterbeinen weiter hinauf zieht, muß vorhanden sein.

• **Merkmale** Die Körperfarbe ist ein gelbliches Weiß mit einem goldenen Anflug. Die Abzeichen sind cremefarben. Bei ausgewachsenen Birmakatzen erstreckt sich die Maskenfarbe über das ganze Gesicht einschließlich der Schnurrhaarkissen.

• **Anmerkung** Es besteht keinerlei Beziehung zwischen der Birma- und der kurzhaarigen Burmakatze.

rosiger Nasenspiegel •

• am Bauch leicht gekräuseltes Fell

FELLTYP: lang und seidig in der Textur

• tiefblaue, fast runde Augen

weit auseinanderstehende Ohren mit abgerundeter Spitze •

• breiter, rundlicher Kopf

kräftige Hinterhand •

• mittelgroße Nase mit leichter Einbuchtung

• runde Pfoten

• buschiger, mittellanger Schwanz

Englischer Name	Cream Point Birman	Wesen	Intelligent, sanft

Ursprungsland Birma	Vorfahren Rasselose Katzen	Entstehungszeit Unbekannt

Red-Point

Dies ist ein weiterer Neuzugang der Birmarasse, der ein identisches Fellmuster zeigt. Die weißen Handschuhe an den Vorderpfoten enden in einer geraden Linie und müssen symmetrisch sein; hinten bedecken sie beide Pfoten vollständig.

• **Merkmale** Die cremefarbene Körperfärbung, oft golden überflogen, kontrastiert mit dem warmen Orangerot der Nase, der Ohren und Beine.

• **Anmerkung** Eine leichte Sprenkelung, vor allem an Nase und Ohren, wird als Fehler nicht allzu stark bewertet.

FELLTYP: lang und seidig in der Textur

• *mittelgroße Ohren*

• *mittellange, dicke Beine*

• *alle Abzeichen müssen den gleichen Farbton aufweisen*

guter Kontrast zwischen Abzeichen- und Körperfarbe •

Englischer Name Red Point Birman	Wesen Intelligent, sanft

Ursprungsland Birma	Vorfahren Rasselose Katzen	Entstehungszeit Unbekannt

Lilac-Point

Obwohl das Fell der Birma weniger zum Verfilzen neigt als das der Perser, ist tägliche Pflege notwendig, besonders in der Zeit des Haarwechsels. Regelmäßige Fellpflege verhindert, daß sich Haarballen im Magen bilden, die zur Verstopfung führen könnten.

• **Merkmale** Die weiche rosagraue Abzeichenfarbe hebt sich von der magnolienweißen Körperfärbung ab.

• **Anmerkung** Die Birmakatze hat oft ein verspieltes Wesen.

FELLTYP: lang und seidig in der Textur

• *auffällige Halskrause aus längerem Haar*

reinweiße Handschuhe •

• *rosagraue Maske bei adulten Tieren durch gleichfarbige Linien mit den Ohren verbunden*

Englischer Name Lilac Point Birman	Wesen Intelligent, sanft

Ursprungsland Birma	Vorfahren Rasselose Katzen	Entstehungs-zeit Unbekannt

Blue-Point

Schwanz kürzer als Körper •

Die europäische Weiterentwicklung der Birmakatze fand hauptsächlich in Frankreich statt, wo die erste Birma 1919 eintraf. Ein Tempelpriester hatte zwei Europäern, die bei der Verteidigung des Tempels geholfen hatten, ein Pärchen geschenkt, von dem jedoch nur das trächtige Weibchen überlebte.

• volle Wangen, rundliche Schnauze und schwerer Kiefer

• **Merkmale** Bläulich-weiße Körperfarbe kontrastiert mit blauen Abzeichen.
• **Anmerkung** Die Augen sollten tiefblau sein.

symmetrische weiße Hand-schuhe •

• Unterseite heller bläulichweiß gefärbt als der übrige Körper

FELLTYP: lang und seidig in der Textur

Englischer Name Blue Point Birman	Wesen Intelligent, sanft

Ursprungsland Birma	Vorfahren Rasselose Katzen	Entstehungs-zeit Unbekannt

Seal-Point

Nachdem die Rasse im Zweiten Welt-krieg fast erloschen wäre, gelangte sie in den sechziger Jahren nach England, wo sie 1966 allgemein anerkannt wurde.
• **Merkmale** Der goldene Schimmer des Rückenfells ist bei Katern besonders ausgeprägt. Die zugrundeliegende Körper-farbe ist ein klares, helles Beige; davon heben sich die dunkel sealbraunen Abzeichen und die charakteristischen weißen Handschuhe ab. Die Nase ist ebenfalls dunkel sealbraun.
• **Anmerkung** Die Rasse, auch »heili-ge Katze von Birma« genannt, wurde erst 1967 in den USA aner-kannt.

Ohren leicht nach vorn gerichtet •

buschiger Schwanz •

• ovale Augen

an den Hinter-pfoten laufen die Handschuhe an der Sohle in einer Spitze aus •

• langer, ziem-lich gedrunge-ner Körper

reinweiße Handschuhe •

FELLTYP: lang und seidig in der Textur

gleichmäßige dunkel sealbrau-ne Färbung bei allen Abzeichen •

Englischer Name Seal Point Birman	Wesen Intelligent, sanft

Ursprungsland Birma	Vorfahren Rasselose Katzen	Entstehungs-zeit Unbekannt

Chocolate-Point

Diese dunkler gefärbte Birma darf, vor allem im Erwachsenenalter, eine gewisse Körperschattierung zeigen, doch sie muß zur Abzeichenfarbe passen, und der Kontrast muß bestehen bleiben.

- **Merkmale** Die Abzeichen haben hier die Farbe von Milchschokolade, die sich von der elfenbeinweißen Körperfärbung abhebt. Im Typ unterscheidet sich dieser Schlag nicht von anderen Birmakatzen: relativ flache Stirn und im Profil eine kleine Einbuchtung über der Nase. Die Augenfarbe sollte ein möglichst tiefes Blau und die Nase schokoladenfarbig sein.
- **Anmerkung** Die recht langen Haare verfilzen kaum, und deshalb ist die Fellpflege einfach.

ziemlich weit auseinan-derstehende Ohren

volle Halskrause; Bauchfell leicht gekräuselt

buschiger Schwanz

FELLTYP: **lang und seidig in der Textur**

weiße, spitz endende Hand-schuhe an den Hinterpfoten

langes Rückenfell

Maske bedeckt das ganze Gesicht, auch die Schnurr-haarkissen; dunkle Linien verbin-den diese Partie mit den gleich-farbigen Ohren

breiter, rundlicher Hirn-schädel

runde Pfoten

mittellanger Schwanz, passend zur Körpergröße

symmetrische weiße Handschuhe an den Vorderpfoten

Englischer Name Chocolate Point Birman	Wesen Intelligent, sanft

Ursprungsland Birma	Vorfahren Rasselose Katzen	Entste-hungszeit Unbekannt

Seal-Tortie-Point

Die Zucht von erstklassigen Birmakatzen war schon immer schwierig, doch nach Einführung der Tortie- oder Schildpattfärbung wird die Sache noch schwieriger.

rote und sealbraune Schwanzbehaarung •

• **Merkmale** Die Körperfarbe ist ein helles Rehbraun, das auf dem Rücken und an den Seiten zu einem warmen Braun- oder Rotton abschattiert ist.

• Blesse in gemischten Farben

• **Anmerkung** Bei diesem Schlag werden nur weibliche Tiere geboren.

Farbmischung in allen Abzeichen unerläßlich •

• weiße Pfoten und Sohlen

FELLTYP: lang und seidig in der Textur

Englischer Name Seal Tortie Point Birman	Wesen Intelligent, sanft

Ursprungsland Birma	Vorfahren Rasselose Katzen	Entstehungs-zeit Unbekannt

Seal-Tortie-Tabby-Point

Ein zusätzliches Merkmal in Form der Tabbyzeichnung ist bei dieser Katze vorhanden. Das typische Tabbymuster soll im Fell neben der Schildpattfärbung erkennbar sein. Die Verteilung der Markierungen ist nicht so wichtig.

• Tabbyzeichnung am Kopf

FELLTYP: lang und seidig in der Textur

• **Merkmale** Die rehbraune Körperfarbe wird auf Rücken und Flanken unregelmäßig in eine deutlichere Braunschattierung umgewandelt, oft vermischt mit Rot.

• die Intensität der Färbung kann bei Birmakatzen variabel sein

• **Anmerkung** Die Nasenfarbe ist eine Kombination von rosa Sprenkeln und dunkleren Markierungen.

buschiger, gut ausgefärbter Schwanz •

• Halskrause

Englischer Name Seal Tortie Tabby Point Birman	Wesen Intelligent, sanft

| Ursprungsland | Birma | Vorfahren | Rasselose Katzen | Entstehungs-zeit | Unbekannt |

Blue-Tabby-Point

Tabbystreifen sind bei dieser Katze vorhanden, doch die Handschuhe bleiben davon unberührt. Ein guter Kontrast, stets ein wesentliches Merkmal der Birmakatzen, ist – wie hier zu sehen – bei dunkleren Tabbyformen meist deutlicher ausgeprägt.

• **Merkmale** Die blauen Abzeichen heben sich von der hellbeigen Agouti-Grundfarbe ab; der Körper selbst ist bläulichweiß. Ein Schwanz mit helleren und dunkleren Ringen ist erwünscht.

• **Anmerkung** Es ist nach wie vor schwierig, gute Schwanzmarkierungen zu erreichen.

• *die Fellfärbung kommt mit zunehmendem Alter besser zum Vorschein*

• *Brillenzeichnung in den Augenwinkeln*

FELLTYP: **lang und seidig in der Textur**

• *gefärbte Beine*

• *dunklere Tabbyringe auf den Vorderbeinen*

| Englischer Name | Blue Tabby Point Birman | Wesen | Intelligent, sanft |

| Ursprungsland | Birma | Vorfahren | Rasselose Katzen | Entstehungs-zeit | Unbekannt |

Seal-Tabby-Point

Weil Birmakatzen ihr Haarkleid in den Sommermonaten größtenteils wechseln, kann sich ihr Aussehen im Jahreslauf verändern.

• **Merkmale** Dieser Schlag muß über den Handschuhen der Hinterbeine einfarbige Markierungen aufweisen. Der hellbeige Körper mit dem goldenen Schimmer kontrastiert mit den sealbraunen Markierungen oberhalb der Abzeichen.

• **Anmerkung** Alle Birmakatzen werden mit einem kurzen weißlichen Fell geboren.

• *M-förmige Tabbyzeichnung auf der Stirn klar abgegrenzt*

• *sealbraune Partie oberhalb der Handschuhe*

scharf begrenzte weiße Handschuhe •

FELLTYP: **lang und seidig in der Textur**

leicht gebänderter brauner Schwanz •

| Englischer Name | Seal Tabby Point Birman | Wesen | Intelligent, sanft |

Türkisch Angora

Als die Angorakatze sowohl in ihrem Heimatland Türkei als auch anderswo selten geworden war, leitete die türkische Regierung in den sechziger Jahren im Zoo von Ankara ein Zuchtprogramm ein mit dem Ziel, die Rasse wiederzubeleben. Überschüssige Tiere aus dem Programm wurden von anderen Züchtern erworben, vor allem in den USA. Der erste Wurf in Übersee wurde 1963 geboren, doch erst Ende der siebziger Jahre gelangten solche Katzen nach Großbritannien. Die Türkisch Angora ist eine der ältesten Rassen, deren Blutlinie für Zuchtzwecke rein erhalten werden muß.

Ursprungsland	Türkei	Vorfahren	Rasselose Langhaarkatzen	Entstehungs-zeit	15. Jh.

Weiß

Weiß ist die traditionelle Farbe dieser Rasse, die ursprünglich Angora hieß. Dieser Name wurde jedoch für die Neuschöpfung der Rasse mit Hilfe von Orientalisch Kurzhaar verwendet (s. S. 80), was zu einiger Verwirrung geführt hat. Die angestammte Form wird heute als Türkisch Angora bezeichnet.

• **Merkmale** Die Türkisch Angora hat einen runderen und kürzeren Kopf als die Angora und wirkt im Typ insgesamt weniger orientalisch. Auch die Ohren sind weniger auffällig. Die Augenfarbe der weißen Form ist variabel; bei blauäugigen Tieren ist Taubheit wahrscheinlich.

• **Anmerkung** Üblicherweise wird die weiße Varietät mit verschiedenfarbigen Augen, die »Ankara kedi« (Ankarakatze), als ursprüngliche Form angesehen, doch die Rasse tritt auch in anderen Farben und Fellmustern auf.

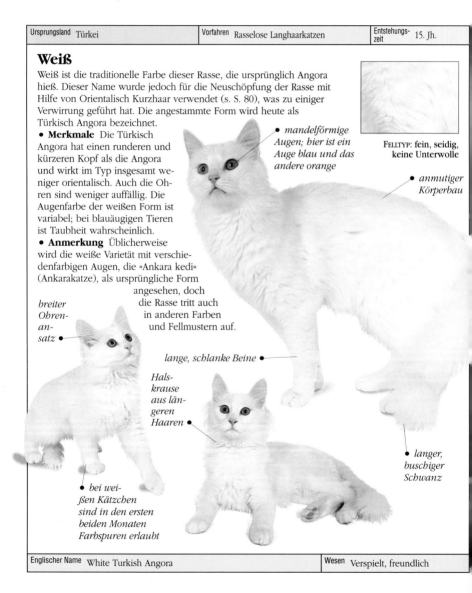

mandelförmige Augen; hier ist ein Auge blau und das andere orange

FELLTYP: fein, seidig, keine Unterwolle

• *anmutiger Körperbau*

breiter Ohren-an-satz •

lange, schlanke Beine •

Hals-krause aus längeren Haaren •

• *langer, buschiger Schwanz*

• *bei weißen Kätzchen sind in den ersten beiden Monaten Farbspuren erlaubt*

Englischer Name	White Turkish Angora	Wesen	Verspielt, freundlich

Ursprungsland Türkei	Vorfahren Rasselose Langhaarkatzen	Entstehungs-zeit 15. Jh.

Schwarz

Dieser alte Schlag wartet noch auf internationale Anerkennung, obwohl viele Rassen, zu denen er vermutlich beigetragen hat, im Katzenzuchtwesen fest etabliert sind.

• **Merkmale** Die Farbe dieser Katzen sollte ein reines, sattes Schwarz sein, ohne jede Spur von Rostbraun. Vereinzelte weiße Haare gelten als schwerer Fehler.

• **Anmerkung** Kreuzungen mit anderen Rassen sind nicht erlaubt; die Blutlinie der Türkisch Angora muß rein erhalten bleiben.

• *hoch angesetzte Ohren*

• *rundliche Augen*

• *mittellange Nase*

• *schlanker, eleganter Hals*

gutbehaarter Schwanz •

• *Haarkleid wird im Sommer kürzer*

FELLTYP: **fein, seidig, ohne Unterwolle**

Englischer Name Black Turkish Angora	Wesen Verspielt, freundlich

Ursprungsland Türkei	Vorfahren Rasselose Langhaarkatzen	Entstehungs-zeit 15. Jh.

Blaucreme

Viele Jahre lang war die weiße Form die einzige anerkannte Farbschlag der Türkisch Angora, doch inzwischen werden neben den einfarbigen Tieren auch Tabby-, Schildpatt- und rauchfarbene Spielarten gezüchtet. Die Blaucreme ist, wie in anderen Rassen auch, durchweg weiblich.

• **Merkmale** Die blaue Farbe kann zwischen hell und mittel schwanken, desgleichen die Intensität der Cremefarbe.

• **Anmerkung** Das Haarkleid dieser Katzen ist weicher und leichter als das der Perserkatzen. Der auffällige Schwanz wird oft tiefer als der Körper getragen, doch wenn sich die Katze schnell bewegt, dreht sie ihn meist nach vorne, so daß er fast den Kopf berührt.

• *Ohrbüschel*

• *relativ kleiner Kopf im Vergleich zur Körpergröße*

• *bernsteinfarbene Augen*

FELLTYP: **fein, seidig, ohne Unterwolle**

langer, spitz auslaufender Schwanz •

die ziemlich langen Beine tragen zum feingliedrigen Aussehen bei •

Englischer Name Blue-Cream Turkish Angora	Wesen Verspielt, freundlich

Ursprungsland Türkei	Vorfahren Rasselose Langhaarkatzen	Entstehungszeit 15. Jh.

Cremegestromt

Die Anmut dieser Katze wird gesteigert durch den langgestreckten, geschmeidigen Körperbau. Ausgewachsene Kater sind in der Regel größer als Kätzinnen und haben oft eine »Wamme«, sollten aber trotzdem schlank und muskulös erscheinen.

• **Merkmale** Hellere Cremetöne und bernsteinfarbene Augen sind erwünscht. Der Kopf ist eher klein und keilförmig. Das Bauchfell ist leicht gewellt.

• **Anmerkung** Die Gesamterscheinung dieser Katzen ist feingliedrig, im Gegensatz zum größeren und gedrungeneren Persertyp, zu dem sie beigetragen haben.

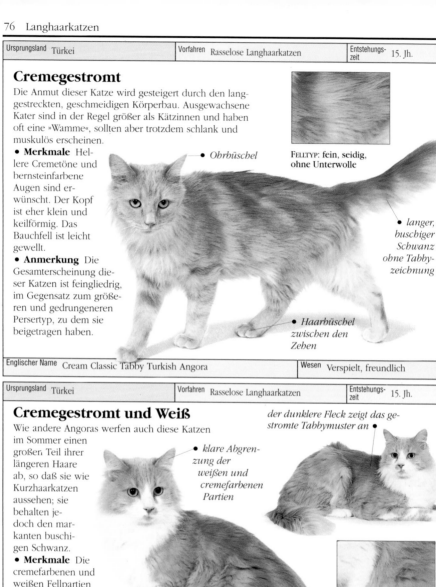

• *Ohrbüschel*

FELLTYP: **fein, seidig, ohne Unterwolle**

• *langer, buschiger Schwanz ohne Tabbyzeichnung*

• *Haarbüschel zwischen den Zehen*

Englischer Name Cream Classic Tabby Turkish Angora	Wesen Verspielt, freundlich

Ursprungsland Türkei	Vorfahren Rasselose Langhaarkatzen	Entstehungszeit 15. Jh.

Cremegestromt und Weiß

Wie andere Angoras werfen auch diese Katzen im Sommer einen großen Teil ihrer längeren Haare ab, so daß sie wie Kurzhaarkatzen aussehen; sie behalten jedoch den markanten buschigen Schwanz.

• **Merkmale** Die cremefarbenen und weißen Fellpartien sollten vorherrschen und klar umgrenzt sein. Die dunklen Crememarkierungen kontrastieren mit der blasseren Körperfarbe.

• **Anmerkung** Das ausgesprochen seidige Haarkleid der Angoras neigt nicht zum Verfilzen, und die glatte Fellstruktur wird durch die fehlende Unterwolle noch betont. Tägliche Fellpflege ist dennoch erforderlich.

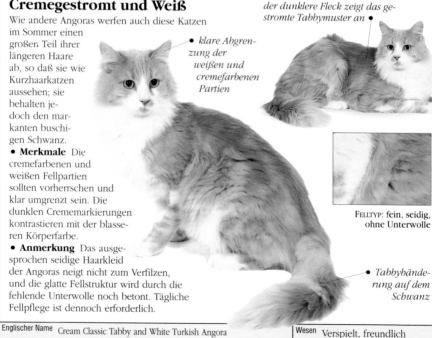

der dunklere Fleck zeigt das gestromte Tabbymuster an •

• *klare Abgrenzung der weißen und cremefarbenen Partien*

FELLTYP: **fein, seidig, ohne Unterwolle**

• *Tabbybänderung auf dem Schwanz*

Englischer Name Cream Classic Tabby and White Turkish Angora	Wesen Verspielt, freundlich

Ursprungsland Türkei	Vorfahren Rasselose Langhaarkatzen	Entstehungszeit 15. Jh.

Blaugetigert

Die Blaugetigerten haben das gleiche reizende Wesen wie andere Türkisch Angoras; sie sind lebhaft, verspielt und anhänglich, aber sie eignen sich kaum für Apartmentwohnungen, da sie aufgrund ihrer angeborenen Neugier gern die Außenwelt erkunden.

• **Merkmale** Eine hellblaue Tönung, die sich gut von der dunkleren blauen Tabbyzeichnung abhebt, wird bevorzugt. Das Hauptkennzeichen sind die schmalen Streifen, die vom Rückgrat aus nach unten verlaufen.

• **Anmerkung** Bernsteinfarbene Augen sind bei der Türkisch Angora am häufigsten.

typische M-förmige Tabbyzeichnung

FELLTYP: **fein, seidig, ohne Unterwolle**

flacher • Hirnschädel

• durchgehende dunklere »Halsbänder« an Hals und Brust

Schwanz in gleichen Abständen geringt

Englischer Name Blue Mackerel Tabby Turkish Angora	Wesen Verspielt, freundlich

Ursprungsland Türkei	Vorfahren Rasselose Langhaarkatzen	Entstehungszeit 15. Jh.

Schwarz-Schildpatt-Smoke

Bei dieser Varietät der Türkisch Angora, Ende des 19. Jahrhunderts erstmals in England nachgewiesen, ist die Rauchfarbe mit Schildpatt kombiniert.

• **Merkmale** Solange sich die Katze nicht bewegt, ist nur das typische cremefarbene, rote und schwarze Schildpattmuster sichtbar. Das Smoke entsteht allein durch die silbergraue Färbung an der Basis der Einzelhaare.

• **Anmerkung** Einige viktorianische Naturforscher, darunter Charles Darwin, meinten, die Türkisch Angora stamme vom Manul und nicht von der Falbkatze ab, doch das gilt heute als unwahrscheinlich.

• mittelgroße Gesamterscheinung

• bernsteinfarbene Augen

• der sich verjüngende Schwanz reicht, nach vorne gedreht, bis zur Schulter

viereckige Brust •

klar abgegrenzte Farbpartien; Pfoten farblich passend markiert •

FELLTYP: **fein, seidig, ohne Unterwolle**

Englischer Name Black Tortie Smoke Turkish Angora	Wesen Verspielt, freundlich

Türkisch Van

Die Van-Katze, benannt nach dem Van-See im Südosten der Türkei, hat ein kalkweißes Fell, ohne jede Spur von Gelb. Die wenigen abgegrenzten Markierungen sollten sich im Idealfall auf Kopf und Schwanz beschränken, doch bei manchen Tieren finden sich farbliche »Daumenabdrücke« auf dem Körper. Kastanienrot und Creme, die beiden weithin anerkannten Farbschläge, kommen jeweils in drei Spielarten vor, die man aufgrund der Augenfarbe unterscheidet. Die Augen können bernsteinfarben oder blau oder in beiden Farben verschieden sein und sind in allen drei Fällen rosa gesäumt. Taubheit ist bei der Türkisch Van mit blauen Augen fast die Regel, und Katzen mit verschiedenfarbigen Augen können auf der Seite des blauen Auges taub sein.

Ursprungsland	Türkei	Vorfahren	Rasselose Lokalschläge	Entstehungszeit	17. Jh.

Creme und Weiß

Obwohl das Haarkleid der Türkisch Van ziemlich lang ist, ist die Fellpflege einfach, weil ein dichtes wolliges Unterhaar fehlt. Tägliches Kämmen ist dennoch empfehlenswert, besonders während des Haarwechsels im Frühsommer.
• **Merkmale** Die cremefarbenen Partien kontrastieren mit der kalkweißen Grundfarbe. Eine senkrechte weiße Blesse trennt die farbigen Fellpartien auf dem Kopf. Diese befinden sich über den Augen und erstrecken sich nur bis zum Ohrenansatz. Die Ohren selbst sind weiß, die Innenohren muschelrosa. Der Schwanz sollte eine einheitliche Cremefarbe aufweisen, die sich ein wenig auf dem Rücken ausdehnen darf.
• **Anmerkung** Dunklere Ringe können auf dem Schwanz vorhanden sein; sie treten am ehesten bei Jungtieren auf.

cremefarbene Flecken •

• große Ohren

Cremefärbung kann sich bis auf den Rücken erstrecken •

• angedeutete dunklere Ringe auf dem Schwanz

• behaarte Innenohren

• bernsteinfarbene Augen

kurze Schnauze •

• kräftiger Körperbau

rundliche Pfoten mit Haarbüscheln •

FELLTYP:
lang, weich, seidig

mittellanger, buschiger Schwanz •

Englischer Name	Cream Turkish Angora	Wesen	Lebhaft

Ursprungsland Türkei	Vorfahren Rasselose Lokalschläge	Entstehungs-zeit 17. Jh.

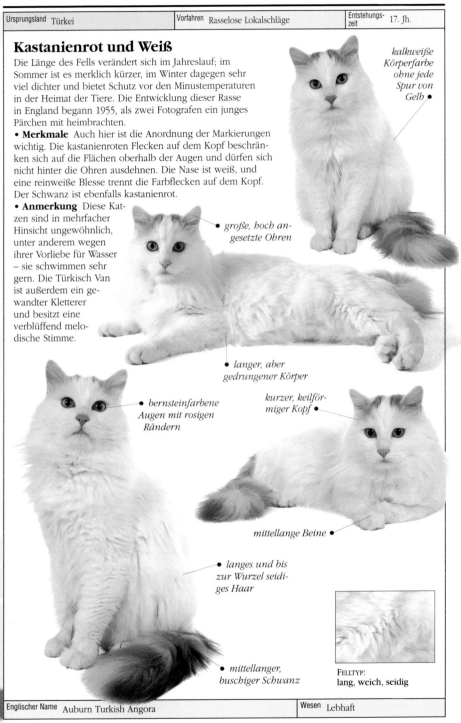

Kastanienrot und Weiß

Die Länge des Fells verändert sich im Jahreslauf; im Sommer ist es merklich kürzer, im Winter dagegen sehr viel dichter und bietet Schutz vor den Minustemperaturen in der Heimat der Tiere. Die Entwicklung dieser Rasse in England begann 1955, als zwei Fotografen ein junges Pärchen mit heimbrachten.

• **Merkmale** Auch hier ist die Anordnung der Markierungen wichtig. Die kastanienroten Flecken auf dem Kopf beschränken sich auf die Flächen oberhalb der Augen und dürfen sich nicht hinter die Ohren ausdehnen. Die Nase ist weiß, und eine reinweiße Blesse trennt die Farbflecken auf dem Kopf. Der Schwanz ist ebenfalls kastanienrot.

• **Anmerkung** Diese Katzen sind in mehrfacher Hinsicht ungewöhnlich, unter anderem wegen ihrer Vorliebe für Wasser – sie schwimmen sehr gern. Die Türkisch Van ist außerdem ein gewandter Kletterer und besitzt eine verblüffend melodische Stimme.

kalkweiße Körperfarbe ohne jede Spur von Gelb •

• *große, hoch angesetzte Ohren*

• *langer, aber gedrungener Körper*

• *bernsteinfarbene Augen mit rosigen Rändern*

kurzer, keilförmiger Kopf •

• *mittellange Beine*

• *langes und bis zur Wurzel seidiges Haar*

• *mittellanger, buschiger Schwanz*

FELLTYP: lang, weich, seidig

Englischer Name Auburn Turkish Angora	Wesen Lebhaft

Angora

D iese Katzen haben ihren Ursprung in der Türkei und sind benannt nach der Hauptstadt Ankara (früher Angora). In Europa sind sie seit dem 17. Jahrhundert bekannt. In der Viktorianischen Ära waren sie sehr beliebt und haben zur Entwicklung der Perserkatzen beigetragen, doch dann gingen sie zurück und verschwanden später. Die Rasse, die heute Angora heißt, ist eine künstliche Neuschöpfung, hervorgegangen aus einem Zuchtprogramm auf der Grundlage von Orientalisch Kurzhaarkatzen, die das Gen für Langhaar besaßen.

Ursprungsland	Großbritannien	Vorfahren	Orientalisch-Kurzhaar-Kreuzungen	Entstehungszeit	1960er Jahre

Weiß mit blauen Augen

Die Fruchtbarkeit der Orientalisch Kurzhaar sorgte dafür, daß die Zahl der Angoras rasch zunahm. Das Zuchtziel war zwar die Ähnlichkeit mit der ursprünglichen Türkisch Angora, aber die Angora hat die größere Lautfreudigkeit ihrer orientalischen Vorfahren beibehalten. Die Züchter legten besonderen Wert auf die Fellqualität und haben inzwischen Katzen in der gesamten Farbenpalette hervorgebracht. Im Erscheinungsbild unterscheiden sich die Angoras immer noch vom traditionellen türkischen Typ, und zwar durch den längeren, eher viereckigen Kopf und die größeren Ohren.

• **Merkmale** Weiß ist seit jeher die vorherrschende Fellfarbe von Katzen, die aus der Türkei stammen. Obwohl bei weißen Katzen mit blauen Augen Taubheit vorprogrammiert ist, sind solche Tiere recht beliebt geblieben. Bei weißen Katzen mit ungleicher Augenfarbe kann das Ohr auf der Seite des blauen Auges betroffen sein.

• **Anmerkung** Der Legende zufolge soll der berühmte türkische Staatsmann Atatürk als taube weiße Katze wiedergeboren werden.

• *die großen Ohren sind eine Fortsetzung des Gesichtsumrisses*

langer, schlanker Hals •

• *blaue, schräggestellte Mandelaugen*

• *langer, dünner Schwanz mit buschiger Behaarung*

• *lange, schlanke Gliedmaßen*

• *Hinterbeine länger als Vorderbeine*

der geschmeidige und muskulöse Körperbau verleiht der Rasse ihr elegantes Aussehen •

FELLTYP: fein, seidig, ohne wolliges Unterhaar

Englischer Name	Blue-eyed White Angora	Wesen	Verspielt, freundlich

Ursprungsland	Großbritannien	Vorfahren	Orientalisch-Kurzhaar-Kreuzungen	Entstehungs-zeit	1960er Jahre

Weiß mit grünen Augen

Die ungewöhnliche Kombination von leuchtend grünen Augen und reinweißem Fell stammt aus der Zeit, als die Angora mit Hilfe von orientalischem Blut wiedererschaffen wurde. Tatsächlich sind grüne Augen untypisch für die Türkisch Angora, aber sie ergeben einen reizvollen Kontrast.

• **Merkmale** Die anmutige Gestalt dieser Katzen wird unterstrichen durch den keilförmigen Kopf, den schlanken Hals und den sich leicht verjüngenden Schwanz.

• **Anmerkung** Dieser Schlag ist nicht von Taubheit betroffen.

Augen zur Nase hin geneigt, ohne zu schielen •

• rein-grüne Augen

• kleine, zierliche Pfoten mit Haarbüscheln auf den Zehen

• alle Welpen werden mit blauen Augen geboren

FELLTYP: **fein, seidig, ohne wolliges Unterhaar**

Englischer Name	Green-eyed White Angora	Wesen	Verspielt, freundlich

Ursprungsland	Großbritannien	Vorfahren	Orientalisch-Kurzhaar-Kreuzungen	Entstehungs-zeit	1960er J.

Lilac

Dies ist einer der neueren Farbschläge. Das Fell liegt ziemlich flach am Körper an und ist etwas kürzer als das der meisten Langhaarkatzen, besonders im Sommer, wenn das Haar ausgiebig gewechselt wird. Die Angoras könnten dann mit Kurzhaartieren verwechselt werden, doch der buschige Schwanz ist ein dauerhaftes Kennzeichen.

• **Merkmale** Die Körperfarbe sollte ein Eisgrau mit einem rosigen Anflug sein. Die Augen sind grün.

• **Anmerkung** Diese schlanken Katzen haben einen fast röhrenförmigen Rumpf.

feingemeißeltes Maul •

spitz zulaufender Schwanz •

• große und bebüschelte Ohren mit breiter Basis

• röhrenförmiger Körper

FELLTYP: **fein, seidig, ohne wolliges Unterhaar**

zierliche Pfoten mit Haarbüscheln •

Englischer Name	Lilac Angora	Wesen	Verspielt, freundlich

Ursprungsland Großbritannien	Vorfahren Orientalisch-Kurzhaar-Kreuzungen	Entstehungs-zeit 1960er Jahre

Cinnamon (Zimtfarben)

Der lange, keilförmige Kopf ist ein wesentliches Merkmal der Rasse; gerade Linien verlaufen vom Nasenansatz bis zu den Ohrenspitzen und bilden ein Dreieck. Eine Ausnahme ist nur bei ausgewachsenen Katern zugelassen, deren stark entwickelter Unterkiefer die Konturen verzerrt und das Gesicht rundlicher wirken läßt.

• **Merkmale** Das ganze Fell sollte einen warmen zimtbraunen Ton haben, ohne Beimengung von weißen Haaren. Die Ballenfarbe schwankt zwischen Rosa und Zimtbraun.

• **Anmerkung** Würfe mit weniger als drei Welpen sind selten.

• *grüne Augen*

• *Hals-krause*

FELLTYP: **fein, seidig, ohne wolliges Unterhaar**

• *spitz zulaufender Schwanz*

Englischer Name Cinnamon Angora	Wesen Verspielt, freundlich

Ursprungsland Großbritannien	Vorfahren Orientalisch-Kurzhaar-Kreuzungen	Entstehungs-zeit 1960er Jahre

Chocolate

Die Angora hat große Ohren mit breiter Basis auf einem flachen Schädel. Charakteristisch ist ferner der fehlende Stop, so daß das Gesicht vom Oberkopf bis zur Nase eine gerade Linie bildet. Bei diesem Farbschlag liegt auch das Kinn ungefähr auf einer Linie mit der Na-senspitze.

• **Merkmale** Es dauert manchmal zwei Jahre, bis sich die satte kastanienbraune Fär-bung entwickelt hat; Nase und Pfoten müs-sen die gleiche Farbe aufweisen. In Nordamerika werden diese Katzen auch als »Chestnut« (Kastanie) bezeichnet.

• **Anmerkung** Bei der Türkisch Angora ist diese Schokoladenfarbe noch nicht anerkannt.

• *grüne Augen*

• *langer Hals und Körper*

Fell mit seidigem Schimmer •

FELLTYP: **fein, seidig, ohne wolliges Unterhaar**

• *langes, federförmiges Schwanzhaar*

• *Unter-seite länger behaart*

Englischer Name Chocolate Angora	Wesen Verspielt, freundlich

Javanese

Ü ber die Katzen dieses Namens herrscht noch immer einige Verwirrung. In Nordamerika bezieht sich der Name oft auf Balinesen, die nicht den traditionellen Siam-Abzeichenfarben entsprechen, während in Neuseeland die einfarbigen und gefleckten Balinesen so genannt werden. In Großbritannien wird der Name für die Katzen verwendet, die aus einem Zuchtprogramm zur Neuschöpfung der Angora hervorgegangen sind.

Ursprungsland Großbritannien	Vorfahren Abessinier/Siam-Hybriden	Entstehungs-zeit 1973

Cinnamon (Zimtfarben)

»Cuckoo«, ein Kätzchen aus dem ursprünglichen Zuchtprogramm, fiel durch seine große Ähnlichkeit mit der alten Türkisch Angora auf. Es hatte weißliche Unterhaare, die mit den längeren schokoladenbraunen Haaren kontrastierten. Alle derartigen Javanese-Katzen entsprangen einem Zuchtprogramm, dessen Ziel die Erneuerung der traditionellen Türkisch Angora war. Die Rasse erhielt 1984 den Championship-Status. Im Oktober 1989 änderte man den Rassennamen von Angora in Javanese um.

• **Merkmale** Die Javanese zeigt die typischen Merkmale einer orientalischen Katze; sie ist graziös und geschmeidig und hat einen keilförmigen Kopf. Inzwischen gibt es sie in vielen Farben und Fellmustern.

• **Anmerkung** Die Javanese wurde neuerdings auch in die USA eingeführt, wo es bereits einen »Supreme Grand Champion« gibt.

• *im Liegen reicht der lange Schwanz bis zur Schulter*

• *»orientalische« Augen, schräggestellt in Richtung Nase*

große, breite Ohren mit abgerundeter Spitze •

langer, grazi-ler Körper •

eckiges, keilförmiges Gesicht mit gerader Nase •

• *Schwanz länger behaart*

Körperseite und Kopf am kürzesten behaart •

FELLTYP: halblang, fein, weich, seidig

Englischer Name Cinnamon Javanese	Wesen Anhänglich

Maine Coon

Dies ist die erste Langhaarrasse, die auf natürliche Weise in Nordamerika entstanden ist. Wie der Name sagt, hat sie ihren Ursprung an der Ostküste, in der Umgebung von Maine. Es sind große Katzen; die Kater werden bis acht Kilogramm schwer, die Kätzinnen sind nur wenig leichter. Die widerstandsfähigen Tiere haben ein dichtes, unregelmäßiges Fell, das auf dem Rücken und an den Beinen länger ist. Die Unterwolle ist weich und fein, der Schwanz lang und üppig behaart.

Ursprungsland USA	Vorfahren Rasselose Langhaarkatzen	Entstehungs-zeit 1770er Jahre

Weiß mit goldenen Augen

Die Maine-Coon-Katzen fuhren wahrscheinlich zur See, bis Rattengifte sie als Schädlingsbekämpfer überflüssig machten. Dies erklärt vielleicht, warum sie in der Wohnung gern in kleinen Ecken und in scheinbar höchst unbequemen Lagen schlafen.

• **Merkmale** Der keilförmige Kopf erscheint klein im Verhältnis zur Körpergröße. Bei ausgewachsenen Katern ist der Unterkiefer besonders breit. Die Katzen haben auffallend große Ohren, die an der Innenseite behaart sind. Sie sind muskulös und besitzen eine breite Brust und kraftvolle Beine, wie sie einem ehemaligen »Arbeitstier« gut anstehen.

• **Anmerkung** Die Vorfahren der Maine Coon sind vermutlich im 18. Jahrhundert aus Europa und Asien gekommen.

goldene Augen •

Haarlänge nimmt auf dem Rücken zum Schwanz hin zu •

• lange, wehende Schwanzbehaarung

• Kopfbreite geringer als Kopflänge

Schwanz ebenso lang wie Rumpf •

FELLTYP: dicht, seidig, unterschiedlich lang

• Pfoten mit Haarbüscheln

Englischer Name Golden-eyed White Maine Coon	Wesen Unabhängig

Ursprungsland USA	Vorfahren Rasselose Langhaarkatzen	Entstehungs- zeit 1770er Jahre

Schwarz

Maine-Coon-Katzen sind zwar sehr verschmust, nehmen sich aber die Freiheit, die Außenwelt zu erkunden, weshalb sie sich auf dem Lande am wohlsten fühlen.

- **Merkmale** Das Fell ist reinschwarz, desgleichen die Ballen, die Nase und die Augenränder.
- **Anmerkung** Auf der ersten Katzenschau in New York 1860 gab diese Katze den Ton an, doch ihr Bestand ging bis 1900 zurück.

FELLTYP: dicht, seidig, von unterschied- licher Länge

• *Krause erstreckt sich vom Ohrenan- satz bis zum Hals*

• *kräftiges Kinn*

• *Haarkleid zum Hinterteil hin länger*

lang behaar- ter Schwanz •

Englischer Name Black Maine Coon	Wesen Unabhängig

Ursprungsland USA	Vorfahren Rasselose Langhaarkatzen	Entstehungs- zeit 1770er Jahre

Blau und Weiß

Eine Besonderheit der Maine Coon ist die Art und Weise, wie sie ihren Schwanz putzt: Sie wickelt ihn um ein Vorderbein und dreht ihn auf. Bei warmem Wetter haaren diese Katzen häufig ab, so daß die Hals- krause weniger auffällt.

- **Merkmale** Bei zweifarbigen Schlägen sollte die weiße Fell- partie ein Drittel des Körpers bedecken, ebenso das Gesicht und die Unterseite. Eine klare Abgrenzung von Weiß und Farbe ist erwünscht.
- **Anmerkung** Eine der ersten Maine- Coon-Katzen, die 1861 ausgestellt wurde, war ein schwarz- weißer Kater.

• *große, spitz zulaufende Ohren*

• *große, weit aus- einander- stehende Augen*

• *der ziemlich lange Hals und Rücken betonen die Körperlänge*

weiße Pfoten •

FELLTYP: dicht, seidig, von unterschiedlicher Länge

langer Schwanz, am Ansatz breit und spitz auslaufend •

Englischer Name Blue and White Maine Coon	Wesen Unabhängig

Ursprungsland USA	Vorfahren Rasselose Langhaarkatzen	Entstehungs-zeit 1770er Jahre

Silber-Tabby

Diese intelligenten Katzen benutzen manchmal ihre Vorderpfoten, um Futter oder Zweige aufzunehmen. Sie sind nicht wasserscheu: Ihr dichtes Fell schützt sie vor den Elementen, und in der Wohnung spielen sie gern mit dem Wasser, das aus der Leitung kommt.

• **Merkmale** Die Grundfarbe sollte Silber sein; die schwarze Tabbyzeichnung ist dicht und gut abgegrenzt.

    • **Anmerkung** Sowohl gestromte als auch getigerte Tabbyzeichnungen kommen seit langem vor, doch die hier gezeigte Färbung ist verhältnismäßig selten.

• *M-förmige Markierung*

• *Tabbyzeichnung*

FELLTYP: dicht, seidig, von unterschiedlicher Länge

• *große, runde Pfoten*

Englischer Name Silver Tabby Maine Coon	Wesen Unabhängig

Ursprungsland USA	Vorfahren Rasselose Langhaarkatzen	Entstehungs-zeit 1770er Jahre

Creme-Silber-Tabby

Maine-Coon-Katzen werden in einer Vielzahl von Farbschlägen gezüchtet; dies ist eine der ungewöhnlicheren Kombinationen. Im Wesen weichen die Schläge kaum voneinander ab, und allen ist eine merkwürdig zirpende Stimme gemeinsam.

• **Merkmale** Hier ist die Grundfarbe ein Silber, von dem sich das cremefarbene Tabbymuster abhebt. Ballen und Nasenspiegel sind rosa.

• **Anmerkung** Außerhalb Nordamerikas wurde die Maine Coon erstmals 1978 in Deutschland vorgestellt.

• *spitze Ohren mit breiter Basis*

FELLTYP: dicht, seidig, von unterschiedlicher Länge

• *etwas Weiß am Kinn erlaubt*

wehendes Schwanzhaar •

• *Tabbymarkierungen an den Beinen*

Englischer Name Cream Silver Tabby Maine Coon	Wesen Unabhängig

Ursprungsland USA	Vorfahren Rasselose Langhaarkatzen	Entstehungs-zeit 1770er Jahre

Braungestromt

Der geringte Schwanz hat der Rasse wahrscheinlich den Namen »Coon« gegeben, denn der Schwanz ähnelt dem des Waschbären (raccoon oder coon).

• **Merkmale** Die Grundfarbe sollte hier ein warmer Kupferton mit kontrastierender schwarzer Tabbyzeichnung sein. Bei der gestromten Form müssen die Markierungen auf dem Körper fleckenförmig und einfarbig sein. Die Nase ist ziegelrot.

• **Anmerkung** Braungestromte Maine-Coon-Katzen sind weit verbreitet.

Hals-krause •

breite Brust •

• *weit auseinander-stehende und hoch angesetzte Ohren*

FELLTYP: dicht, seidig, von unterschiedlicher Länge

schwarze Schwanzspitze •

Englischer Name Brown Classic Tabby Maine Coon	Wesen Unabhängig

Ursprungsland USA	Vorfahren Rasselose Langhaarkatzen	Entstehungs-zeit 1770er Jahre

Braungetigert und Weiß

Dieser Farbschlag ist aus der gängigeren braungestromten Form hervorgegangen.

• **Merkmale** Die braune Färbung sollte hier vorherrschen und das getigerte Tabbymuster deutlich hervortreten. Weißes Haar sollte sich im wesentlichen auf die Unterseite und die Pfoten beschränken.

• **Anmerkung** Die in Europa zunächst als »Amerikanische Waldkatze« bezeichnete Maine Coon gelangte erst 1984 nach Großbritannien.

breiter Schwanz-ansatz •

• *M-förmige Tabbymar-kierung am Kopf*

FELLTYP: dicht, seidig, von unterschiedlicher Länge

• *mäßig langer Hals*

charakteristische Tigerzeichnung •

• *buschiger, wehender Schwanz*

Englischer Name Brown Tabby and White Maine Coon	Wesen Unabhängig

Ursprungsland USA	Vorfahren Rasselose Langhaarkatzen	Entstehungs-zeit 1770er Jahre

Schildpatt-Tabby und Weiß

Maine-Coon-Katzen lassen sich leicht erziehen und können lernen, an der Leine zu gehen. Sie sind zwar nicht sehr vermehrungsfreudig und bringen oft nur einen Wurf im Jahr, aber die Kätzinnen sind gute Mütter.

• **Merkmale** Die Grundfarbe ist ein warmer Kupfer-Agouti-Ton mit dunkleren roten Flecken und schwarzer Tabbyzeichnung. Die Verteilung von Weiß ist etwas variabel, doch es sollte sich im Idealfall auf das Gesicht, die Brust, den Bauch und die unteren Beine beschränken.

• **Anmerkung** Mehr als 60 Farben und Fellmuster sind bisher bei der Maine Coon registriert.

• kräftiges Kinn

weit auseinanderstehende Augen •

• klare Trennung von weißen und farbigen Partien

• fester, muskulöser Körper

FELLTYP: **dicht, seidig, von unterschiedlicher Länge**

Schwanz mindestens ebenso lang wie Rumpf •

Englischer Name Tortie Tabby and White Maine Coon	Wesen Unabhängig

Ursprungsland USA	Vorfahren Rasselose Langhaarkatzen	Entstehungs-zeit 1770er Jahre

Silber-Schildpatt-Tabby

Von vorn gesehen, gleicht der Kopf dem einer Kurzhaarkatze; das längere Haarkleid zeigt sich am deutlichsten an den Körperseiten.

• **Merkmale** Vom Silber-Tabby unterscheiden sich diese Katzen durch ihre rote und cremefarbene Fleckung. Die Grundfarbe ist Silber mit einer klar abgegrenzten schwarzen Tabbyzeichnung.

• **Anmerkung** Dieser Farbschlag ist in seiner Heimat bekannter unter dem Namen »Silver Patched Tabby«.

• M-förmige Kopfzeichnung

FELLTYP: **dicht, seidig, von unterschiedlicher Länge**

• deutliche schwarze Tabbyzeichnung

• kräftige Beine mit großen, runden Pfoten

• quergestreifte Beine

Englischer Name Silver Tortie Tabby Maine Coon	Wesen Unabhängig

| Ursprungsland USA | Vorfahren Rassel. Langhaark. | Entstehungszeit 1770er Jahre |

Blausilber-Schildpatt-Tabby

Wegen der rassetypischen großen Farbenvielfalt sind auch die Welpen eines Wurfs gewöhnlich sehr unterschiedlich gefärbt.
• **Merkmale** Die Grundfarbe ist ein blasser, klarer bläulicher Silberton. Schildpattmuster in Form von cremefarbenen Flecken sind vorhanden, ebenso wie die dichtere dunkelblaue Tabbyzeichnung.
• **Anmerkung** Die Vielzahl der Farben und Zeichnungsmuster ist teilweise auf die natürliche Evolution dieser Rasse zurückzuführen; dies könnte sich ändern, da die Rasse heute nur noch Stammbaumkatzen umfaßt.

• *üppige Schwanzbehaarung*

große, runde Augen •

• *Schildpattfärbung*

• *Tabbyzeichnung*

FELLTYP: dicht, seidig, von unterschiedlicher Länge

Englischer Name Blue Silver Tortie Tabby Maine Coon | Wesen Unabhängig

| Ursprungsland USA | Vorfahren Rasselose Langhaarkatzen | Entstehungszeit 1770er Jahre |

Schwarz-Smoke und Weiß

Die Körpergröße, die bei diesen Katzen sehr unterschiedlich sein kann, ist allein noch kein Qualitätskriterium.
• **Merkmale** Das Fellmuster dieser Varietät entspricht dem anderer Smoke-Katzen; die weißen Unterhaare sind am deutlichsten zu erkennen, wenn sich das Tier bewegt, weil sie dann durch die schwarze Spitzenfärbung der Deckhaare hindurchscheinen. Die Ohrbüschel und Flanken sind am hellsten gefärbt, Kopf, Rücken und Beine am dunkelsten.

Ohren mit breiter Basis •

• **Anmerkung** Heute werden Smoke-Spielarten von allen einfarbigen und Schildpatt-und-Weiß-Formen gezüchtet.

rechteckige Körperform erwünscht •

• *auffällige Halskrause*

FELLTYP: dicht, seidig, von unterschiedlicher Länge

• *weiße Pfoten mit Haarbüscheln*

langer Schwanz mit buschiger Spitze •

Englischer Name Black Smoke and White Maine Coon | Wesen Unabhängig

Norwegische Waldkatze

Diese Rasse ähnelt der Maine Coon und hat möglicherweise sogar zu deren Entwicklung beigetragen. Die in ihrer norwegischen Heimat als »Norsk Skaukatt« bekannte Katze ist hervorragend an das rauhe nordische Winterklima angepaßt. Das lange, doppellagige Fell ist wasserabstoßend und hält auch heftige Regengüsse aus. Früher waren Norwegische Waldkatzen außerhalb ihres Heimatlandes kaum bekannt, doch heute sind sie weiter verbreitet und werden immer beliebter. In der Stadt fühlen sich die Tiere allerdings nicht besonders wohl; man hält sie am besten in einer Umgebung, wo sie Platz zum Umherstreifen, Klettern und Jagen haben, so wie im heimischen Skandinavien.

Ursprungsland Norwegen	Vorfahren Angoras × Kurzhaarkatzen	Entstehungszeit 1520er Jahre

Schwarz und Weiß

Der Ursprung dieser Katzen ist von einem Geheimnis umgeben, man nimmt jedoch an, daß sie aus Angoras hervorgegangen sind, die per Schiff nach Norwegen gelangten und sich dort mit heimischen Kurzhaarkatzen paarten. Obwohl die Rasse in Norwegen seit Jahrhunderten gehalten wird, erregte sie erst in den 1930er Jahren ernsthaftes Züchterinteresse.

- **Merkmale** Diese großen und muskulösen Katzen sind kräftig gebaut. Der Kopf hat die Form eines gleichschenkligen Dreiecks und ein langes, gerades Profil.
- **Anmerkung** Ein Zuchtprogramm für diese Katzen wurde erst 1973 richtig in Angriff genommen, und seither sind viele Tiere ausgeführt worden.

langer, buschiger Schwanz •

• *lange Ohrbüschel*

• *wasserabstoßendes Semilanghaarfell*

FELLTYP: **glänzendes Deck- und wolliges Unterhaar**

klar abgegrenzte schwarze und weiße Fellpartien •

• *lange, glänzende Haare bilden »Knickerbocker« an den Hinterbeinen*

Englischer Name Black and White Norwegian Forest Cat	Wesen Unternehmungslustig

Ursprungsland Norwegen	Vorfahren Angoras × Kurzhaarkatzen	Entstehungs-zeit 1520er Jahre

Blaugestromt und Weiß

Trotz ihrer Ähnlichkeit mit der Maine Coon verkörpert die Norwegische Waldkatze einen anderen Typ, bei dem die Hinterbeine länger sind als die Vorderbeine. Die Augen der adulten Tiere sollten mandelförmig und leicht schräggestellt sein; der innere Augenwinkel liegt tiefer als der äußere. Bei Jungtieren dürfen die Augen runder sein.

• **Merkmale** Weiße Partien beschränken sich, soweit vorhanden, auf Brust und Pfoten. Der Felltyp kann bei den verschiedenen Schlägen voneinander abweichen.

• **Anmerkung** Die Farben sind bei dieser Rasse weniger wichtig als Typ und Fell.

FELLTYP: **glänzendes Deck- und wolliges Unterhaar**

• *große, offene und schrägge- stellte Augen*

• *glänzen- des Deck- haar*

• *langer, wehend behaarter Schwanz*

große, runde Pfoten mit Haarbüscheln •

Englischer Name Blue Tabby and White Norwegian Forest Cat	Wesen Unternehmungslustig

Ursprungsland Norwegen	Vorfahren Angoras × Kurzhaarkatzen	Entstehungs-zeit 1520er Jahre

Blauschildpatt-Smoke und Weiß

Dieser Schlag der Norwegischen Waldkatze bezeugt die für die Rasse typische Farbenvielfalt. Als Schildpatt ist er grundsätzlich weiblich und deshalb kleiner als andere Schläge, bei denen die Kater regelmäßig größer werden.

• **Merkmale** Eine gerade Nase ist erwünscht, doch zuweilen ist sie leicht geschwungen.

• **Anmerkung** Schildpattkatzen dieser Rasse haben ein weicheres und glatteres Fell als Tabbies.

Ohrbüschel •

FELLTYP: **glänzendes Deck- und wolliges Unterhaar**

• *langer Schwanz, sollte bis zum Hals reichen*

Englischer Name Blue Tortie Smoke and White Norwegian Forest Cat	Wesen Unternehmungslustig

| Ursprungsland | Norwegen | Vorfahren | Angoras × Kurzhaarkatzen | Entstehungs-zeit | 1520er Jahre |

Schwarz-Smoke und Weiß

Wenn man auf das rassetypische doppellagige Fell drückt, muß ein kleine Delle zurückbleiben. Im Sommer wird eine großer Teil des Haarkleides abgestoßen, aber die Büschel an den Zehen und das lange, wehende Schwanzhaar bleiben erhalten – ein Indiz für die Semilanghaarform der Rasse.

FELLTYP: **glänzendes Deck- und wolliges Unterhaar**

- **Merkmale** Die Rauchfarbe entsteht durch den Kontrast zwischen den weißen Unterhaaren und der dunklen Schattierung des Deckhaars.
- **Anmerkung** Bei Ausstellungskatzen sind alle Farben außer Chocolate, Lilac und Siamabzeichen erlaubt.

lange, wehende und buschig wirkende Schwanzbehaarung •

Brust normalerweise weiß •

| | Black Smoke and White Norwegian Forest Cat | Wesen | Unternehmungslustig |

| Ursprungsland | Norwegen | Vorfahren | Angoras × Kurzhaarkatzen | Entstehungs-zeit | 1520er Jahre |

Braungestromt und Weiß

Ein wichtiges Kennzeichen der Rasse ist die Halskrause, bestehend aus einem vollen »Latz«, einem kurzen Nackenteil und, im Winter, einem kräftig entwickelten Backenbart.

dreieckiger Kopf mit kräftigem Kinn •

- **Merkmale** Das Haarkleid wird durch die Lebensbedingungen beeinflußt; Tiere, die in der Wohnung gehalten werden, haben ein kürzeres und weicheres Fell als solche, die in Skandinavien im Freien leben.
- **Anmerkung** Die Ohren der Norwegischen Waldkatze sind hoch angesetzt und an der Basis breit, zudem mit luchsähnlichen Büscheln versehen.

volle Halskrause •

• *feste Knochenstruktur*

FELLTYP: **glänzendes Deck- und wolliges Unterhaar**

• *kräftige, lange Beine*

| Englischer Name | Brown Tabby and White Norwegian Forest Cat | Wesen | Unternehmungslustig |

Sibirische Waldkatze

Man nimmt heute an, daß diese Katzen die Urform aller Langhaarrassen sind, auch der ursprünglichen Perser und Angoras. Es ist ungeklärt, wann diese Fellmutation erstmals auftauchte, doch einiges spricht dafür, daß diese Katzen bereits seit 1000 oder mehr Jahren existieren und sich in der langen Zeit kaum verändert haben. Untersuchungen in der ehemaligen Sowjetunion haben den Beweis erbracht, daß das Langhaar-Gen in der Umgebung von St. Petersburg gehäuft auftritt, und es ist wahrscheinlich, daß diese Katzen im Norden des Landes entstanden sind. Das besonders dichte und dicke Haarkleid dürfte sich im strengen Klima dieser Region als sehr nützlich erwiesen haben.

Ursprungsland	Rußland	Vorfahren	Rasselose Langhaarkatzen	Entstehungs-zeit	11. Jh.

Braungetupft und Weiß

Bei dieser Rasse kommen Tabbymuster relativ häufig vor, was vielleicht auf Paarungen mit Wildkatzen zurückzuführen ist, und dadurch verringert sich die Wahrscheinlichkeit, daß einfarbige Tiere gezüchtet werden können. Obwohl noch keine Reinzucht im größeren Stil betrieben wird, bemüht man sich um die Einhaltung formaler Kriterien, genauso wie bei der Norwegischen Waldkatze, einer anderen »natürlichen« Rasse aus dem Norden. Die traditionelle Farbe der Sibirischen Waldkatze ist die goldene Tabbyzeichnung.

- **Merkmale** Hier hebt sich das getupfte Tabbymuster deutlich von den weißen Fellpartien ab.
- **Anmerkung** Die Sibirische Waldkatze ist zwar schon außerhalb ihrer Heimat bekannt, aber noch ziemlich selten.

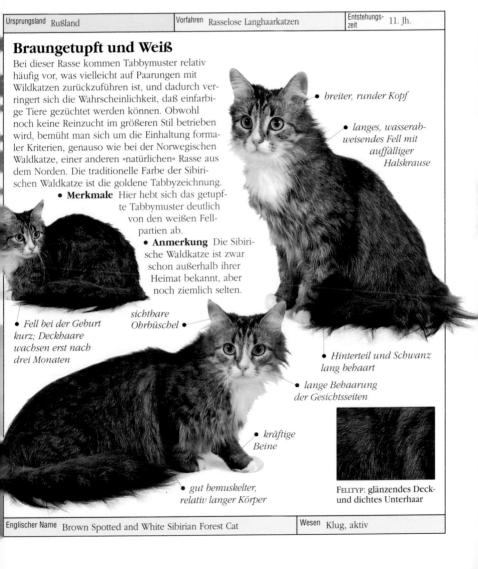

- *breiter, runder Kopf*
- *langes, wasserabweisendes Fell mit auffälliger Halskrause*
- *Fell bei der Geburt kurz; Deckhaare wachsen erst nach drei Monaten*
- *sichtbare Ohrbüschel*
- *Hinterteil und Schwanz lang behaart*
- *lange Behaarung der Gesichtsseiten*
- *kräftige Beine*
- *gut bemuskelter, relativ langer Körper*

FELLTYP: glänzendes Deck- und dichtes Unterhaar

Englischer Name	Brown Spotted and White Sibirian Forest Cat	Wesen	Klug, aktiv

Ragdoll

In der Frühzeit der Ragdoll-Katzen galten sie als schmerzunempfindlich, was sich aber längst als Irrtum herausgestellt hat; er entstand dadurch, daß die ursprüngliche weiße Langhaarkatze ihre Nachkommen gebar, nachdem sie bei einem Verkehrsunfall verletzt worden war. Diese Katzen wirken allerdings ungewöhnlich schlaff, eben wie eine »ragdoll« (englisch für Stoffpuppe), wenn sie gestreichelt werden, und geben ideale Heimtiere ab, weil sie gewöhnlich sehr kinderfreundlich sind.

Ursprungsland USA	Vorfahren Weiße Langhaar × Birma	Entstehungszeit 1960er Jahre

Seal-Point

Es gibt derzeit drei Fellmuster; die Seal-Point ist ein Beispiel der Colour-Point-Varietät. Blue-, Chocolate- und Lilac-Points tragen, bis auf die Färbung, identische Abzeichen. Ragdolls sind große Katzen, die drei Jahre bis zur Erreichung der vollen Größe und Ausfärbung brauchen.

- **Merkmale** Der Kopf ist groß und keilförmig, mit einem abgeflachten Hirnschädel, einer rundlichen Schnauze und einem leichten Stop. Das Halsfell ist lang und latzähnlich. Das Haarkleid wächst in der kalten Jahreszeit länger und wird im Sommer gewechselt. Kätzinnen sind kleiner und heller gefärbt als Kater.
- **Anmerkung** Die frühe Entwicklung der Rasse wurde vom Erstzüchter überwacht.

- *breites Hinterteil*
- *Schwanz gleichmäßig intensiv sealbraun gefärbt*
- *das Beige ist an Bauch und Brust zu Creme abschattiert*
- *großer, schwerer Körper*
- *schwerknochige Beine*
- *große, runde, sealbraune Pfoten*

FELLTYP: mittellang, seidig, dicht

Englischer Name Seal Point Ragdoll	Wesen Sanft, ruhig

Ursprungsland USA	Vorfahren Weiße Langhaar × Birma	Entstehungszeit 1960er Jahre

Blue-Mitted

Die Ragdoll-Katze wurde 1965 in den USA und 1983 in Großbritannien anerkannt.

• **Merkmale** Die Mitted Ragdoll ähnelt der Colour-Point und ist an den weißen »Handschuhen« (mittens) an den Vorderpfoten zu erkennen, die gleich groß sein und am Gelenk enden müssen. Die weißen »Schuhe« an den Hinterpfoten reichen bis zum Mittelfuß hinauf; die Unterseite ist ebenfalls weiß.

• **Anmerkung** Welpen bekommen ihre charakteristischen Abzeichen nach ungefähr einer Woche.

große, blaue Augen

blaugraue Maske •

• weiße »Schuhe« bis zum Mittelfuß

FELLTYP: mittellang, seidig, dicht

• reinweiße »Handschuhe«

Englischer Name Blue Mitted Ragdoll	Wesen Sanft, ruhig

Ursprungsland USA	Vorfahren Weiße Langhaar x Birma	Entstehungszeit 1960er Jahre

Seal Bi-Colour

Damit Fellmuster und Typ erhalten bleiben, werden Ragdolls nur mit ihresgleichen verpaart. Bei den zweifarbigen Tieren ist ein begrenzter Weißanteil im Fell erlaubt.

• **Merkmale** Das weiße Fell der Unterseite darf sich nicht in die sealbraunen Partien erstrecken. Die Augen sind tiefblau. Der Körper ist lang und muskulös, mit breiter Brust und kurzem, gedrungenem Hals.

• **Anmerkung** Die V-Zeichnung im Gesicht ist ein wesentliches Merkmal.

• umgedrehte weiße V-Markierung

• vereinzelte weiße Flecken auf dem Körper

• langer, sich verjüngender Schwanz

Fettpolster am Unterleib •

• weiße »Schuhe« an den Hinterbeinen ziehen sich bis zum Mittelfuß hinauf

FELLTYP: mittellang, seidig, dicht

Englischer Name Seal Bi-colour Ragdoll	Wesen Sanft, ruhig

Somali

D iese Rasse wurde benannt nach dem afrikanischen Land Somalia, das an Äthiopien (früher Abessinien) angrenzt. Der Name soll die nahe Verwandtschaft mit dem Abessinier (s. S. 228) widerspiegeln. In Abessinierwürfen waren seit Jahren langhaarige Kätzchen angefallen, doch erst 1967 unternahm man die ersten Schritte, um aus diesen Tieren eine neue Rasse herauszuzüchten. Bei der Somali sind die einzelnen Haare dunkel gebändert (Ticking), ähnlich wie bei der Abessinier.

Ursprungsland USA	Vorfahren Langhaarige Abessinier	Entstehungszeit 1967

Sorrel Silver (Rotbraun-Silber)

Die Somali ist eine mittelgroße Katze von muskulösem Körperbau und harmonischen Proportionen. Der Kopf ist keilförmig und hat weiche Konturen und ein leicht gewölbtes Profil. Die Ohren stehen weit auseinander und sind innen behaart.

• **Merkmale** Alle silbernen Schläge der Somali sollten weißes Haar mit entsprechendem Ticking besitzen; in diesem Fall erweckt die schokoladenbraune Bänderung den Eindruck einer silbern schimmernden Pfirsichfarbe. Ohren und Schwanz sollten schokoladenbraune Spitzen haben.

• **Anmerkung** Obwohl Züchter in vielen Ländern die Entwicklung der Somali begrüßten, wurde die Rasse erst 1983 von der Cat Association of Britain anerkannt. Schon 1979 tauchten die ersten Exemplare in Deutschland auf.

• *geschmeidiger, muskulöser Körper*

• *schokoladenbraune Haarbüschel zwischen den Zehen*

• *dunkle Lidhaut, Augen brillenförmig heller gesäumt*

haselnußbraune Mandelaugen •

mittellanges Fell, auf den Schultern kürzer •

langer, sich verjüngender Schwanz •

• *5 Zehen an der Vorderpfote*

• *schokoladenfarbene Schwanzspitze*

FELLTYP: sehr weich, fein, dicht

Englischer Name Sorrel Silver Somali	Wesen Extrovertiert

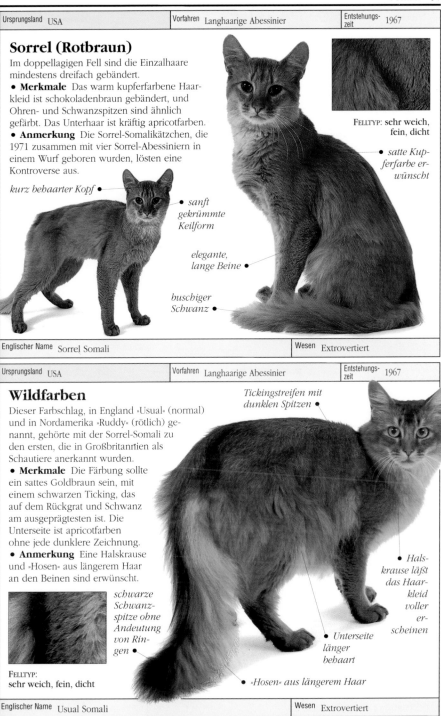

| Ursprungsland | USA | Vorfahren | Langhaarige Abessinier | Entstehungszeit | 1967 |

Sorrel (Rotbraun)

Im doppellagigen Fell sind die Einzalhaare mindestens dreifach gebändert.

• **Merkmale** Das warm kupferfarbene Haarkleid ist schokoladenbraun gebändert, und Ohren- und Schwanzspitzen sind ähnlich gefärbt. Das Unterhaar ist kräftig apricotfarben.

• **Anmerkung** Die Sorrel-Somalikätzchen, die 1971 zusammen mit vier Sorrel-Abessiniern in einem Wurf geboren wurden, lösten eine Kontroverse aus.

FELLTYP: **sehr weich, fein, dicht**

• *satte Kupferfarbe erwünscht*

kurz behaarter Kopf •

• *sanft gekrümmte Keilform*

elegante, lange Beine •

buschiger Schwanz •

| Englischer Name | Sorrel Somali | Wesen | Extrovertiert |

| Ursprungsland | USA | Vorfahren | Langhaarige Abessinier | Entstehungszeit | 1967 |

Wildfarben

Dieser Farbschlag, in England »Usual« (normal) und in Nordamerika »Ruddy« (rötlich) genannt, gehörte mit der Sorrel-Somali zu den ersten, die in Großbritannrien als Schautiere anerkannt wurden.

• **Merkmale** Die Färbung sollte ein sattes Goldbraun sein, mit einem schwarzen Ticking, das auf dem Rückgrat und Schwanz am ausgeprägtesten ist. Die Unterseite ist apricotfarben ohne jede dunklere Zeichnung.

• **Anmerkung** Eine Halskrause und »Hosen« aus längerem Haar an den Beinen sind erwünscht.

Tickingstreifen mit dunklen Spitzen •

schwarze Schwanzspitze ohne Andeutung von Ringen •

FELLTYP: **sehr weich, fein, dicht**

• *Halskrause läßt das Haarkleid voller erscheinen*

• *Unterseite länger behaart*

• *»Hosen« aus längerem Haar*

| Englischer Name | Usual Somali | Wesen | Extrovertiert |

Ursprungsland USA	Vorfahren Langhaarige Abessinier	Entstehungs-zeit 1967

Blau

Die Beliebtheit der Somali wächst sehr schnell, und die Katzen werden in immer größerer Farbenvielfalt gezüchtet.

• **Merkmale** Die Intensität der Blaufärbung ist individuell verschieden, doch in jedem Fall sollte die Bänderung dunkler sein. Die Unterseite kann cremefarben oder etwas kräftiger gefärbt sein und wird oft als »oatmeal« (hafermehlfarben) bezeichnet.

• **Anmerkung** Weil das Fell nicht wollig ist, verfilzt es kaum.

FELLTYP: sehr weich, fein, dicht

• weit auseinanderstehende Ohren mit breiter Basis

• hafermehlfarbene Unterseite

• mauveblaue Ballen

• Zeben mit Haarbüscheln

Englischer Name Blue Somali		Wesen Extrovertiert

Ursprungsland USA	Vorfahren Langhaarige Abessinier	Entstehungs-zeit 1967

Cremesilber

Somali brauchen bis zu 18 Monaten, um ihr adultes Tickingmuster auszubilden. Miteinander verpaarte Somalis gebären zwar nur Somali-Nachkommen, aber deren Haarlänge kann wie das Produkt von Somali und Abessinier sein.

• **Merkmale** Die Haare dieser typischen Somali sind weiß und cremefarben gebändert, so daß der Eindruck eines schimmernden silbernen Cremetons entsteht. Ohren und Schwanz sind cremefarben, die Unterseite ist weißlich.

• **Anmerkung** In einem gemischten Wurf sind die Somalis meist etwas größer als die Abessinier.

spitze Ohren •

• silberne Unterseite

• mittelgroßer, keilförmiger Kopf mit gerundetem Kinn

FELLTYP: sehr weich, fein, dicht

voll behaarter Schwanz •

Englischer Name Cream Silver Somali		Wesen Extrovertiert

Ursprungsland USA	Vorfahren Langhaarige Abessinier	Entstehungs-zeit 1967

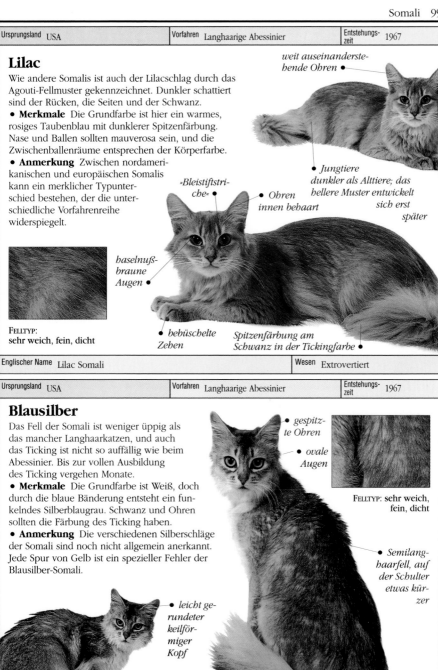

Lilac

Wie andere Somalis ist auch der Lilacschlag durch das Agouti-Fellmuster gekennzeichnet. Dunkler schattiert sind der Rücken, die Seiten und der Schwanz.

• **Merkmale** Die Grundfarbe ist hier ein warmes, rosiges Taubenblau mit dunklerer Spitzenfärbung. Nase und Ballen sollten mauverosa sein, und die Zwischenballenräume entsprechen der Körperfarbe.

• **Anmerkung** Zwischen nordamerikanischen und europäischen Somalis kann ein merklicher Typunterschied bestehen, der die unterschiedliche Vorfahrenreihe widerspiegelt.

weit auseinanderstehende Ohren •

• Jungtiere dunkler als Alttiere; das hellere Muster entwickelt sich erst später

»Bleistiftstriche«

• Ohren innen behaart

haselnußbraune Augen •

FELLTYP:
sehr weich, fein, dicht

• bebüschelte Zehen

Spitzenfärbung am Schwanz in der Tickingfarbe •

Englischer Name Lilac Somali	Wesen Extrovertiert

Ursprungsland USA	Vorfahren Langhaarige Abessinier	Entstehungs-zeit 1967

Blausilber

Das Fell der Somali ist weniger üppig als das mancher Langhaarkatzen, und auch das Ticking ist nicht so auffällig wie beim Abessinier. Bis zur vollen Ausbildung des Ticking vergehen Monate.

• **Merkmale** Die Grundfarbe ist Weiß, doch durch die blaue Bänderung entsteht ein funkelndes Silberblaugrau. Schwanz und Ohren sollten die Färbung des Ticking haben.

• **Anmerkung** Die verschiedenen Silberschläge der Somali sind noch nicht allgemein anerkannt. Jede Spur von Gelb ist ein spezieller Fehler der Blausilber-Somali.

• gespitzte Ohren

• ovale Augen

FELLTYP: sehr weich, fein, dicht

• Semilanghaarfell, auf der Schulter etwas kürzer

• leicht gerundeter keilförmiger Kopf

• ovale Pfoten

buschiger Schwanz •

Englischer Name Blue Silver Somali	Wesen Extrovertiert

Ursprungsland USA	Vorfahren Langhaarige Abessinier	Entstehungs-zeit 1967

Silber

Die Somali ist eigentlich ein »getickter« Tabby, und in diesem Fall ergibt das Silber-Gen eine gletscherweiße Grundfarbe. In ihr darf es keine Spur von goldenen oder rötlichen Tönen geben.

• **Merkmale** Die Kombination von weißen Unterhaaren mit schwarzem Ticking läßt das Fell silbern erscheinen. Auf der Unterseite sollten kein Ticking und keinerlei dunkle Markierung zu sehen sein. Die Ballen sind entweder braun oder schwarz, und das Schwarz zieht sich an den Hinterbeinen nach oben. Diese Katze hat vorne jeweils fünf, hinten nur vier Zehen.

• **Anmerkung** Die Fellqualität ist ein wichtiges Kriterium; jedes Haar sollte mindestens dreifach gebändert sein. Die dunkle Färbung der Lider betont die Augenfarbe, die zwischen Bernstein, Haselnuß und Grün variiert.

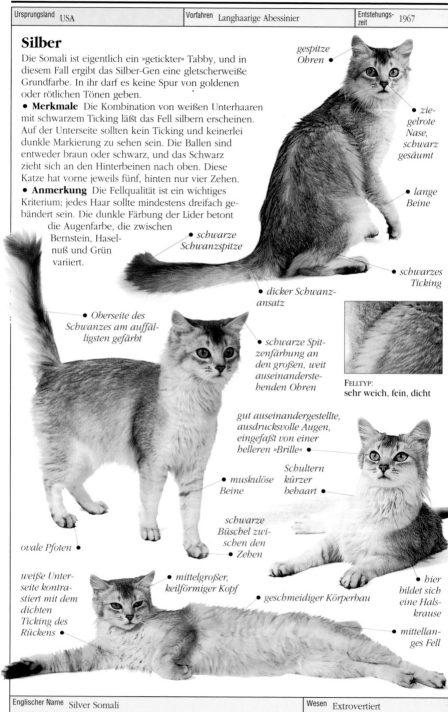

gespitze Ohren •

• ziegelrote Nase, schwarz gesäumt

• lange Beine

• schwarzes Ticking

• schwarze Schwanzspitze

• dicker Schwanzansatz

• Oberseite des Schwanzes am auffälligsten gefärbt

• schwarze Spitzenfärbung an den großen, weit auseinanderstehenden Ohren

FELLTYP: sehr weich, fein, dicht

gut auseinandergestellte, ausdrucksvolle Augen, eingefaßt von einer helleren »Brille« •

• muskulöse Beine

Schultern kürzer behaart •

• ovale Pfoten

schwarze Büschel zwischen den Zehen •

weiße Unterseite kontrastiert mit dem dichten Ticking des Rückens •

• mittelgroßer, keilförmiger Kopf

• geschmeidiger Körperbau

• hier bildet sich eine Halskrause

• mittellanges Fell

Englischer Name Silver Somali		Wesen Extrovertiert

Ursprungsland USA	Vorfahren Langhaarige Abessinier	Entstehungszeit 1967

Chocolate-Silber

Durch die abwechselnd hell-dunkle Bänderung der Einzelhaare entsteht das charakteristische Somali-Fellmuster. Auf jedem Haar können bis zu vier deutlich getrennte helle und dunkle Bänder vorhanden sein.

• **Merkmale** Das dunkle Ticking auf weißem Grund verleiht dieser Katze ein silbern schillerndes schokoladenfarbenes Aussehen.

• **Anmerkung** Jungtiere sind dunkler gefärbt.

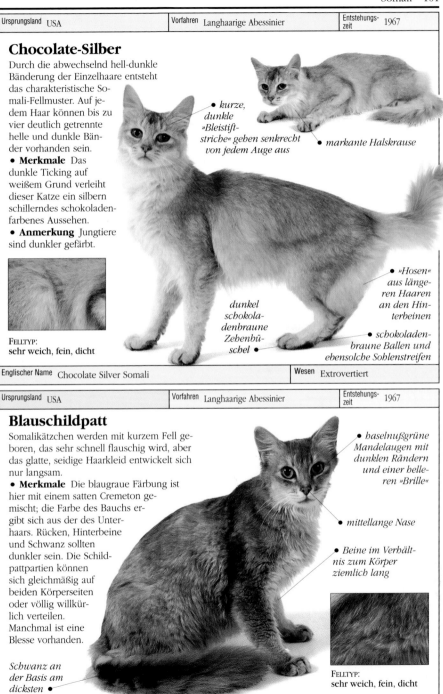

• *kurze, dunkle »Bleistiftstriche« gehen senkrecht von jedem Auge aus*

• *markante Halskrause*

FELLTYP: **sehr weich, fein, dicht**

dunkel schokoladenbraune Zehenbüschel •

• *»Hosen« aus längeren Haaren an den Hinterbeinen*

• *schokoladenbraune Ballen und ebensolche Sohlenstreifen*

Englischer Name Chocolate Silver Somali	Wesen Extrovertiert

Ursprungsland USA	Vorfahren Langhaarige Abessinier	Entstehungszeit 1967

Blauschildpatt

Somalikätzchen werden mit kurzem Fell geboren, das sehr schnell flauschig wird, aber das glatte, seidige Haarkleid entwickelt sich nur langsam.

• **Merkmale** Die blaugraue Färbung ist hier mit einem satten Cremeton gemischt; die Farbe des Bauchs ergibt sich aus der des Unterhaars. Rücken, Hinterbeine und Schwanz sollten dunkler sein. Die Schildpattpartien können sich gleichmäßig auf beiden Körperseiten oder völlig willkürlich verteilen. Manchmal ist eine Blesse vorhanden.

Schwanz an der Basis am dicksten •

• *haselnußgrüne Mandelaugen mit dunklen Rändern und einer helleren »Brille«*

• *mittellange Nase*

• *Beine im Verhältnis zum Körper ziemlich lang*

FELLTYP: **sehr weich, fein, dicht**

Englischer Name Blue Tortie Somali	Wesen Extrovertiert

Balinese

Balinesen oder Balikatzen sind das langhaarige Gegenstück der Siamesen und können somit aufgrund ihres ausgesprochen schlanken Siamtyps leicht von den Colourpoint-Langhaarkatzen unterschieden werden. Man geht davon aus, daß das Gen für Langhaar höchstwahrscheinlich von Angoras eingeführt wurde, die in Großbritannien in den zwanziger Jahren unseres Jahrhunderts gelegentlich mit Siamkatzen verpaart worden sind und später zum Ausgangspunkt für die Balinesenrasse wurden.

Ursprungsland USA	Vorfahren Siam × Angoras	Entstehungs-zeit 1940er Jahre

Lilac-Point

Als die Balinesen erstmals in vermeintlich reinen Siamblutlinien auftauchten, zeigten die Züchter wenig Interesse an diesen Katzen. Doch nach und nach wuchs die Anziehungskraft der Balinesen, und die Rasse begann sich zu entfalten. Da Langhaarigkeit ein rezessives Merkmal ist, gehen aus einer Balinesenpaarung stets Balinesenwelpen hervor, doch man hat auch Einkreuzungen durchgeführt, um den Siamtyp zu erhalten.

• **Merkmale** Balinesen haben einen langen, keilförmigen Kopf und einen schlanken, eleganten Körper. Das Fell wird bis zu 5 cm lang.

• **Anmerkung** Die Rasse verdankt ihren Namen den anmutigen Tänzerinnen der Insel Bali. Die erste bekannte Züchterin war Marion Dorsey aus Kalifornien.

• *buschiger, spitz zulaufender Schwanz*

gleichmäßig kräftige Abzeichenfarbe •

• *langer, keilförmiger Kopf*

magnolienfarbener Körper •

lavendelrosa Pfotenballen •

• *eisgraue Abzeichen mit rosigem Anflug*

FELLTYP: mittellang, fein, seidig

Englischer Name Lilac Point Balinese	Wesen Lebhaft

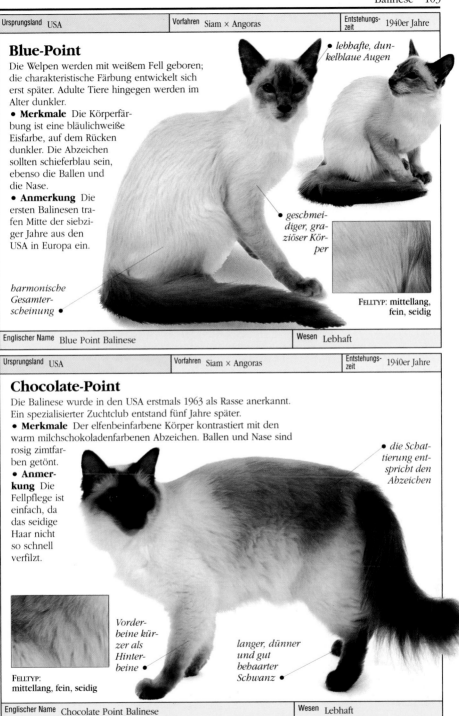

Ursprungsland USA	Vorfahren Siam × Angoras	Entstehungszeit 1940er Jahre

Blue-Point

Die Welpen werden mit weißem Fell geboren; die charakteristische Färbung entwickelt sich erst später. Adulte Tiere hingegen werden im Alter dunkler.

• **Merkmale** Die Körperfärbung ist eine bläulichweiße Eisfarbe, auf dem Rücken dunkler. Die Abzeichen sollten schieferblau sein, ebenso die Ballen und die Nase.

• **Anmerkung** Die ersten Balinesen trafen Mitte der siebziger Jahre aus den USA in Europa ein.

• *lebhafte, dunkelblaue Augen*

• *geschmeidiger, graziöser Körper*

harmonische Gesamterscheinung •

FELLTYP: mittellang, fein, seidig

Englischer Name Blue Point Balinese	Wesen Lebhaft

Ursprungsland USA	Vorfahren Siam × Angoras	Entstehungszeit 1940er Jahre

Chocolate-Point

Die Balinese wurde in den USA erstmals 1963 als Rasse anerkannt. Ein spezialisierter Zuchtclub entstand fünf Jahre später.

• **Merkmale** Der elfenbeinfarbene Körper kontrastiert mit den warm milchschokoladenfarbenen Abzeichen. Ballen und Nase sind rosig zimtfarben getönt.

• **Anmerkung** Die Fellpflege ist einfach, da das seidige Haar nicht so schnell verfilzt.

• *die Schattierung entspricht den Abzeichen*

FELLTYP: mittellang, fein, seidig

Vorderbeine kürzer als Hinterbeine •

langer, dünner und gut behaarter Schwanz •

Englischer Name Chocolate Point Balinese	Wesen Lebhaft

Ursprungsland USA	Vorfahren Siam × Angoras	Entstehungszeit 1940er Jahre

Seal-Schildpatt-Point

Mit dem schönen Kontrast zwischen Körper- und Abzeichenfarbe ist dies eine besonders attraktive Katze.

- **Merkmale** Die Körperfarbe paßt zu den sealbraunen Abzeichen. Der Rücken ist beige, und der übrige Körper zeigt einen warmen Cremeton. Die Abzeichen sind kräftig sealbraun und in unterschiedlichen Rottönen gefleckt.

- **Anmerkung** Amerikanische Züchter erkennen nur die vier »reinen« Farben an; Varianten werden dort als »Javanese« bezeichnet.

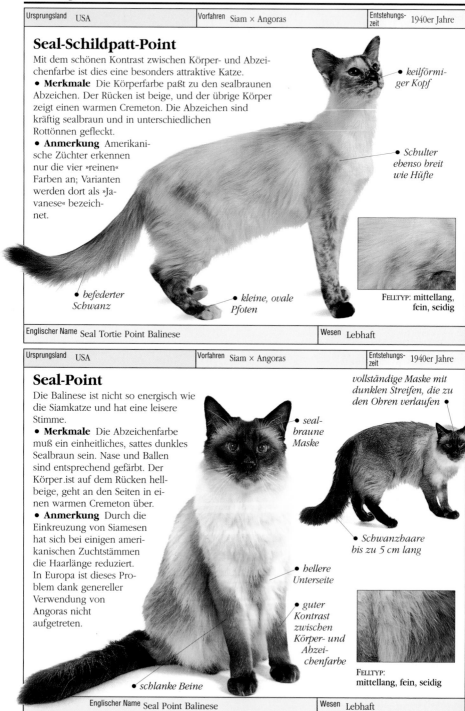

- *keilförmiger Kopf*
- *Schulter ebenso breit wie Hüfte*
- *befederter Schwanz*
- *kleine, ovale Pfoten*

FELLTYP: mittellang, fein, seidig

Englischer Name Seal Tortie Point Balinese	Wesen Lebhaft

Ursprungsland USA	Vorfahren Siam × Angoras	Entstehungszeit 1940er Jahre

Seal-Point

Die Balinese ist nicht so energisch wie die Siamkatze und hat eine leisere Stimme.

- **Merkmale** Die Abzeichenfarbe muß ein einheitliches, sattes dunkles Sealbraun sein. Nase und Ballen sind entsprechend gefärbt. Der Körper ist auf dem Rücken hellbeige, geht an den Seiten in einen warmen Cremeton über.

- **Anmerkung** Durch die Einkreuzung von Siamesen hat sich bei einigen amerikanischen Zuchtstämmen die Haarlänge reduziert. In Europa ist dieses Problem dank genereller Verwendung von Angoras nicht aufgetreten.

vollständige Maske mit dunklen Streifen, die zu den Ohren verlaufen

- *sealbraune Maske*
- *Schwanzhaare bis zu 5 cm lang*
- *hellere Unterseite*
- *guter Kontrast zwischen Körper- und Abzeichenfarbe*
- *schlanke Beine*

FELLTYP: mittellang, fein, seidig

Englischer Name Seal Point Balinese	Wesen Lebhaft

Ursprungsland USA	Vorfahren Siam × Angoras	Entstehungszeit 1940er Jahre

Seal-Schildpatt-Tabby-Point

Das Fell verdeckt die Zeichnung der Schildpatt-Tabby-Abzeichen, vor allem am Schwanz. Bei der Bewertung wird das Schwanzende hochgehoben und geschüttelt, damit das Muster deutlich hervortritt.

- **Merkmale** Die Kombination von Schildpatt- und Tabbymarkierungen zeigt sich in den Rottönen, die auf dem Tabbymuster aufliegen.
- **Anmerkung** Solche Katzen heißen auch »Torbies«

buschiger Schwanz •

• *M-förmige Tabbymarkierung auf dem Kopf*

• *unterbrochene Streifen*

FELLTYP:
mittellang, fein, seidig

• *relativ glattes Fell ohne Krause*

Englischer Name Seal Tortie Tabby Point Balinese	Wesen Lebhaft

Ursprungsland USA	Vorfahren Siam × Angoras	Entstehungszeit 1940er Jahre

Chocolate-Schildpatt-Point

So wie erwünschte Eigenschaften der Siamkatze in die Balinese eingekreuzt wurden, können auch Fehler übertragen werden, am ehesten Schielaugen oder Spuren eines Knickschwanzes.

- **Merkmale** Bei diesem Schlag liegt das Fell am ganzen Körper dicht an; wolliges Unterhaar fehlt. Jungtiere sind kürzer behaart als ausgewachsene Katzen. Die Ohren weisen manchmal Büschel auf; eine Halskrause ist unerwünscht.
- **Anmerkung** Wie bei anderen Schildpattvarietäten sind auch hier die Tiere durchweg weiblich.

• *große Ohren mit breiter Basis*

leuchtend blaue Augen •

• *blasse Schokoladen- und Apricottöne auf dem Rücken und an den Seiten*

• *die elfenbeinfarbene Unterseite kommt besser zum Vorschein, wenn die Katze sitzt*

graziöser Körper mit langen, schlanken Beinen •

milchschokoladenbraune Abzeichen, mit Rot durchsetzt •

• *scheckige Färbung*

FELLTYP:
mittellang, fein, seidig

Englischer Name Chocolate Tortie Point Balinese	Wesen Lebhaft

Ursprungsland USA	Vorfahren Siam × Angoras	Entstehungs-zeit 1940er Jahre

Red-Tabby-Point

Diese Katzen, in den USA bekannter unter dem Namen »Red Lynx Point Javanese«, sind vom Siamtyp und haben ein möglichst hermelinähnliches Fell. Sie sind verspielt, intelligent und freundlich.

• **Merkmale** Die Grundfarbe des Körpers ist ein cremiges Weiß. Die Abzeichen sind orange bis rot und kontrastieren mit den blauen Augen. Tabbymarkierungen müssen an Kopf, Beinen und Schwanz klar zu erkennen sein.

• *Tabbyringe an den Beinen*

• **Anmerkung** Die Kategorie der Javanesen wurde in den USA 1980 eingeführt.

• *große, spitze Ohren*

• *M-förmige Tabbymarkierung auf dem Kopf*

FELLTYP: mittellang, fein, seidig

• *spitz zulaufender Schwanz mit Tabbymuster*

kontrastierende Farbe •

Englischer Name Red Tabby Point Balinese	Wesen Lebhaft

Ursprungsland USA	Vorfahren Siam × Angoras	Entstehungs-zeit 1940er Jahre

Blue-Tabby-Point

Eleganz und Ausgewogenheit sind wesentliche Merkmale der Balinesen. Der geschmeidige Körper steht auf schlanken Beinen, und der lange, sich verjüngende Schwanz betont den langgestreckten Rumpf.

• **Merkmale** Der Körper hat eine blasse Eisfarbe, die auf dem Rücken blauer wird. Die Abzeichen sind hellblau und heben sich vom dunkleren Blau der Tabbyzeichnung ab. Klare Streifen säumen Augen und Nase; die Schwanzmarkierungen sind nicht so ausgeprägt.

FELLTYP: mittellang, fein, seidig

• **Anmerkung** Dieser Schlag heißt in den USA »Blue Lynx Point Javanese«.

• *mandelförmige blaue Augen, zur Nase hin schräggestellt*

gut befederter, langer Schwanz •

• *dreieckiger Kopf*

Englischer Name Blue Tabby Point Balinese	Wesen Lebhaft

Ursprungsland USA	Vorfahren Siam x Angoras	Entstehungszeit 1940er Jahre

Seal-Tabby-Point

Ein ausgewogener Körperbau, gepaart mit eleganten Bewegungen, ist ein besonderes Kennzeichen der Balinesen. Ihre nahe Verwandtschaft mit den Siamkatzen spiegelt sich in den Augen, die ein leuchtendes, klares Blau haben.

• **Merkmale** Die Farbe sollte auf dem Rücken ein blasses, warmes Beige sein, das ansonsten in Creme übergeht. Die Tabbystreifen finden sich in der Maske, und die Abzeichen weisen ein sattes Sealbraun auf.

• **Anmerkung** Die Seal-Abzeichen sind recht dunkel, so daß Anzeichen einer Körperschattierung meist unvermeidlich sind.

• *einheitlich gefärbte Augen*

• *langer, sich verjüngender Schwanz ohne Knick*

• *geschmeidiger Körper*

FELLTYP: mittellang, fein, seidig

Tabbystreifen auf den Beinen •

Englischer Name Seal Tabby Point Balinese	Wesen Lebhaft

Ursprungsland USA	Vorfahren Siam × Angoras	Entstehungszeit 1940er Jahre

Chocolate-Tabby-Point

Die Balinese gilt als nicht so lautfreudig wie die Siamkatze, der sie nahesteht, aber sie ist ebenso freundlich. Weil die Unterwolle fehlt, neigt das lange Haarkleid nicht zum Verfilzen und ist deshalb pflegeleicht.

• **Merkmale** Der Körper ist elfenbeinfarben, und die Abzeichen haben die Farbe von Milchschokolade.

• **Anmerkung** Der lange Schwanz, der sich federartig spreizt, ist ein besonderes Kennzeichen der Rasse.

• *Ohren können bebüschelt sein*

• *vollständige Maske bei Alttieren*

FELLTYP: mittellang, fein, seidig

• *kräftiges Hinterteil*

• *langer, sich verjüngender Schwanz ohne Knick*

• *lange, schlanke Beine*

Englischer Name Chocolate Tabby Point Balinese	Wesen Lebhaft

Tiffanie

Die Tiffanie oder Tiffany ist im Grunde nichts anderes als die langhaarige Form der Burmakatze. Im Typ ähnelt sie der Burma, hat einen mittelgroßen, keilförmigen Kopf, eine kurze Nase und weit auseinanderstehende Ohren mit leicht abgerundeten Spitzen. Die weit auseinanderstehenden Augen sind ein wenig schräggestellt, und ihre Abstammung von der Burma zeigt sich vor allem auch in der Augenfarbe, die von Gelb bis Bernstein variieren kann, obgleich ein satter goldgelber Ton bevorzugt wird.

Ursprungsland USA	Vorfahren Burma-Kreuzungen	Entstehungszeit 1970er Jahre

Rot

Ursprünglich wurden die Tiffanies in den USA einfach als langhaarige Burmakatzen angesehen, und in England erregten sie kein sonderliches Interesse. Doch dort sind sie neuerdings weiterentwickelt worden, als Nebenprodukt von Asiatisch-Kurzhaar-Züchtungen wie der Burmilla.

• **Merkmale** Die Färbung entspricht der der Roten Burma, doch das Haarkleid selbst ist merklich länger und bildet eine Halskrause.

• **Anmerkung** Tiffanies sind vorerst noch recht selten, aber da sie in einem größeren Farbenspektrum erhältlich sind, wird ihre Beliebtheit vermutlich steigen.

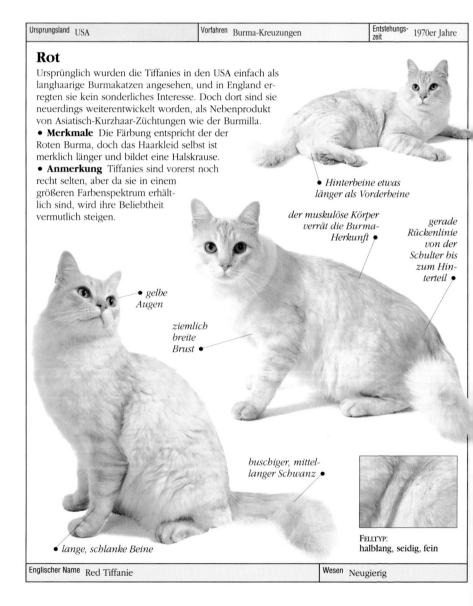

• *Hinterbeine etwas länger als Vorderbeine*

der muskulöse Körper verrät die Burma-Herkunft •

gerade Rückenlinie von der Schulter bis zum Hinterteil •

• *gelbe Augen*

ziemlich breite Brust •

buschiger, mittellanger Schwanz •

FELLTYP:
halblang, seidig, fein

• *lange, schlanke Beine*

Englischer Name Red Tiffanie	Wesen Neugierig

| Ursprungsland USA | Vorfahren Burma-Kreuzungen | Entstehungszeit 1970er Jahre |

Braun

Von den verschiedenen Farbschlägen, die inzwischen gezüchtet werden, scheint der traditionelle braune in Nordamerika am beliebtesten zu sein.

● **Merkmale** Junge Tiere sind kürzer behaart als alte; die Fellentwicklung dauert mehrere Monate. Außerdem sind Jungtiere heller.

● **Anmerkung** Amerikanische Tiffanies unterscheiden sich von europäischen infolge der abweichenden Burma-Ahnenreihe; in Europa sind die Katzen in der Regel eleganter gebaut.

warme braune Fellfarbe

Schwanz verjüngt sich leicht zur abgerundeten Spitze hin

feines, seidiges Haarkleid ●

Halskrause ●

FELLTYP: halblang, seidig, fein

| Englischer Name Brown Tiffanie | Wesen Neugierig |

| Ursprungsland USA | Vorfahren Burma-Kreuzungen | Entstehungszeit 1970er Jahre |

Blue-Tipped Silver

Dies ist eine der ausgefalleneren Tiffanie-Züchtungen. Die Züchter haben einen erstklassigen Burma-Zuchtstamm verwendet, um Katzen hervorzubringen, die im Typ der langhaarigen Burma wirklich nahekommen.

● **Merkmale** Die blaue Spitzenfärbung (Tipping) des silbernen Haars ergibt einen reizvollen Farbkontrast.

● **Anmerkung** Das Langhaar-Gen, das diesen Schlag ermöglichte, wurde eingeführt, indem man im Verlauf der Burmilla-Zucht Chinchilla-Perser mit Burmakatzen verpaarte.

weit auseinanderstehende Augen ●

● *M-förmige Kopfzeichnung verrät die Burmilla-Abstammung*

● *dunklere Färbung auf dem Rücken*

FELLTYP: halblang, seidig, fein

| Englischer Name Blue Tipped Silver Tiffanie | Wesen Neugierig |

Cymric (Kymrische Katze)

Die Kymrische Katze ist die Langhaarform der Manxkatze und wie diese schwanzlos. Wir unterscheiden drei Spielarten: »Rumpy Cymrics« haben nicht einmal einen angedeuteten Schwanz, sondern am Ansatz nur eine Vertiefung; bei »Stumpies« sind einige Schwanzwirbel vorhanden; die »Longie« besitzt einen Schwanz, der nur wenig kürzer ist als der anderer Rassen. Von den Verbänden, die die Rasse akzeptiert haben, werden die meisten Farben und Fellmuster anerkannt.

Ursprungsland Kanada	Vorfahren Langhaarige Manxkatzen	Entstehungszeit 1960er Jahre

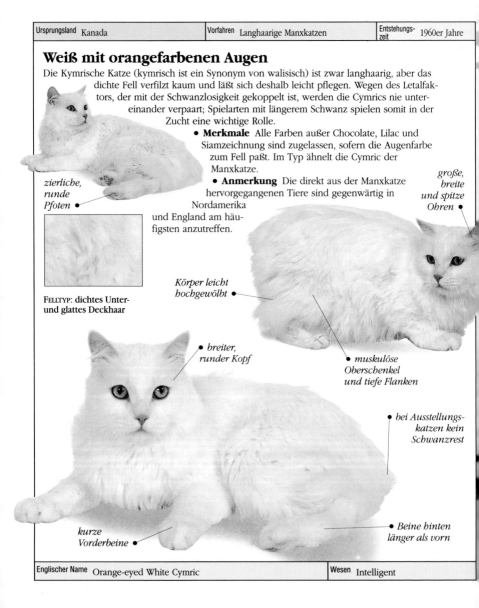

Weiß mit orangefarbenen Augen

Die Kymrische Katze (kymrisch ist ein Synonym von walisisch) ist zwar langhaarig, aber das dichte Fell verfilzt kaum und läßt sich deshalb leicht pflegen. Wegen des Letalfaktors, der mit der Schwanzlosigkeit gekoppelt ist, werden die Cymrics nie untereinander verpaart; Spielarten mit längerem Schwanz spielen somit in der Zucht eine wichtige Rolle.

- **Merkmale** Alle Farben außer Chocolate, Lilac und Siamzeichnung sind zugelassen, sofern die Augenfarbe zum Fell paßt. Im Typ ähnelt die Cymric der Manxkatze.
- **Anmerkung** Die direkt aus der Manxkatze hervorgegangenen Tiere sind gegenwärtig in Nordamerika und England am häufigsten anzutreffen.

zierliche, runde Pfoten •

FELLTYP: dichtes Unter- und glattes Deckhaar

große, breite und spitze Ohren •

Körper leicht hochgewölbt •

• *breiter, runder Kopf*

• *muskulöse Oberschenkel und tiefe Flanken*

• *bei Ausstellungskatzen kein Schwanzrest*

kurze Vorderbeine •

• *Beine hinten länger als vorn*

Englischer Name Orange-eyed White Cymric	Wesen Intelligent

Scottish Fold

D as Langhaar-Gen scheint in der ursprünglichen Blutlinie dieser Katzen vorhanden gewesen zu sein. Die erste nachgewiesene Scottish Fold, bei uns auch Schottische Faltohrkatze oder Hängeohrkatze genannt, war kurzhaarig (siehe S. 144), aber sie und ihre Tochter »Shooks« warfen Langhaarkatzen mit den charakteristischen Falt- oder Hängeohren. Die Einkreuzung von Britisch Kurzhaar brachte auf dem Umweg über vorausgegangene Langhaarkreuzungen weitere Langhaar-Gene ein, und so fallen in heutigen Scottish-Fold-Würfen recht häufig langhaarige Nachkommen an. Der Kurzhaarschlag wurde als erster anerkannt, und erst im Mai 1987 erhielt die langhaarige Version den Championship-Status von The International Cat Association (TICA).

Ursprungsland	Schottland	Vorfahren	Rasselose Kurzhaarkatzen	Entstehungs-zeit	1950er Jahre

Blaucreme und Weiß

Scottish Folds sind angenehme Hausgenossen; sie vertragen sich durchweg gut mit anderen Heimtieren, Hunde eingeschlossen. Sie sollten das gleiche rundliche Gesicht haben wie ihre kurzhaarigen Pendants. Die mittelgroßen Ohren liegen fast wie eine Kappe seitlich am Kopf an, die Nase hat einen leichten Stop, und die großen, runden Augen unterstreichen das freundliche Naturell dieser Katzen.

• **Merkmale** Die farbigen Fellpartien sollten sauber getrennt sein und sich nicht mit dem Weiß vermischen. Das mittellange Haarkleid steht etwas vom Körper ab.

• **Anmerkung** Erst nach etwa zwei Wochen beginnen sich die Ohren der Welpen zu falten.

• *buschiger Schwanz*

• *mittelgroße Ohren*

FELLTYP: **halblang, dicht, elastisch**

• *ziemlich gedrungener Körper*

• *muskulöse Oberschenkel*

• *klar abgegrenzte farbige und weiße Fellpartien*

eng gefaltete Ohren •

• *stämmige Beine*

• *große, runde Augen*

• *kräftiger, muskulöser Hals*

• *kurze Beine*

• *rundliches Gesicht*

• *flexibler Schwanz*

Englischer Name	Blue-cream and White Scottish Fold Longhair	Wesen	Sanft

American Curl

Das merkwürdige Aussehen verdankt die American Curl, die bei uns auch »Amerikanisches Kräuselohr« genannt wird, einer Mutation, die die Ohren betrifft. Die ursprünglich bei langhaarigen Katzen auftretende Mutation wurde inzwischen auch auf kurzhaarige Tiere übertragen; beide Formen sind heute beliebt. Die Rasse tauchte erstmals 1981 auf, als John und Grace Ruga aus Lakewood in Kalifornien zwei Kätzchen erwarben. Bei einem, das »Shulasmith« hieß, war der Ohrenknorpel nach hinten gedreht. Im ersten Wurf von »Shulasmith« hatten 2 von 4 Jungen Kräuselohren. Damit war die Vererbbarkeit dieses Merkmals erwiesen und die Grundlage für die Rassezucht gelegt.

Ursprungsland USA	Vorfahren Rasselose Kräuselohrkatzen	Entstehungszeit 1981

Schwarz

»Mercedes«, eines der ursprünglichen Kräuselohrkätzchen, und deren Nachkommen wurden in Kalifornien von Nancy Kiester entdeckt, die ein lang- und ein kurzhaariges Exemplar erwarb. Sie und das Ehepaar Ruga beschlossen dann, »Shulasmith« und deren beide Kätzchen im Oktober 1983 in Palm Springs auszustellen. Die Tiere erregten großes Aufsehen, woraufhin die Rugas und ein weiterer Züchter sich daranmachten, einen Rassestandard auszuarbeiten und die Zucht auf eine solide Basis zu stellen.

• **Merkmale** Alle Welpen eines American-Curl-Wurfs werden mit scheinbar normalen Ohren geboren; etwa die Hälfte entwickelt dann Kräuselohren. Die Veränderung wird nach 4–7 Tagen sichtbar.

• **Anmerkung** Alle Farben und Fellmuster sind bei dieser Rasse zugelassen.

Knorpel an der Ohrenbasis fühlt sich hart an

mäßig dicke Beine mit runden Pfoten •

• befederter Schwanz, am Ansatz recht breit und spitz zulaufend

»gekräuselte« Ohrenspitzen •

seidiges Fell mit geringer Unterwolle •

FELLTYP: halblang, seidig

• Hinterbeine etwas länger als Vorderbeine

Englischer Name Black American Curl Longhair	Wesen Sanft

Ursprungsland USA	Vorfahren Rasselose Kräuselohrkatzen	Entstehungs-zeit 1981

Schwarz und Weiß

Es dauert bis zu 6 Monaten, bis die adulte Ohrenform ausgebildet ist, doch der Vorgang kann danach noch andauern. Die American Curl reift relativ langsam heran, erst in 2–3 Jahren. Sie ist mittelgroß und wiegt 2–4,5 kg.
• **Merkmale** Die Ohren biegen sich um mindestens 90 Grad, meist noch stärker. Die Katze dreht ihre Ohren so, daß die Spitzen nach innen gerichtet sind.
• **Anmerkung** Bewertet werden Größe, Form und Stellung der Ohren, desgleichen deren Biegegrad und Behaarung.

• *Ohrbüschel erwünscht*

muskulöser Körper •

FELLTYP: halblang, seidig

• *anliegendes mittellanges Haarkleid*

• *kurze, gerade Beine*

Englischer Name Black and White American Curl Longhair	Wesen Sanft

Ursprungsland USA	Vorfahren Rasselose Kräuselohrkatzen	Entstehungs-zeit 1981

Braungetigert und Weiß

Die American Curl ist eine muskulöse, mittelgroße Katze mit sanft gerundetem Gesicht und gerader Nase. Das seidige, mittellange Fell liegt flach an.
• **Merkmale** Die Ohren sollten zur Mitte des Hinterkopfes hin gebogen sein. Die Innenohrbehaarung muß deutlich zu sehen sein. Die Augen sind recht groß und zur Nase hin schräggestellt; sie verstärken den freundlichen und wachsamen Gesichtsausdruck.
• **Anmerkung** Die Katzen geben intelligente und verspielte Hausgenossen ab und scheinen unter ihrer Ohrendeformation nicht zu leiden.

Ohrenspitzen können sich weich anfühlen •

• *Innenohr behaart*

typische Tigerung •

FELLTYP: halblang, seidig

• *buschiger Schwanz*

• *langer Schwanz, der eingezogen bis zur Schulter reicht*

• *geschlossene, runde Pfoten*

Englischer Name Brown Mackerel Tabby and White American Curl Longhair	Wesen Sanft

Rasselose Langhaarkatzen

Wie bei den Wildkatzen hat sich wahrscheinlich auch bei den Hauskatzen das Fell in Anpassung an die Umweltbedingungen entwickelt. Katzen aus dem kälteren Norden haben ein längeres und dichteres Haarkleid, während solche aus Südostasien oft kurzhaarig sind. Die ersten europäischen Langhaarkatzen kamen aus Frankreich.

Ursprungsland	Vorfahren	Entstehungszeit
Türkei	Katzenhybriden	16. Jh.

Blau

Weil rasselose Langhaarkatzen nicht nach bestimmten Standards gezüchtet werden, ist ihr Erscheinungsbild sehr variabel. Ihr Fell ist oft nicht so üppig wie das reingezüchteter Rassetiere, und die Farbenintensität ist individuell verschieden.

• **Merkmale** Häufig sind Spuren eines Tabbymusters und kleine weiße Flecken vorhanden, die bei rassereinen Blaupersern nicht zugelassen sind. Der Kopf ist weniger rundlich als beim Rasseperser.

• **Anmerkung** Vor Einführung der Katzenausstellungen im vorigen Jahrhundert interessierte man sich kaum für die Etablierung von reinfarbigen Zuchtstämmen. Die ersten blauen Perser aus jener Zeit ähnelten wahrscheinlich den heutigen rasselosen Tieren.

• *schmale Kopfform*

ziemlich lange Schwanzbehaarung •

• *ziemlich große Stehohren*

• *gerade Beine*

• *Halskrause um Schulter und Haare zwischen den Beinen im Vergleich zu Rassekatzen weniger stark entwickelt*

• *Haarbüschel zwischen den Zehen bei rasselosen Katzen unwahrscheinlich*

FELLTYP: **dicht, weich**

Englischer Name	Wesen
Blue Non-pedigree Longhair	Freundlich

Ursprungsland Türkei	Vorfahren Katzenhybriden	Entstehungs-zeit 16. Jh.

Schwarz

Schwarz war wohl eine der ersten Farbmutationen der Hauskatze, und schwarze Perserkatzen waren im viktorianischen England sehr begehrt. Heute findet man diese Katzen am häufigsten in der Stadt.

- **Merkmale** Rasselose Katzen können sehr unterschiedlich ausfallen, eine Folge der Zufallspaarungen. Der Farbe können graue oder bräunliche Töne beigemischt sein.
- **Anmerkung** Schwarze Katzen entstanden vermutlich vor etwa 2000 Jahren im östlichen Mittelmeerraum.

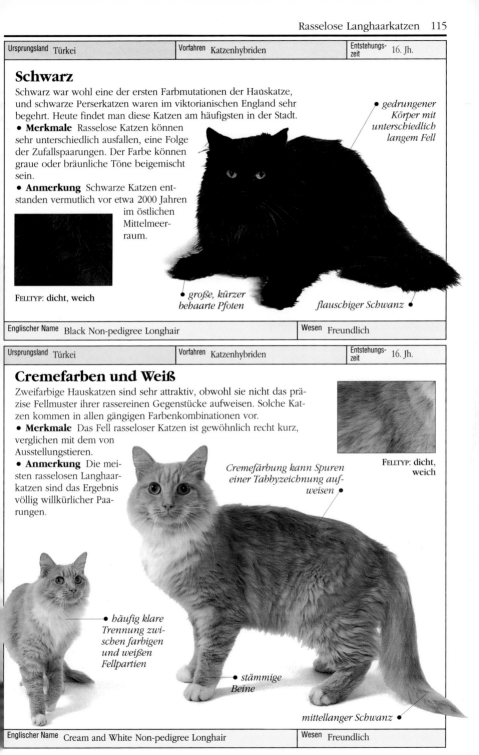

• *gedrungener Körper mit unterschiedlich langem Fell*

FELLTYP: dicht, weich

• *große, kürzer behaarte Pfoten*

flauschiger Schwanz •

Englischer Name Black Non-pedigree Longhair	Wesen Freundlich

Ursprungsland Türkei	Vorfahren Katzenhybriden	Entstehungs-zeit 16. Jh.

Cremefarben und Weiß

Zweifarbige Hauskatzen sind sehr attraktiv, obwohl sie nicht das präzise Fellmuster ihrer rassereinen Gegenstücke aufweisen. Solche Katzen kommen in allen gängigen Farbenkombinationen vor.

- **Merkmale** Das Fell rasseloser Katzen ist gewöhnlich recht kurz, verglichen mit dem von Ausstellungstieren.
- **Anmerkung** Die meisten rasselosen Langhaarkatzen sind das Ergebnis völlig willkürlicher Paarungen.

Cremefärbung kann Spuren einer Tabbyzeichnung aufweisen •

FELLTYP: dicht, weich

• *häufig klare Trennung zwischen farbigen und weißen Fellpartien*

• *stämmige Beine*

mittellanger Schwanz •

Englischer Name Cream and White Non-pedigree Longhair	Wesen Freundlich

Ursprungsland Türkei	Vorfahren Katzenhybriden	Entstehungs-zeit 16. Jh.

Rotgetupft

Solche Katzen werden oft als »ingwerfarben« bezeichnet. Die Farbe hat vermutlich ihren Ursprung in Asien.

• **Merkmale** Die Tüpfelung ist beliebig, und die Färbung und Haarlänge schwanken; deshalb sind manche Exemplare attraktiver als andere.

• **Anmerkung** Auf Ausstellungen gibt es oft eine Klasse für gewöhnliche Hauskatzen, die nach Schönheit, Gesundheitszustand und Wesenseigenschaften bewertet werden.

Tabbymuster •

• schmaler Kopf

ziemlich langer, Schwanz, weniger buschig als bei Rassetieren •

• rundliche Wangen mit relativ kurzem Haar

FELLTYP: dicht, weich

• Tabbymarkierungen an den Beinen

Englischer Name Red Spotted Non-pedigree Longhair	Wesen Freundlich

Ursprungsland Türkei	Vorfahren Katzenhybriden	Entstehungs-zeit 16. Jh.

Braungestromt

Die Tabbyzeichnung bei Katzen läßt sich bis in die Frühzeit ihrer Domestikation vor rund 5000 Jahren zurückverfolgen. Ein längeres Fell kann allerdings diese Zeichnung verdecken.

• **Merkmale** Bei Tabbys hebt sich die dunklere Zeichnung von der Grundfarbe ab, in diesem Fall ein helles Braun. Bei rasselosen Tieren ist das Tabbymuster weniger exakt. Bei dieser Katze ist beispielsweise das Schwanzende nicht schwarz, wie es bei rassereinen Braungestromten Persern vorgeschrieben ist.

• **Anmerkung** Katzen mit diesem Fellmuster sind seit Jahrhunderten verbreitet.

Agouti-Fell mit dichten schwarzen Markierungen •

• abgerundete Ohren

FELLTYP: dicht, weich

kleine Halskrause vorhanden •

• kräftiger Körper

Englischer Name Brown Tabby Non-pedigree Longhair	Wesen Freundlich

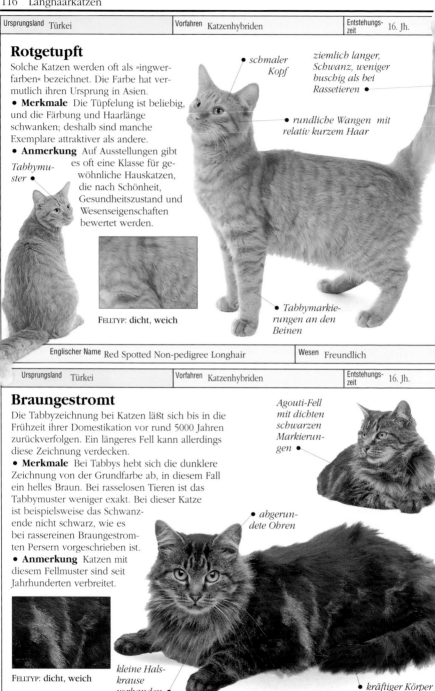

Ursprungsland Türkei	Vorfahren Katzenhybriden	Entstehungs- zeit 16. Jh.

Silber und Weiß

Die heutigen Rasseperser sind in den letzten 120 Jahren aus rasselosen Stämmen er- züchtet worden. Rasselose Tiere können jedoch genauso reiz- voll sein wie ihre rassereinen Pendants – sie verkörpern nur einen anderen Typ. Ob- wohl sie in den üblichen Kombinationen gezüchtet werden, tauchen seltenere Spielarten wie diese silber- weiße ebenfalls auf.

• **Merkmale** Katzen aus Paarungen von Kurz- und Langhaar haben oft ein kür- zeres Fell als solche, die von langhaarigen Eltern abstam- men.

• **Anmerkung** In Fachkrei- sen ist dieser Farbschlag bekannter unter der Be- zeichnung Chinchilla.

klare weiße Partien •

• dunkle Spitzenfär- bung und weiße Unterwolle erge- ben den Silber- effekt

FELLTYP: dicht, weich

flauschiger Schwanz •

Englischer Name Silver and White Non-pedigree Longhair	Wesen Freundlich

Ursprungsland Türkei	Vorfahren Katzenhybriden	Entstehungs- zeit 16. Jh.

Schildpatt und Weiß

Diese Katzen sind bekannt als hervorragende Mütter und Mäusefänger – Eigenschaften, die freilich durch Nachah- mung und nicht nur durch Vererbung weitergegeben wer- den. Als Schildpattkatzen sind sie vorwiegend weiblich.

• **Merkmale** Variable schwarze, rote und weiße Flecken kennzeichnen diese Katzen; das Fellmuster ist individuell verschieden. Keine zwei Katzen sind völlig identisch.

• **Anmerkung** Das Schildpatt-Weiß-Fellmuster ist typisch für Bauernkat- zen; aus ihm wird seit 1956 eine Reinzucht ent- wickelt, bei der Typ und Muster standardi- siert sind.

• runder Kopf

• klar abgegrenzte Farben

• gedrungener Körperbau

FELLTYP: dicht, weich

buschiger, gescheckter Schwanz •

Englischer Name Tortie and White Non-pedigree Longhair	Wesen Freundlich

KURZHAARKATZEN

Britisch Kurzhaar

Die ursprünglich aus gewöhnlichen Hauskatzen herausgezüchtete und dann »verfeinerte« Britisch Kurzhaar (British Shorthair) zeichnet sich heute aus durch ihren kompakten, gedrungenen Körperbau und ihr rundliches Gesicht. Ausgewachsene Kater sind erheblich größer als Kätzinnen. Nach einer Periode des Niedergangs um die Jahrhundertwende hat sich das Interesse an diesen Katzen in den dreißiger Jahren wiederbelebt. Die Britisch Kurzhaar stimmt weitgehend mit der Europäisch Kurzhaar überein (siehe S. 160).

Ursprungsland Großbritannien	Vorfahren Rasselose Kurzhaarkatzen	Entstehungszeit 1880er Jahre

Weiß mit orangefarbenen Augen

Von der Weißen Britisch Kurzhaar gibt es 3 Varianten, die sich durch die Augenfarbe unterscheiden. Die orangefarbenen Augen sind nicht mit angeborener Taubheit gekoppelt, im Gegensatz zu den blauäugigen Weißen. Wie bei anderen weißen Katzen besteht jedoch das Risiko eines Sonnenbrands.

• **Merkmale** Bei manchen weißen Zuchtstämmen tritt gehäuft die sogenannte Polydaktylie (Vielzehigkeit) auf, also die Entwicklung überzähliger Zehen. Dies gilt zwar als schwerer Fehler, stellt aber für die Tiere keine Behinderung dar; sie können trotzdem gesunde und reizende Hausgenossen abgeben.

• **Anmerkung** Weiße Katzen sind von jeher sehr beliebt, im Unterschied zu ihren schwarzen Gegenstücken, die früher als Inbegriff des Bösen angesehen wurden.

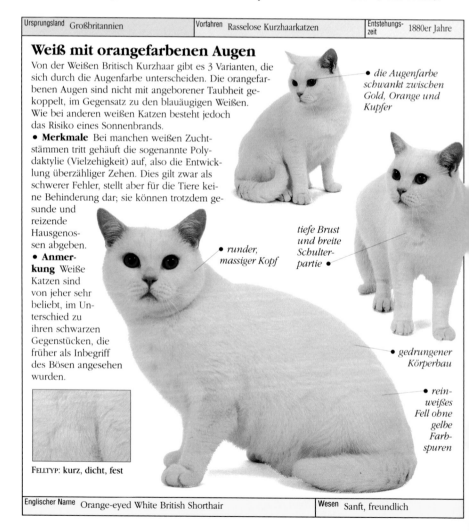

• *die Augenfarbe schwankt zwischen Gold, Orange und Kupfer*

• *runder, massiger Kopf*

tiefe Brust und breite Schulterpartie •

• *gedrungener Körperbau*

• *reinweißes Fell ohne gelbe Farbspuren*

FELLTYP: **kurz, dicht, fest**

Englischer Name Orange-eyed White British Shorthair	Wesen Sanft, freundlich

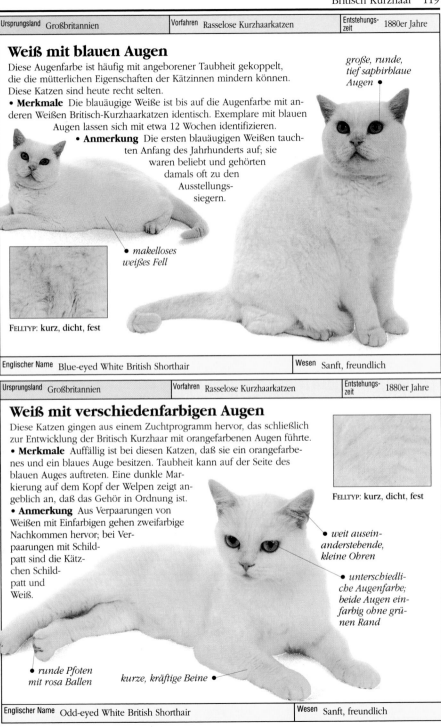

| Ursprungsland | Großbritannien | Vorfahren | Rasselose Kurzhaarkatzen | Entstehungs-zeit | 1880er Jahre |

Weiß mit blauen Augen

Diese Augenfarbe ist häufig mit angeborener Taubheit gekoppelt, die die mütterlichen Eigenschaften der Kätzinnen mindern können. Diese Katzen sind heute recht selten.

• **Merkmale** Die blauäugige Weiße ist bis auf die Augenfarbe mit anderen Weißen Britisch-Kurzhaarkatzen identisch. Exemplare mit blauen Augen lassen sich mit etwa 12 Wochen identifizieren.

• **Anmerkung** Die ersten blauäugigen Weißen tauchten Anfang des Jahrhunderts auf; sie waren beliebt und gehörten damals oft zu den Ausstellungssiegern.

große, runde, tief saphirblaue Augen •

• makelloses weißes Fell

FELLTYP: **kurz, dicht, fest**

| Englischer Name | Blue-eyed White British Shorthair | Wesen | Sanft, freundlich |

| Ursprungsland | Großbritannien | Vorfahren | Rasselose Kurzhaarkatzen | Entstehungs-zeit | 1880er Jahre |

Weiß mit verschiedenfarbigen Augen

Diese Katzen gingen aus einem Zuchtprogramm hervor, das schließlich zur Entwicklung der Britisch Kurzhaar mit orangefarbenen Augen führte.

• **Merkmale** Auffällig ist bei diesen Katzen, daß sie ein orangefarbenes und ein blaues Auge besitzen. Taubheit kann auf der Seite des blauen Auges auftreten. Eine dunkle Markierung auf dem Kopf der Welpen zeigt angeblich an, daß das Gehör in Ordnung ist.

• **Anmerkung** Aus Verpaarungen von Weißen mit Einfarbigen gehen zweifarbige Nachkommen hervor; bei Verpaarungen mit Schildpatt sind die Kätzchen Schildpatt und Weiß.

FELLTYP: **kurz, dicht, fest**

• weit auseinanderstehende, kleine Ohren

• unterschiedliche Augenfarbe; beide Augen einfarbig ohne grünen Rand

• runde Pfoten mit rosa Ballen

kurze, kräftige Beine •

| Englischer Name | Odd-eyed White British Shorthair | Wesen | Sanft, freundlich |

Ursprungsland Großbritannien	Vorfahren Rasselose Kurzhaarkatzen	Entstehungs-zeit 1880er Jahre

Creme

Dieser Farbschlag ist seit den 50er Jahren beliebt, stellt aber große Anforderungen an den Züchter. Anfangs war die Genetik der Farbe noch nicht völlig geklärt.

• **Merkmale** Viele Katzen zeigen dauerhafte Spuren einer Tabbyzeichnung oder eine rötlichere Färbung, die als wünschenswert gilt. Die Augenfarbe variiert zwischen einem kräftigen Goldton und Kupfer.

• **Anmerkung** Durch Selektion ist das Auftreten von Tabbymustern reduziert worden.

kurzer Hals •

• *blaß creme-farbenes Fell*

FELLTYP: **kurz, dicht, fest**

Englischer Name Cream British Shorthair	Wesen Sanft, freundlich

Ursprungsland Großbritannien	Vorfahren Rasselose Kurzhaarkatzen	Entstehungs-zeit 1880er Jahre

Lilac

Die Lilac, einer der jüngsten Farbschläge der Britisch Kurzhaar, entstand durch Einkreuzung von Lilac-Persern, wodurch man eine einfarbige Kurzhaarkatze erzielte.

• **Merkmale** Im Typ ähnelt die Lilac den anderen Rassegenossen, denn sie hat den typischen gedrungenen Körperbau. Nase und Ballen sollten rosa sein. Die Augenfarbe variiert von Gold über Orange zu Kupfer.

• **Anmerkung** Die Lilacfarbe ist derzeit noch ziemlich selten.

• *rundliches Gesicht*

das Tabbymuster verschwindet, wenn die Kätzchen heranwachsen •

• *eisgraues Fell mit rosigem Anflug*

• *mittellanger, dicker Schwanz*

FELLTYP: **kurz, dicht, fest**

Englischer Name Lilac British Shorthair	Wesen Sanft, freundlich

Ursprungsland Großbritannien	Vorfahren Rasselose Kurzhaarkatzen	Entstehungs-zeit 1880er Jahre

Blau

Dies ist wahrscheinlich die beliebteste einfarbige Kurzhaar.

- **Merkmale** Dieser Farbschlag hat das typische runde Gesicht und einen gedrungenen Körperbau. Die Kater bekommen, wenn sie heranwachsen, oft auffallend kräftige Kinnbacken, vor allem falls sie nicht frühzeitig kastriert worden sind.
- **Anmerkung** Die »British Blue« drohte im Zweiten Weltkrieg auszusterben, weil Kater Mangelware waren, und hat sich erst in den 50er Jahren wieder erholt.

- *Augenfarbe zwischen Gold und Kupfer*

abgerundete spitze Ohren •

- *blaue Ballen*
- *gleichmäßige Fellfärbung ohne Tabbyzeichnung*

FELLTYP: kurz, dicht, fest

Englischer Name Blue British Shorthair	Wesen Sanft, freundlich

Ursprungsland Großbritannien	Vorfahren Rasselose Kurzhaarkatzen	Entstehungs-zeit 1880er Jahre

Chocolate

Die Chocolate ist noch nicht sehr verbreitet, dürfte aber wegen ihrer reizvollen Farbe beliebter werden, sobald mehr Tiere verfügbar sind.
- **Merkmale** Der Typ sollte unverkennbar »britisch« sein; jede Tendenz zum Havana-Typ wird als schwer fehlerhaft betrachtet.
- **Anmerkung** Dieser Schlag entstand durch Einkreuzung von Chocolate-Persern, woraufhin sorgfältige Zuchtbemühungen den Erhalt des Felltyps der Britisch Kurzhaar sicherten. Diese Katzen sind noch nicht von allen Verbänden anerkannt.

FELLTYP: kurz, dicht, fest

- *satte dunkelbraune Färbung*

kurze, gerade Nase •

- *Tabbymarkierungen können bei Kätzchen vorhanden sein*

große Kinnbacken •

Schwanzspitze leicht abgerundet •

Englischer Name Chocolate British Shorthair	Wesen Sanft, freundlich

| Ursprungsland | Großbritannien | Vorfahren | Rasselose Kurzhaarkatzen | Entstehungs-zeit | 1880er Jahre |

Schwarz

Die Schwarze Britisch Kurzhaar war auf den frühen Ausstellungen oft vertreten, büßte jedoch im Ersten Weltkrieg an Beliebtheit ein und ist erst wieder seit den 50er Jahren häufig zu sehen.

• **Merkmale** Dies ist eine sehr schöne Katze mit gedrungenem Körper und kurzem, glänzendem Haarkleid. Ein potentieller Fehler ist die kleinste grüne Farbspur in den Augen, die ein Erbteil der anfangs eingekreuzten blauen Tiere sein soll. Die Augen sollten golden, orange oder kupferfarben sein.

• **Anmerkung** Die Katzen sollten keine Sonnenbäder nehmen, weil dadurch das Fell leicht ausbleichen kann und rostbraun wird.

breite Brust •

kurzer, gerader Rücken

tiefschwarzes Fell

kräftiger, muskulöser Körper

dicker Schwanz

FELLTYP: **kurz, dicht, fest**

| Englischer Name | Black British Shorthair | Wesen | Sanft, freundlich |

| Ursprungsland | Großbritannien | Vorfahren | Rasselose Kurzhaarkatzen | Entstehungs-zeit | 1880er Jahre |

Creme und Weiß

Zweifarbige Katzen waren auf Ausstellungen noch nie so beliebt wie einfarbige, was möglicherweise auf die Schwierigkeiten bei der Zucht von gutgezeichneten Tieren zurückzuführen ist.

• **Merkmale** Das Weiß sollte höchstens die Hälfte des Fells ausmachen, möglichst nur ein Drittel. Die Markierungen müssen symmetrisch sein, was sich freilich nicht mit Sicherheit voraussagen läßt, selbst wenn beide Eltern ein gutes Fellmuster haben.

• **Anmerkung** Dies ist der seltenste der vier traditionellen zweifarbigen Schläge; die anderen Varianten sind Schwarz, Blau und Rot, jeweils mit Weiß.

weiße Blesse •

cremefarbene Partien im Gesicht •

gedrungener Körperbau •

keine weißen Haare in den farbigen Partien

FELLTYP: **kurz, dicht, fest**

| Englischer Name | Cream and White British Shorthair | Wesen | Sanft, freundlich |

Ursprungsland Großbritannien	Vorfahren Rasselose Kurzhaarkatzen	Entstehungs-zeit 1880er Jahre

Blauschildpatt und Weiß

Alle Schildpattkatzen sind als Heimtiere sehr begehrt, weil sie von Natur aus sanft und verschmust sind. Dieser seltenere Farbschlag macht da keine Ausnahme.

• **Merkmale** Dies ist die »verdünnte« Version der Schildpatt- und -Weiß-Kurzhaar; bei ihr ist das Schwarz durch Blau und das Rot durch Creme ersetzt. Die weißen Partien sollten die Hälfte bis ein Drittel des Fells ausmachen. Eine Blesse ist erwünscht.

   • **Anmerkung** Der Begriff »Schildpatt« (englisch »tortoiseshell« oder »tortie«) bezieht sich auf die ähnliche Färbung des Schildkröten-panzers.

mittellanger, spitz auslaufender Schwanz

helles bis mittleres Blau

rundliche Pfoten

klares Fellmuster

FELLTYP: **kurz, dicht, fest**

Englischer Name Blue Tortie and White British Shorthair	Wesen Sanft, freundlich

Ursprungsland Großbritannien	Vorfahren Rasselose Kurzhaarkatzen	Entstehungs-zeit 1880er Jahre

Schildpatt und Weiß

Diese alte Varietät wurde in England ursprünglich »Chintz and White« genannt; in den USA heißt sie »Calico«.

• **Merkmale** Im Unterschied zur echten Schildpatt ist dies eine gefleckte Variante, bei der alle drei Farben in verschiedenen Fellpartien klar erkennbar sind. Kätzchen sind stets trüber gefärbt als adulte Tiere; die vollen Farben bilden sich erst mit etwa neun Monaten aus.

• **Anmerkung** Obwohl Kater in dieser Varietät selten sind, gewann einer namens »Ballochmyle Bachelor« 1912 auf einer Ausstellung in London. Er zeugte allerdings keine Nachkommen, da Schildpattkater unfruchtbar sind.

weiße Blesse

kräftig orange-farbene Augen

blaß-rotes Fell

dichtes Schwarz

weiße Haare bedecken ein Drittel bis eine Hälfte des Körpers

FELLTYP: **kurz, dicht, fest**

Englischer Name Tortie and White British Shorthair	Wesen Sanft, freundlich

Ursprungsland Großbritannien	Vorfahren Rasselose Kurzhaarkatzen	Entstehungs-zeit 1880er Jahre

Blaugetupft

Katzen mit Tupfenmuster gab es bereits im alten
Ägypten. »Getupft« (englisch »spotted«) ist eine
Form der Tabbyzeichnung.
• **Merkmale** Die Tupfen müssen nicht
die gleiche Form und Größe haben,
aber deutlich ausgeprägt sein.

• **Anmerkung** Nachdem diese
Katzen, zärtlich
»Spotties« genannt,
in der ersten
Hälfte unseres
Jahrhunderts
fast ver-
schwunden
waren, wur-
den sie in
den 60er
Jahren wieder
populär.

FELLTYP: kurz, dicht, fest

• *blaue Nase*

*schwach aus-
gebildeter
Rückenstreifen
erlaubt* •

• *zahlreiche
Tupfen auf
dem Körper*

Englischer Name Blue Spotted British Shorthair	Wesen Sanft, freundlich

Ursprungsland Großbritannien	Vorfahren Rasselose Kurzhaarkatzen	Entstehungs-zeit 1880er Jahre

Silbergetupft

Diese beliebte Varietät zeigt einen reizvollen Kontrast zwischen
silberner Grundfarbe und schwarzen Markierungen.
• **Merkmale** Die Tupfen müssen deutlich ausgeprägt sein und dürfen
nicht ineinander verlaufen; dieser Fehler wird »Brindling« genannt.

• **An-
mer-
kung**
Diese
Züchtung
wurde promi-
nent, als sie 1965
auf einer Schau im
englischen Cheltenham
zum »Top Shorthair« gekürt
wurde.

M-förmige Sitrnzeichnung •

• *schwarzes Schwanzende,
passend zur Körper-
markierung*

• *silberne
Grundfarbe*

FELLTYP: kurz, dicht, fest

• *runde
Pfoten*

Englischer Name Silver Spotted British Shorthair	Wesen Sanft, freundlich

Ursprungsland Großbritannien	Vorfahren Rasselose Kurzhaarkatzen	Entstehungs-zeit 1880er Jahre

Braungestromt

Alle frühen Braungestromten, die in der Viktorianischen Zeit ausgestellt wurden, stammten offenbar von Katzen ohne Stammbaum ab, und über ihre Herkunft ist wenig bekannt. Heute kommen sie seltener vor als andere Tabbyschläge.

die Spitzen des »M« ziehen sich bis zwischen die Ohren hinauf •

• **Merkmale** Die Grundfarbe sollte ein sattes Kupferbraun sein, das oft schwer zu erzüchten ist. Die Stromung muß schwarz sein.

• **Anmerkung** Der Tabby Cat Club, der sich dieser Züchtung annimmt, entstand 1968.

FELLTYP: kurz, dicht, fest

• *Grundfarbe überall satt und gleichmäßig*

Englischer Name Brown Classic Tabby British Shorthair	Wesen Sanft, freundlich

Ursprungsland Großbritannien	Vorfahren Rasselose Kurzhaarkatzen	Entstehungs-zeit 1880er Jahre

Rotgetupft

Obgleich die Tupfen einer getupften Britisch Kurzhaar nicht mit den unterbrochenen Streifen eines getigerten Tabbys verwechselt werden können, hat dieser Farbschlag die M-förmige Kopfzeichnung beibehalten.

• *M-Zeichen auf dem Kopf*

• **Merkmale** Wichtig ist ein guter Kontrast zwischen den beiden Rottönen im Fell.

• **Anmerkung** In der ägyptischen Mythologie wird der Gott Ra in Gestalt einer getupften Katze dargestellt, welche Apep, die Schlange der Finsternis, tötet.

• *kräftig orangefarbene Augen*

• *die Tupfen folgen der typischen Verteilung des Tabbymusters*

schmale Schwanzringe •

• *dunkelrote Flecken deutlich ausgeprägt*

FELLTYP: kurz, dicht, fest

Englischer Name Red Spotted British Shorthair	Wesen Sanft, freundlich

Ursprungsland Großbritannien	Vorfahren Rasselose Kurzhaarkatzen	Entstehungs- zeit 1880er Jahre

Cremegetupft

Getupfte Katzen gibt es in allen anerkannten Farben, doch die Cremegetupf-
te zählt zu den ausgefalleneren Formen.
• **Merkmale** Eine klare Abgrenzung der
Tupfen ist wesentlich, insbesonders bei
diesem Schlag, bei
dem der Kontrast
nicht sehr stark ist.
Die Tupfen sollten
sich über Körper
und Beine verteilen; ihre
Form kann variieren.
• **Anmerkung** Tüpfelung
kommt bei Wildkatzen häufig vor,
desgleichen auch bei gewöhnlichen
Hauskatzen, vor allem im östlichen
Mittelmeerraum.

breiter Schädel •

kräftiger, kurzer Hals •

FELLTYP: kurz, dicht, fest

• *ovale oder runde Tup- fen oder Rosetten*

• *relativ kurze Beine mit kompakten, runden Pfoten*

Englischer Name Cream Spotted British Shorthair	Wesen Sanft, freundlich

Ursprungsland Großbritannien	Vorfahren Rasselose Kurzhaarkatzen	Entstehungs- zeit 1880er Jahre

Rotgetigert

Rotgetigerte und rotgestromte Tiere unterscheiden sich nur durch die Form der Tabbyzeichnung auf den Körper.
• **Merkmale** Beim getigerten Tabby verläuft ein dunkler Streifen über die Rückenmitte, mit einem unterbrochenen Streifen zu beiden Seiten. Streifen, die
wie ein Fischskelett aussehen,
ziehen sich an den Körperseiten hinab; daher der engli-
sche Begriff »Mackerel«
(Makrele). Die Farbe ist
eher rot als orange.
• **Anmerkung** »Tab-
by« ist abgeleitet von
al Attabiya, einem
Distrikt in Bagdad,
wo eine schwarz-
weiß moirierte (ge-
flammte) Seide er-
zeugt wurde.

• *große, rundliche Augen, weit auseinandergestellt und gerade*

• *ziegelrote Nase*

• *tiefrote Markierungen, abgesetzt von der helleren Grundfarbe, verlaufen als schmale Streifen über die Körperseiten*

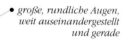

Schwanzringe sollten zahlreich und schmal sein •

• *dunkle Schwanzspitze*

FELLTYP: kurz, dicht, fest

Englischer Name Red Mackerel Tabby British Shorthair	Wesen Sanft, freundlich

Ursprungsland Großbritannien	Vorfahren Rasselose Kurzhaarkatzen	Entstehungszeit 1880er Jahre

Blaucreme

Dieser Schlag erlebte seinen Aufstieg nach dem Zweiten Weltkrieg, ist aber noch immer ziemlich selten. Die ersten Blaucremetiere tauchten in Schildpattwürfen auf oder gingen aus Blau- und Schildpattpaarungen hervor.

• **Merkmale** Die beiden Farben sollten keine auffälligen Flecken bilden; das Zuchtziel ist eine gleichmäßige Mischung von Blau und Creme.

• **Anmerkung** Bei der Blaucreme ist regelmäßige Fellpflege während des Haarwechsels erforderlich.

kleine Ohren mit abgerundeter Spitze

orangefarbene Augen

blauer Nasenspiegel

rundes Gesicht

Farben gleichmäßig über den ganzen Körper verteilt

FELLTYP: kurz, dicht, fest

Pfotenfarben gleichmäßig gemischt

Englischer Name Blue-cream British Shorthair	Wesen Sanft, freundlich

Ursprungsland Großbritannien	Vorfahren Rasselose Kurzhaarkatzen	Entstehungszeit 1880er Jahre

Schildpatt

Schildpattkatzen sind stets weiblich; Kater kommen nur infolge einer genetischen Abnormalität vor und sind meist steril.

• **Merkmale** Die Schildpattfärbung entsteht durch eine Kombination von schwarzen, hell- und dunkelroten Haaren. Die dunkleren Welpen eines Wurfs erweisen sich oft als die besten adulten Tiere.

• **Anmerkung** Die Schildpattfärbung hat sich vermutlich schon früh im Domestikationsprozeß entwickelt, vielleicht in Nordafrika und in der Türkei, wo solche Katzen noch immer zahlreich sind.

schwarze Ballen

kurze, kräftige Beine

gedrungener Körper

Fellfarben gleichmäßig gemischt

FELLTYP: kurz, dicht, fest

dicker Schwanz mit abgerundeter Spitze

Englischer Name Tortoiseshell British Shorthair	Wesen Sanft, freundlich

Ursprungsland Großbritannien	Vorfahren Rasselose Kurzhaarkatzen	Entstehungs-zeit 1880er Jahre

Blau und Weiß

Zweifarbigkeit ist bei gewöhnlichen Hauskatzen häufig, doch die Zucht von Ausstellungstieren mit dem richtigen Fellmuster ist schwierig.

• **Merkmale** Zuchtziel ist eine Katze, bei der das Weiß nur ein Drittel ausmacht; das übrige Fell ist gleichmäßig blau gefärbt. Idealerweise sollte die Farbe den Oberkopf und die Ohren, den Rücken und die Seiten bedecken, während die Unterseite weiß bleibt. In der Praxis ist das jedoch nur schwer zu erreichen.

• **Anmerkung** Ursprünglich waren nur Kombinationen von Weiß mit Rot, Schwarz, Blau und Creme zugelassen, doch heute sind alle einheitlichen Farben zusammen mit Weiß allgemein erlaubt.

• *eine etwaige Tabbyzeichnung sollte bald verschwinden*

FELLTYP: kurz, dicht, fest

• *dicker Schwanzansatz*

• *keine weißen Haare im Blau*

Englischer Name Blue and White British Shorthair	Wesen Sanft, freundlich

Ursprungsland Großbritannien	Vorfahren Rasselose Kurzhaarkatzen	Entstehungs-zeit 1880er Jahre

Schwarz und Weiß

In der Viktorianischen Ära waren schwarz-weiße Kurzhaarkatzen am begehrtesten, allerdings schwer erhältlich. Sie erweisen sich als wertvoll bei der Zucht von Schildpatt- und weißen Tieren.

• **Merkmale** Diese Katzen verkörpern nicht nur den typischen gedrungenen Wuchs der Britisch Kurzhaar, sondern müssen auch einen deutlichen Kontrast zwischen schwarzen und weißen Fellpartien zeigen.

• **Anmerkung** Bei den frühen Ausstellungskatzen waren die Schwarz- und Weißanteile gleich: Weiß waren Brust, Pfoten und die Blesse.

• *weiße Blesse zwischen den Augen*

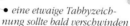

FELLTYP: kurz, dicht, fest

• *Tiefschwarz*

Englischer Name Black and White British Shorthair	Wesen Sanft, freundlich

Ursprungsland Großbritannien	Vorfahren Rasselose Kurzhaarkatzen	Entstehungs-zeit 1880er Jahre

Rotgestromt

Wie andere Britisch Kurzhaar sind auch diese Katzen anhänglich, widerstandsfähig und in der Regel sehr gesund.

• **Merkmale** Bei diesem »klassischen« Tabby muß die Zeichnung klar abgegrenzt und vollkommen symmetrisch sein. Jede Spur von Weiß ist ein schwerer Fehler. Der gestromte Tabby unterscheidet sich von seinem getigerten Pendant durch das sogenannte Rädermuster, wohingegen bei der Tigerung vertikale Streifen über die Seiten verlaufen.

• **Anmerkung** Erst seit Einführung der Katzenausstellungen hat man versucht, Tabbys mit spezieller Zeichnung zu züchten.

Linien gehen von jedem Augenwinkel aus •

Schmetterlingsmarkierungen auf der Schulter •

FELLTYP: **kurz, dicht, fest**

typische austernförmige Zeichnung, umgeben von Ringen •

• *Beine dunkler geringt*

Englischer Name Red Classic Tabby British Shorthair	Wesen Sanft, freundlich

Ursprungsland Großbritannien	Vorfahren Rasselose Kurzhaarkatzen	Entstehungs-zeit 1880er Jahre

Blaugestromt

Diese Tabbys werden immer beliebter, weil ihre Zeichnung einen reizvollen Kontrast mit der blasseren Grundfarbe bildet.

• **Merkmale** Beim gestromten Fellmuster ist auf der Stirn ein »M« zu sehen. Dunklere Streifen verlaufen zur Schulter und bilden Schmetterlingsmuster. Ein durchgehender Streifen zieht sich über den Rücken bis zum Schwanz, mit austernförmigen Flecken auf beiden Flanken. Kleine dunklere Ringe bändern den Schwanz, dessen Spitze schwarz ist.

• **Anmerkung** Die Zucht von Tabbys mit idealem Fellmuster ist eine schwierige Sache.

• *kurze, gerade Nase*

• *dunkelblaue Markierungen heben sich klar von der bläulich-beigen Grundfarbe ab*

FELLTYP: **kurz, dicht, fest**

rosige Ballen •

Englischer Name Blue Classic Tabby British Shorthair	Wesen Sanft, freundlich

Ursprungsland Großbritannien	Vorfahren Rasselose Kurzhaarkatzen	Entstehungs-zeit 1880er Jahre

Schwarz-Smoke

Das silberne Unterhaar und das kontrastierende Deckhaar ergeben einen ungewöhnlichen Glanzeffekt.

• **Merkmale** Wenn die Schwarz-Smoke still dasitzt, unterscheidet sie sich kaum von der einfarbig schwarzen Kurzhaar, doch wenn sie sich bewegt, kommt die silberne Unterwolle zum Vorschein. Einzelne weiße Haare im Fell gelten als fehlerhaft.

• **Anmerkung** Smoke-Katzen entstehen aus Paarungen von Silbergestromtem und einfarbigem Britisch Kurzhaar.

• rundliches Gesicht

FELLTYP: kurz, dicht, fest

• Augenfarbe variiert von Gold bis Orange oder Kupfer

• das schwarze Deckhaar verhüllt das silberne Unterhaar   *schwarze Ballen •*   *• relativ kurze Beine*

Englischer Name Black Smoke British Shorthair	Wesen Sanft, freundlich

Ursprungsland Großbritannien	Vorfahren Rasselose Kurzhaarkatzen	Entstehungs-zeit 1880er Jahre

Schildpatt-Smoke

Das unverwechselbare Ausehen der Smoke-Katzen entsteht durch ein Gen, das die Färbung der Unterhaare verhindert. Ein anderes Gen verstärkt die Farbe auf der ganzen Länge der Deckhaare, wodurch der feine Welleneffekt zustande kommt.

• **Merkmale** Das Schildpattmuster sollte gleichmäßig über das ganze Fell verteilt sein. Das silberne Unterhaar trägt zum weichen, verschwommenen Aussehen des Fells bei.

• **Anmerkung** Jede Britisch Kurzhaar kann in einer Smoke-Version gezüchtet werden; dunklere Formen sind am beliebtesten.

• weit auseinanderstehende Augen

• kurzer, kräftiger Hals

• gedrungener Körper

• gute Farbenmischung

FELLTYP: kurz, dicht, fest

• runde Pfoten

Englischer Name Tortie Smoke British Shorthair	Wesen Sanft, freundlich

Ursprungsland Großbritannien	Vorfahren Rasselose Kurzhaarkatzen	Entstehungs-zeit 1880er Jahre

Black-Tipped

Die ursprünglich Chinchilla-Kurzhaar genannte Katze ist unter ihrem heutigen Namen erst seit 1978 anerkannt.

• **Merkmale** Nur die Spitzen der Deckhaare sollten dunkel gefärbt (»tipped«) sein; diese Färbung zeigt sich auf der Oberseite des Körpers und erstreckt sich hinunter zu den Flanken, den Beinen und dem Schwanz. Die Unterseite, vom Kinn bis zum Schwanz, ist reinweiß und frei von jeder Spitzenfärbung.

• **Anmerkung** Das Erbe des Chinchilla-Persers kann im Fell der Jungtiere noch zu erkennen sein.

FELLTYP: kurz, dicht, fest

grüne Augen wesentlich •

die Spitzenfärbung (Tipping) erzeugt einen Glitzereffekt •

• roter Nasenspiegel

Beine nicht gebändert •

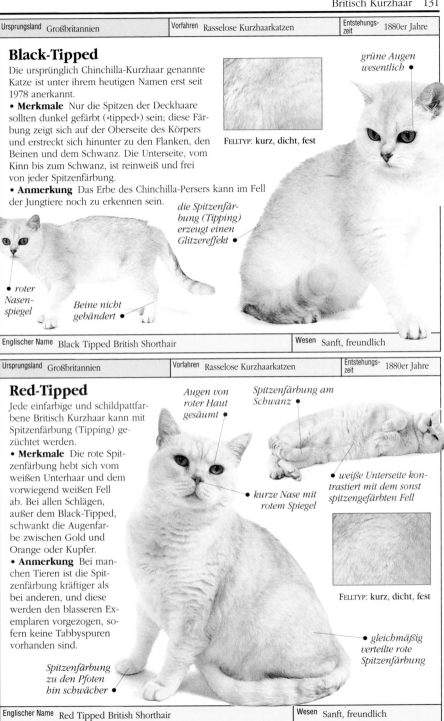

Englischer Name Black Tipped British Shorthair	Wesen Sanft, freundlich

Ursprungsland Großbritannien	Vorfahren Rasselose Kurzhaarkatzen	Entstehungs-zeit 1880er Jahre

Red-Tipped

Jede einfarbige und schildpattfarbene Britisch Kurzhaar kann mit Spitzenfärbung (Tipping) gezüchtet werden.

• **Merkmale** Die rote Spitzenfärbung hebt sich vom weißen Unterhaar und dem vorwiegend weißen Fell ab. Bei allen Schlägen, außer dem Black-Tipped, schwankt die Augenfarbe zwischen Gold und Orange oder Kupfer.

• **Anmerkung** Bei manchen Tieren ist die Spitzenfärbung kräftiger als bei anderen, und diese werden den blasseren Exemplaren vorgezogen, sofern keine Tabbyspuren vorhanden sind.

Augen von roter Haut gesäumt •

Spitzenfärbung am Schwanz •

• kurze Nase mit rotem Spiegel

• weiße Unterseite kontrastiert mit dem sonst spitzengefärbten Fell

FELLTYP: kurz, dicht, fest

• gleichmäßig verteilte rote Spitzenfärbung

Spitzenfärbung zu den Pfoten hin schwächer •

Englischer Name Red Tipped British Shorthair	Wesen Sanft, freundlich

Colourpoint-Britisch-Kurzhaar

Diese Katzen, die in Großbritannien erst 1991 als Rasse anerkannt wurden, sollen im Typ der Britisch Kurzhaar entsprechen und zugleich die Abzeichen (Points) des Siamtyps tragen. Unglücklicherweise wurde der Rassename analog zur Colourpoint-Kurzhaar in den USA gewählt, die jedoch mit der Colourpoint-Britisch-Kurzhaar nichts zu tun hat, da sie ausschließlich Katzen des reinen Siamtyps umfaßt.

Ursprungsland Großbritannien	Vorfahren Britisch Kurzhaar × Siam	Entstehungszeit 1980er Jahre

Cream-Point

Die Übertragung der Siamzeichnung auf die Britisch Kurzhaar hat Katzen hervorgebracht, die ein phlegmatischeres Wesen besitzen als die echten Siamesen. Der Typ wird immer noch verfeinert, aber ausgezeichnete Tiere werden bereits in einem breiten Farbenspektrum gezüchtet.

• **Merkmale** Das Gesicht soll rundlich sein und eine breite, kurze Nase und einen deutlichen Stop haben. Der Körper ist gedrungen, mit kurzem Rücken und ebensolchen Beinen. Die Pfoten müssen fest und rund sein, der Schwanz ist relativ dick und an der Spitze abgerundet. Das Fell soll weich oder flauschig, aber griffig sein, wie das der Britisch Kurzhaar. Die Grundfarbe ist hier ein cremiges Weiß, während die Abzeichen einen kontrastierenden dunkleren Cremeton aufweisen. Streifenspuren sind erlaubt.

• **Anmerkung** Die Katzen beginnen sich in Großbritannien durchzusetzen, haben aber anderswo noch keine Anerkennung gefunden.

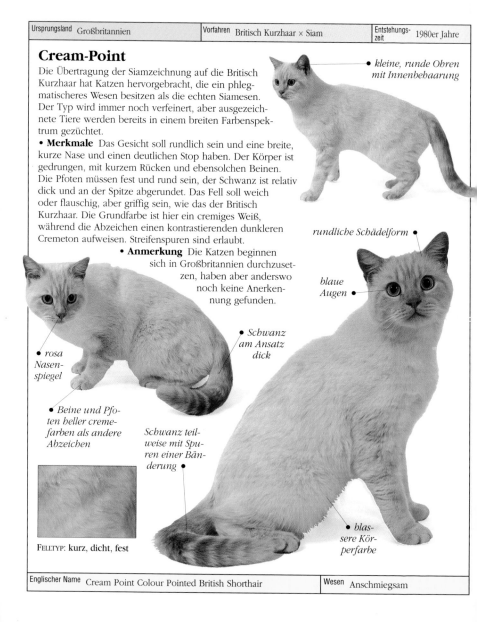

kleine, runde Ohren mit Innenbehaarung

rundliche Schädelform •

blaue Augen •

• rosa Nasenspiegel

• Schwanz am Ansatz dick

• Beine und Pfoten heller cremefarben als andere Abzeichen

Schwanz teilweise mit Spuren einer Bänderung •

FELLTYP: kurz, dicht, fest

• blassere Körperfarbe

Englischer Name Cream Point Colour Pointed British Shorthair	Wesen Anschmiegsam

Ursprungsland Großbritannien	Vorfahren Britisch Kurzhaar × Siam	Entstehungs-zeit 1980er Jahre

Blue-Point

Die Beliebtheit dieser Katzen wird vermutlich rasch wachsen, wenn die Züchter das Potential der Rasse weiter ausschöpfen.
• **Merkmale** Die Körperfärbung der Blue-Point sollte eisfarbig weiß sein und sich von der mittelblauen Abzeichenfarbe abheben.
• **Anmerkung** Die Fellqualität ist ein wichtiges Kriterium; das Haarkleid muß kurz sein, und jede Tendenz zu einem weichen oder wolligen Fell ist fehlerhaft.

• *dicker Hals*

FELLTYP: **kurz, dicht, fest**

guter Kontrast zwischen Abzeichen- und Körperfarbe •

mittleres Blau •

• *feste, runde Pfoten*

Englischer Name Blue Point Colour Pointed British Shorthair	Wesen Anschmiegsam

Ursprungsland Großbritannien	Vorfahren Britisch Kurzhaar × Siam	Entstehungs-zeit 1980er Jahre

Seal-Point

Die blauen Augen, die für die Colourpoint-Britisch-Kurzhaar charakteristisch sind, müssen rund und weit auseinandergestellt sein, dürfen also nicht auf die Siamvorfahren dieser Katzen hindeuten. Bei der Seal-Point ist eine kräftigere Dunkelschattierung der Flanken recht verbreitet, vor allem bei heranwachsenden Jungtieren.
• **Merkmale** Die Körperfarbe sollte insgesamt den Eindruck eines hellen, warmen Beige machen. Die Abzeichen heben sich ab und haben einen deutlich dunkleren sealbraunen Ton.
• **Anmerkung** Die Kopfform kann sich bei ausgewachsenen Katern etwas verändern, und zwar durch die auffälligen Kinnbacken.

klar abgegrenzte Maske •

• *gleichmäßig intensive Abzeichenfarbe*

• *helles Beige*

FELLTYP: **kurz, dicht, fest**

• *tiefe, breite Brust*

Englischer Name Seal Point Colour Pointed British Shorthair	Wesen Anschmiegsam

Ursprungsland Großbritannien	Vorfahren Britisch Kurzhaar × Siam	Entstehungs-zeit 1980er Jahre

Red-Point

Diese Katzen sind pflegeleicht; außerhalb des Haarwechsels genügt ein wöchentliches Durchkämmen, um das Fell in Form zu halten. Abgestorbene Haare werden auch durch häufiges Streicheln entfernt.

• **Merkmale** Die roten Abzeichen heben sich vom apricotweißen Körper ab, doch hier ist der Kontrast zwischen Körper- und Abzeichenfarbe weniger stark als bei dunkleren Schlägen.

• **Anmerkung** Die Innenohren sollten nicht übermäßig behaart sein.

rosa Nasenspiegel •

• *blaue Augen*

abgerundete Schwanzspitze •

Tabbymarkierungen können vorhanden sein, vor allem an Beinen und Pfoten •

FELLTYP: kurz, dicht, fest

Englischer Name Red Point Colour Pointed British Shorthair	Wesen Anschmiegsam

Ursprungsland Großbritannien	Vorfahren Britisch Kurzhaar × Siam	Entstehungs-zeit 1980er Jahre

Chocolate-Point

Die großen Augen der Britisch Kurzhaar sind an sich schon ausdrucksvoll, doch die Kontrastfarbe der Maske hebt dieses Merkmal noch mehr hervor. Die Augen sollten ziemlich weit auseinanderstehen, mindestens eine Augenbreite weit.

• **Merkmale** Dieser dunklere Schlag hat einen elfenbeinweißen Körper und kontrastierende milchschokoladenfarbene Abzeichen. Diese sollten einfarbig und klar vom Körper abgesetzt sein.

• **Anmerkung** Ein Scherengebiß ist, wie bei der Britisch Kurzhaar, ein wesentliches Merkmal.

FELLTYP: kurz, dicht, fest

• *Maske deutlich von der Körperfarbe abgesetzt*

kleine Ohren mit abgerundeten Spitzen •

dicker Schwanzansatz •

• *intensiv einfarbiger Schwanz*

Englischer Name Chocolate Point Colour Pointed British Shorthair	Wesen Anschmiegsam

Ursprungsland Großbritannien	Vorfahren Britisch Kurzhaar × Siam	Entstehungszeit 1980er Jahre

Blue-Cream-Point

Die Blue-Cream-Point, deren Haarfarbe eine Verdünnung des Schildpatt ist, ist wie andere Schildpattkatzen durchweg weiblich.
• **Merkmale** Auf dem Rücken und den Seiten des ansonsten weißlichen Körpers können Spuren einer Blaßblau- oder Cremefärbung vorhanden sein. Die Ballen sind blau, rosa oder eine Mischung aus beiden Farben.
• **Anmerkung** Die blauen Abzeichen sind von cremefarbenen Markierungen durchsetzt.

die Blau- und Cremefärbung ist auf dem Rücken am auffälligsten •

• rundes Gesicht mit vollen Wangen

• blaue und cremefarbene Partien

FELLTYP: kurz, dicht, fest

•blaue Abzeichen mit cremefarbenen Markierungen

runde, feste Pfoten •

Englischer Name Blue-cream Point Colour Pointed British Shorthair	Wesen Anschmiegsam

Ursprungsland Großbritannien	Vorfahren Britisch Kurzhaar × Siam	Entstehungszeit 1980er Jahre

Seal-Schildpatt-Point

Eine weitere Schildpattvariante, wiederum mit den charakteristischen blauen Augen. Diese freundlichen Katzen sind gute Mütter.
• **Merkmale** Die beige Grundfarbe geht an den Seiten und auf dem Rücken in warme braune und rote Töne über. Alle Abzeichen sollten sealbraun sein, durchsetzt mit Flecken aus abweichenden Rottönen.
• **Anmerkung** Die sehr individuellen Markierungen erstrecken sich auch über Nase und Ballen.

kurzer, gerader Rücken trägt zum gedrungenen Erscheinungsbild bei •

• kurze, breite Nase

• gesprenkelte Sealfarbe

• Abzeichen mit verschiedenen Rottönen durchsetzt

FELLTYP: kurz, dicht, fest

Englischer Name Seal Tortie Point Colour Pointed British Shorthair	Wesen Anschmiegsam

Exotisch Kurzhaar

Diese Rasse geht auf die Versuche von Amerikanisch-Kurzhaar-Züchtern zurück, ihren Katzen die Felltextur der langhaarigen Perser mitzugeben. Einigen Liebhabern gefielen die dabei entstandenen Hybriden, und sie verwendeten sie als Basis einer neuen Rasse. Die Exotisch Kurzhaar (Exotic Shorthair) wurde erstmals 1967 anerkannt, 1983 auch von der FIFE. Anfangs benutzte man zwar Burmakatzen, aber heute sind in den USA nur noch Einkreuzungen von Persern und Amerikanisch Kurzhaar zugelassen.

Ursprungsland USA	Vorfahren Amerikanisch Kurzhaar × Perser	Entstehungs-zeit 1960er Jahre

Blau

Die Exotisch Kurzhaar wird immer beliebter, weil sie munter und freundlich ist; außerdem ist sie leicht zu pflegen. Nachdem sich der Typ inwischen fest etabliert hat, sind Einkreuzungen reglementiert, doch außerhalb Nordamerikas und Japans können auch Britisch oder Europäisch Kurzhaar verwendet werden.

• **Merkmale** Die Farbe variiert zwischen Hell- und Mittelblau, welches jedoch stets gleichmäßig intensiv sein sollte, ohne dunklere Flecken oder Weißspuren. Das dichte Fell steht etwas vom Körper ab.

• **Anmerkung** 1966 wurde erstmals vorgeschlagen, die Exotisch Kurzhaar von der Amerikanisch Kurzhaar zu trennen.

• *große, runde Pfoten*

kupfer- oder tief orangefarbene Augen •

kleine Ohren mit abgerundeten Spitzen •

FELLTYP: mittellang, plüschig, weich

• *massiger, runder Kopf auf dickem Hals*

• *gedrungener Körper*

gerade, kurze und dicke Vorderbeine •

kurzer, dicker Schwanz mit stumpfem Ende •

kräftiges Hinterteil •

Englischer Name Blue Exotic Shorthair	Wesen Verspielt, anhänglich

Ursprungsland USA	Vorfahren Amerikanisch Kurzhaar × Perser	Entstehungszeit 1960er J.

Schwarz

Diese Katzen gleichen, bis auf die Haarlänge, den Persern. Die weit auseinandergestellten Augen sind klein, spitzrund und leicht nach vorn gerichtet.

• **Merkmale** Das schwarze Fell sollte kräftig und schimmernd getönt sein; bei adulten Tieren darf kein rostroter Anflug zu sehen sein. Spuren von Bänderung oder Weiß sind nicht erlaubt.

FELLTYP: mittellang, plüschig, weich

• **Anmerkung** Kätzchen sind manchmal leicht grau oder rostfarben.

• *breite, kurze Stupsnase mit deutlicher Einbuchtung im Profil*

dicker Schwanz •

• *Körper mit tiefer Brust, auf niedrigen, stämmigen Beinen stehend*

geschlossene, runde Pfoten •

kräftige Beine •

Englischer Name Black Exotic Shorthair	Wesen Verspielt, anhänglich

Ursprungsland USA	Vorfahren Amerikanisch Kurzhaar × Perser	Entstehungszeit 1960er Jahre

Colourpoint Blue-Point

Diese reizenden Colourpoints, wegen ihrer großen runden Augen und ihres kuscheligen Aussehens auch »Pandabären« genannt, warten noch auf ihre allgemeine Anerkennung. Sie sollten eine gute Unterwolle und mittellange Leithaare haben.

• **Merkmale** Der Farbschlag ist gekennzeichnet durch die Abzeichenfärbung, die sich von der gelblichweißen Körperfarbe und der helleren Unterseite abhebt.

• **Anmerkung** Durch den massigen Kopf und die kurze Stupsnase unterscheiden sich diese Katzen von anderen kurzhaarigen Colourpoints.

• *weit auseinanderstehende, große, runde schöne Augen*

• *kein Knickschwanz*

FELLTYP: mittellang, plüschig, weich

• *blaugefärbter Schwanz*

• *blauer Nasenspiegel, passend zur Abzeichenfarbe*

• *abstehendes dichtes Fell*

Englischer Name Blue Point Colourpoint Exotic Shorthair	Wesen Verspielt, anhänglich

| Ursprungsland USA | Vorfahren Amerikanisch Kurzhaar × Perser | Entstehungs- zeit 1960er Jahre |

Goldenschattiert

Durch Selektion ist es gelungen, den Typ dieser Katzen dem ihrer langhaarigen Vorfahren anzupassen. Sie sind auch ähnlich gutmütig. Ihr abstehendes Fell darf nicht so lang sein, daß es wie bei den Perserkatzen herabhängt.

• **Merkmale** Die Schattierung kommt durch die sealbraune oder schwarze Spitzenfärbung des goldgelben Haarkleids zustande. Die Unterhaare sind apricotfarben bis hellgolden.

• **Anmerkung** Kätzchen der Exotisch Kurzhaar wirken im Vergleich zu anderen Rassen oft etwas träge.

• *breite, kräftige Kiefer mit vollen Wangen*

FELLTYP: **mittellang, plüschig, weich**

• *kurze, dicke Beine*

| Englischer Name Shaded Golden Exotic Shorthair | Wesen Verspielt, anhänglich |

| Ursprungsland USA | Vorfahren Amerikanisch Kurzhaar × Perser | Entstehungs- zeit 1960er Jahre |

Silber-Schildpattgestromt

Das Tabby- und Schildpattmuster sollte deutlich ausgeprägt sein. Die Silber-Tabby-Kombination ist besonders attraktiv und in diesem Fall von den Rottönen abgehoben.

• **Merkmale** Die dichte schwarze Stromung sollte gut von der klaren silbernen Grundfarbe abgesetzt sein. Die Unterseite ist meist heller als der übrige Körper, und durchgehende schwarze Bänder ziehen sich um Hals und Oberbrust.

• **Anmerkung** Das Adjektiv »exotisch« wurde für diese Rasse gewählt, um sie von der Amerikanisch Kurzhaar abzugrenzen und den Bezug zu den »exotischen« Persern zu unterstreichen.

• *tief angesetzte Ohren*

• *tiefe Brust und massige Schultern*

• *schwarze Schwanzspitze*

• *austernförmige Tabbyzeichnung*

FELLTYP: **mittellang, plüschig, weich**

| Englischer Name Silver Tortie Classic Tabby Exotic Shorthair | Wesen Verspielt, anhänglich |

| Ursprungsland USA | Vorfahren Amerikanisch Kurzhaar × Perser | Entstehungs-zeit 1960er Jahre |

Colourpoint Lilac-Tabby-Point

Diese Varietät ist noch nicht allgemein anerkannt, aber besonders reizvoll. Das Fell sollte auch hier dicht und abstehend sein. Die Nase ist breiter und kürzer als bei anderen Kurzhaarkatzen und verweist auf das Persererbe der Rasse.

• **Merkmale** Die lilacfarbene Tabbyzeichnung, die mit der magnolienweißen Körperfarbe kontrastiert, hebt sich hier von der eisgrauen Abzeichenfärbung ab. Rücken und Seiten können dunkler schattiert sein.

• **Anmerkung** Der Schwanz der Exotisch Kurzhaar wird in der Bewegung gewöhnlich gerade und unter der Rückenlinie getragen.

• *angedeutete Tabbyzeichnung auf den Abzeichen*

FELLTYP: mittellang, plüschig, weich

• *massiger Rumpf*

• *ziemlich kurze Behaarung*

große, runde Pfoten •

| Englischer Name Lilac Tabby Point Colourpoint Exotic Shorthair | Wesen Verspielt, anhänglich |

| Ursprungsland USA | Vorfahren Amerikanisch Kurzhaar × Perser | Entstehungs-zeit 1960er Jahre |

Braungetupft

Die M-förmige Tabbymarkierung ist auf dem Kopf deutlich zu erkennen; Streifen ziehen sich von dort aus die Schultern hinab. Die schwarzgesäumten Ohren haben in der Mitte einen kupferbraunen »Daumenabdruck«.

• **Merkmale** Das dichte schwarze Tüpfelmuster kontrastiert mit einer kupferbraunen Agouti-Grundfarbe. Die runden, ovalen oder rosettenförmigen Tupfen sollten klar abgegrenzt sein und sich über Körper und Beine verteilen. Sie können auch auf dem Schwanz erscheinen, obwohl dieser gewöhnlich geringt ist.

• **Anmerkung** Verglichen mit anderen Kurzhaarkatzen, haart die Exotisch Kurzhaar stark ab.

Ohren nach vorn gerichtet •

• *Augen intensiv golden, orange oder kupferfarben*

• *sehr dichtes, abstehendes Haarkleid*

• *getupfter Schwanz*

FELLTYP: mittellang, plüschig, weich

| Englischer Name Brown Spotted Exotic Shorthair | Wesen Verspielt, anhänglich |

Manxkatze

D ie Manx- oder Mankatze stammt angeblich von Katzen ab, die sich 1588 von einer havarierten spanischen Galeone schwimmend auf die Insel Man vor der englischen Westküste gerettet haben. Wahrscheinlicher ist jedoch, daß die Rasse aus Katzen hervorgegangen ist, die auf der Insel heimisch waren. Völlige Schwanzlosigkeit ist bei einer echten Manx (»Rumpy«) zwar unerläßlich, aber Tiere mit mehr oder weniger langem Schwanz (»Risers«, »Stumpies« und »Longies«) erweisen sich bei der Manxzucht als nützlich.

Ursprungsland	Großbritannien	Vorfahren	Rasselose Kurzhaarkatzen	Entstehungszeit	17. Jh.

Weiß

Die »Rumpy Manx« hat überhaupt keinen Schwanz, sondern nur eine Vertiefung, wo normalerweise der Schwanz ansetzt. Beim »Rumpy Riser« sind ein paar Schwanzwirbel zu erkennen. Die Wirbelsäule der Manx ist leicht deformiert, und die verkürzten Wirbel verleihen der Rasse ein gebogenes Rückenprofil.
• **Merkmale** Die Manx ist eine kräftig gebaute Katze, der die Schwanzlosigkeit nicht viel auszumachen scheint. Sie wird in einer Vielzahl von Farben gezüchtet; Tiere mit Siamzeichnung werden allerdings nicht von allen Verbänden anerkannt. In diesem Fall soll das Fell reinweiß sein. Es ist doppellagig und besteht aus dichten, kurzen Unterhaaren und derberen, etwas längeren Deckhaaren. Im Sommer wird die Unterwolle abgestoßen, so daß die Katze schlanker wirkt.
• **Anmerkung** Manxkatzen sind langlebig und zeigen kaum Alterserscheinungen.

»doppeltes« Haarkleid •

breite, spitz auslaufende Ohren •

Vertiefung an der Schwanzbasis •

• *rundliches, breites Hinterteil*

• *Vorderbeine kürzer als Hinterbeine*

• *gerade Vorderbeine*

• *muskulöse Schenkel, denen die Katze ihren ungewöhnlichen Gang verdankt*

FELLTYP: dichtes Unter- und längeres Deckhaar

Englischer Name	White Manx	Wesen	Intelligent

Ursprungsland Großbritannien	Vorfahren Rasselose Kurzhaarkatzen	Entstehungszeit 17. Jh.

Schwarz und Weiß

Manxkatzen sind von jeher populär und zu einem Symbol ihrer Heimatinsel geworden, wo sie sogar auf Münzen abgebildet wurden.
• **Merkmale** Bei der Manx ist die Fellqualität wichtiger als die Farben und Fellmuster.
• **Anmerkung** Wegen ihrer langen Hinterbeine habe die Tiere einen eigenartigen hüpfenden Gang, der in den USA bei adulten Tieren als Fehler gilt.

krummer Rücken; das Hinterteil ist höher als die Schulter •

klar abgegrenzte farbige Partien •

FELLTYP: dichtes Unter- und längeres Deckhaar

Englischer Name Black and White Manx	Wesen Intelligent

Ursprungsland Großbritannien	Vorfahren Rasselose Kurzhaarkatzen	Entstehungszeit 17. Jh.

Rotgestromt

Die Stromung ist bei der Manx nichts Ungewöhnliches; der erste Champion war ein Silber-Tabby namens »Bonhaki«.
• **Merkmale** Die Grundfarbe ist eher Rot als Orange, und die Tabbyzeichnung hebt sich deutlich davon ab. Die verschiedenen Formen des Tabbymusters sollten jeweils dicht und klar abgegrenzt sein.
• **Anmerkung** Die Manxzucht ist ein langwieriges und mühseliges Geschäft. Die Würfe sind klein, und manche Welpen bekommen einen mehr oder weniger langen Schwanz. Bei Neugeborenen muß man prüfen, ob die Aftergegend die richtige Form hat.

gerundetes Hinterteil •

kompakte Körperform •

dunklere Tabbyzeichnung •

Tabbyringe •

kaninchenartige Sitzhaltung •

FELLTYP: dichtes Unter- und längeres Deckhaar

Englischer Name Red Classic Tabby Manx	Wesen Intelligent

Ursprungsland Großbritannien	Vorfahren Rasselose Kurzhaarkatzen	Entstehungs-zeit 17. Jh.

Rotgestromt und Weiß

»Rumpy Manx« werden mit Stummelschwanzkatzen verpaart, weil das Gen für Schwanzlosigkeit gekoppelt ist mit Defekten, die bei Jungen von gleichartigen Eltern auftreten; solche Kätzchen sterben nicht selten vor oder kurz nach der Geburt.

• **Merkmale** Hier wird eine Kombination von Rot und Weiß überlagert durch die dunklere rote Stromung, die sich auf die rote Fellpartie beschränkt.

• **Anmerkung** Die Hinterbeine sind unterhalb der Fußgelenke oft spärlich behaart, weil die Tiere gerne auf den Sohlen sitzen.

mittelgroße Ohren mit abgerundeten Spitzen •

große, runde und ausdrucksvolle Augen •

sehr tiefe Flanken •

klare Abgrenzung der roten und weißen Fellpartien •

keine Spur eines Schwanzes •

FELLTYP: dichtes Unter- und längeres Deckhaar

Englischer Name Red Classic Tabby and White Manx	Wesen Intelligent

Ursprungsland Großbritannien	Vorfahren Rasselose Kurzhaarkatzen	Entstehungs-zeit 17. Jh.

Schildpatt

Manxkätzchen sind anfällig für Spina bifida (Wirbelspalten) und später für Verstopfung, eine Folge ihrer anomalen Wirbelsäulenstruktur.

• **Merkmale** Diese Katze zeigt die typische Schildpattfärbung. Der Stummelschwanz ist so lang, daß er bewegt werden kann, aber nicht so lang wie beim »Longie«. Solche Tiere sind wertvoll für die Zucht, werden aber auf Ausstellungen nicht immer akzeptiert.

• **Anmerkung** Auf der Insel Man ist eine Katzenfarm zur Erhaltung der Rasse eingerichtet worden.

Ohren innen behaart •

kurzer Schwanz deutlich zu erkennen •

kompakter Körperumriß •

FELLTYP: dichtes Unter- und längeres Deckhaar

Englischer Name Tortoiseshell Manx	Wesen Intelligent

Japanische Stummelschwanzkatze

Katzen mit deformiertem Schwanz sind aus verschiedenen Teilen Asiens bekannt; die für diese Mutation verantwortlichen Gene wurden wahrscheinlich von den frühen Hauskatzen verbreitet, die vor rund 1000 Jahren von China nach Japan gelangten. Asiatische Katzen mit Stummel- oder Knickschwänzen stammen wohl von denselben Vorfahren ab wie die Japanische Stummelschwanzkatze; zwischen dieser und der Manxkatze besteht jedoch keine Verbindung, denn es handelt sich um voneinander unabhängige Mutationen. In Japan hat die Stummelschwanzkatze eine lange Tradition, in anderen Weltgegenden ist sie freilich noch immer selten. Ihr Schwanz ist ungefähr 10 cm lang und ziemlich unbeweglich. Er wird, wenn die Katze ruht, gewöhnlich gerollt auf dem Körper getragen, doch in der Bewegung manchmal aufgerichtet.

Ursprungsland	Japan	Vorfahren	Rasselose Kurzhaarkatzen	Entstehungszeit	11. Jh.

Rot und Weiß

Weil der Schwanz länger behaart ist als der übrige Körper, ähnelt er einer Quaste, vor allem wenn er auf dem Rücken getragen wird.

• **Merkmale** Die Färbung ist ein wesentliches Kennzeichen der Japanischen Stummelschwanzkatzen; die bevorzugte Varietät ist die schwarz-rot-weiße Schildpattkatze, die »Mi-ke« genannt wird. Die hier vorgestellte rot-weiße Form ist ebenfalls beliebt. Hinsichtlich der Farben gibt es praktisch keinerlei Beschränkungen, doch gefleckte Tiere sind häufiger als einfarbige. Weitere Kennzeichen sind die hohen Wangenknochen und die schräggestellten ovalen Augen.

• **Anmerkung** Die Rasse wurde außerhalb Japans erstmals 1968 in den USA gezeigt.

tiefliegende Augen, nicht über Stirn und Wangenknochen vorstehend •

quastenförmiger Stummelschwanz, am Ansatz flexibel •

mittelgroßer, muskulöser und schlanker Körper •

• *bei aufrechter Position bilden Vorderbeine und Schultern eine Linie*

• *Kopf bildet ein gleichseitiges Dreieck*

• *lange Nase*

• *Hinterbeine deutlich länger als Vorderbeine*

FELLTYP: **weich, seidig, wenig Unterwolle**

Englischer Name	Red and White Japanese Bobtail	Wesen	Anhänglich

Scottish Fold

Ein Kätzchen mit Faltohren tauchte 1951 im Wurf einer Bauernkatze auf. Diese Katzen, die ihren Ursprung im schottischen Coupar Angus haben, werden seither als Scottish Fold bezeichnet; bei uns heißen sie auch Schottische Falt- oder Hängeohrkatzen. Die »Ahnherrin« mit Namen »Susie« gebar ein weiteres weißes Kätzchen mit gefalteten Ohren. Daraufhin beschloß ein Schäfer namens William Ross, eine neue Rasse mit dem Faltohrmerkmal aufzubauen. Er begann mit diesem Jungtier, das »Snooks« hieß.

Ursprungsland	Schottland	Vorfahren	Rasselose Kurzhaarkatzen	Entstehungszeit	1951

Schwarz und Weiß

In der ersten Zeit der Rasseentwicklung, in den 1950er Jahren, wurden andere kurzhaarige Hauskatzen eingekreuzt, und erst später verwendete man Britisch Kurzhaar, um die Blutlinie der Scottish Fold zu verbessern.

● **Merkmale** Die Falt- oder Hängeohren sind nach vorn gerichtet, weil die Ohrmuscheln nach unten gefaltet sind, so daß die Spitzen zur Nase hin zeigen. Ein weniger auffälliges Rassemerkmal sind die verdickten, kurzen Beine, denen man durch Einkreuzung anderer Rassen entgegenzuwirken versucht.

● **Anmerkung** Befürchtungen, die Ohren würden zu Infektionen neigen, haben sich als falsch herausgestellt.

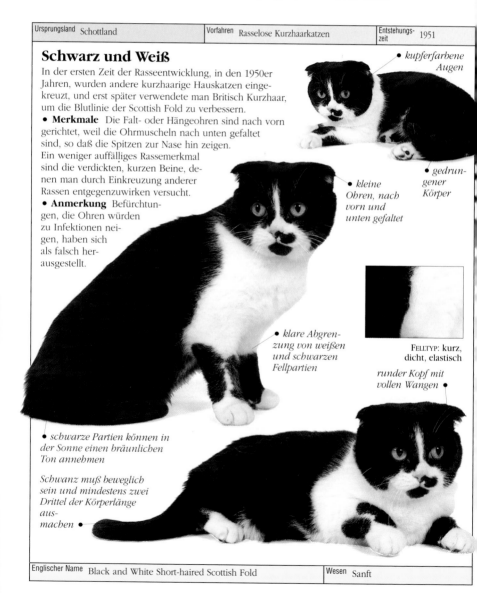

● *kupferfarbene Augen*

● *kleine Ohren, nach vorn und unten gefaltet*

● *gedrungener Körper*

● *klare Abgrenzung von weißen und schwarzen Fellpartien*

FELLTYP: **kurz, dicht, elastisch**

runder Kopf mit vollen Wangen ●

● *schwarze Partien können in der Sonne einen bräunlichen Ton annehmen*

Schwanz muß beweglich sein und mindestens zwei Drittel der Körperlänge ausmachen ●

Englischer Name	Black and White Short-haired Scottish Fold	Wesen	Sanft

Ursprungsland Schottland	Vorfahren Rasselose Kurzhaarkatzen	Entstehungs- zeit 1951

Blau und Weiß

Das Erscheinungsbild dieser ungewöhnlichen Katzen erregte großes Aufsehen, doch seltsamerweise sind sie heute außerhalb Großbritanniens weiter verbreitet als im heimischen Schottland. Das liegt vor allem daran, daß die Züchtung vom GCCF noch nicht anerkannt worden ist; das gilt übrigens auch für andere Verbände.

- **Merkmale** Die individuell verschiedene hell- bis mittelbraune Farbe bildet einen Kontrast zu den weißen Fellpartien. Vor dem Haarwechsel kann sich das Blau leicht rostbraun verfärben. Zweifarbige Spielarten der Scottish Fold, insbesondere mit guter Kontrast-wirkung, sind am populärsten.
- **Anmerkung** Die Registrierung der Rasse wurde 1973 in den USA und 1984 von der englischen CA zugelassen.

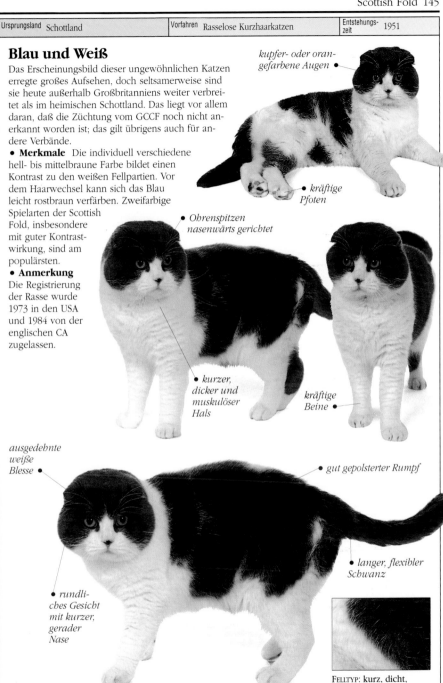

kupfer- oder oran-
gefarbene Augen •

• kräftige
Pfoten

• Ohrenspitzen
nasenwärts gerichtet

• kurzer,
dicker und
muskulöser
Hals

kräftige
Beine •

ausgedehnte
weiße
Blesse •

• gut gepolsterter Rumpf

• langer, flexibler
Schwanz

• rundli-
ches Gesicht
mit kurzer,
gerader
Nase

FELLTYP: kurz, dicht,
elastisch

Englischer Name Blue and White Short-haired Scottish Fold	Wesen Sanft

Ursprungsland Schottland	Vorfahren Rasselose Kurzhaarkatzen	Entstehungs-zeit 1951

Schildpatt und Weiß

Die Scottish Fold wird in einer Vielzahl von Farben und Mustern gezüchtet. Die Zucht so vieler Spielarten ist recht einfach, da es sich um eine dominante Mutation handelt: Nur ein Scottish-Fold-Elternteil ist erforderlich, um einen Anteil ähnlicher Nachkommen zu erhalten.

• **Merkmale** Das typische Schildpattmuster ist deutlich zu erkennen und hebt sich gut von den weißen Fellpartien ab.

• **Anmerkung** Alle Welpen eines Wurfs haben zunächst normale Ohren; die Faltohren werden sichtbar, wenn die Tiere zwei bis drei Wochen alt sind.

• *die Faltohren betonen den rundlichen Gesichtsschnitt*

FELLTYP: **kurz, dicht, elastisch**

• *klar abgegrenzte Markierungen*

• *mittelgroßer Körper*

• *langer, beweglicher Schwanz, der sich zur Spitze hin verjüngt*

• *kurze, stämmige Beine mit mittelstarken Knochen*

Englischer Name Tortie and White Short-haired Scottish Fold	Wesen Sanft

Ursprungsland Schottland	Vorfahren Rasselose Kurzhaarkatzen	Entstehungs-zeit 1951

Schwarz-Smoke und Weiß

Die vorsichtige Registrierungspolitik der britischen Cat Association verlangt, daß ein Elternteil keine Faltohrkatze sein darf. Weiter überprüft wird auch der Standard, der kurze, unflexible Schwänze oder übermäßig dicke Gliedmaßen beanstandet.

• **Merkmale** Die überwiegend weiße Unterwolle und die schwarzen Leithaare kontrastieren mit den variablen, individuell verschiedenen weißen Fellpartien.

• **Anmerkung** Verpaarungen mit Britisch Kurzhaar erbringen häufig Scottish Fold mit runderen Augen und dickerem Fell als solche, bei denen Amerikanisch Kurzhaar eingekreuzt werden.

• *volle, rundliche Wangen- und Schnauzenpartie*

FELLTYP: **kurz, dicht, elastisch**

Englischer Name Black Smoke and White Short-haired Scottish Fold	Wesen Sanft

Snowshoe

Die »Schneeschuhkatze« wurde in den sechziger Jahren von Dorothy Hinds-Daugherty entwickelt, einer Siamzüchterin aus Philadelphia. Sie stieß anfangs auf einigen Widerstand, weil man befürchtete, die charakteristischen weißen Markierungen der Snowshoe könnten sich infolge unkontrollierter Kreuzungen in Siamstämmen ausbreiten. Bis zu den achtziger Jahren gab es kaum Fortschritte, doch heute werden diese Katzen in verschiedenen Ländern gezüchtet. Trotz der weißen Pfoten, denen die Rasse ihren Namen verdankt, zählen Birmakatzen nicht zu den Vorfahren.

Ursprungsland	USA	Vorfahren	Amerikanisch Kurzhaar × Siam	Entstehungszeit	1960er Jahre

Seal und White-Point

Den muskulösen, relativ großen Körper hat die Snowshoe von ihren Amerikanisch-Kurzhaar-Vorfahren, während die Körperlänge ein Erbteil der Siamesen ist. Kater sind oft deutlich größer als Kätzinnen; sie wiegen bis zu 5,5 kg.

• **Merkmale** Weiße Partien überlagern die traditionelle Siamzeichnung, die in einem immer größeren Farbenspektrum gezüchtet wird. Die weißen »Schuhe« müssen vorne bis zum Fußgelenk reichen und hinten kurz unterhalb des Sprunggelenks einden. Bei älteren Katzen dunkelt das Fell oft nach, aber der Kontrast zwischen Abzeichen- und Körperfarbe muß bestehen bleiben.

• **Anmerkung** Neugeborene Kätzchen sind weiß, und bis zur vollen Ausbildung der Markierungen kann es zwei Jahre dauern.

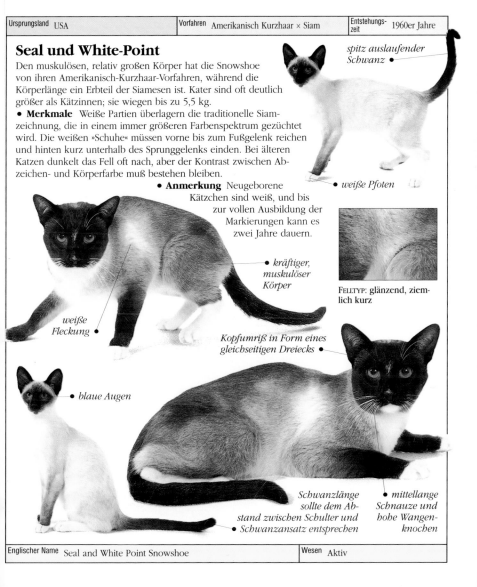

spitz auslaufender Schwanz •

• *weiße Pfoten*

FELLTYP: glänzend, ziemlich kurz

• *kräftiger, muskulöser Körper*

weiße Fleckung •

Kopfumriß in Form eines gleichseitigen Dreiecks •

• *blaue Augen*

Schwanzlänge sollte dem Abstand zwischen Schulter und • *Schwanzansatz entsprechen*

• *mittellange Schnauze und hohe Wangenknochen*

Englischer Name	Seal and White Point Snowshoe	Wesen	Aktiv

Amerikanisch Kurzhaar

Die Amerikanisch Kurzhaar (American Shorthair) ist aus europäischen Katzen hervorgegangen, die in der Frühzeit der Erschließung und Besiedlung Nordamerikas dorthin gelangten. Schiffskatzen, die als Nagetiervertilger sehr geschätzt wurden, reisten um die Welt, und einige von ihnen blieben in den angelaufenen Häfen zurück. Auch die frühen Siedler haben mit ziemlicher Sicherheit Katzen mitgebracht, nicht bloß als Schmusetiere, sondern auch als Kleintierjäger. Vor den ersten Entdeckungsreisen im 16. Jahrhundert gab es in Nordamerika keine bodenständige Hauskatzenpopulation, doch mit zunehmender Besiedlung wuchs auch die Zahl der Katzen. Sie entwickelten sich weiter und veränderten ihr Aussehen leicht gegenüber ihren europäischen Pendants; das Gesicht verlor etwas von seiner Rundung, und der Körper wurde ein wenig größer.

Ursprungsland USA	Vorfahren Rasselose Kurzhaarkatzen	Entstehungszeit 17. Jh.

Schwarz

Die amerikanischen Kurzhaarkatzen konnten sich ohne größere Eingriffe des Menschen entfalten, besonders in der Frühzeit, und sie entwickelten sich zu einer vielseitigen, widerstandsfähigen Rasse mit freundlichem und intelligentem Wesen. Das dichte Fell ist vor allem bei der Jagd im Unterholz ein guter Schutz.

• **Merkmale** Der auffälligste Unterschied zwischen Europäisch und Amerikanisch Kurzhaar betrifft die Form des Gesichts, das weniger rund und mit einer etwas längeren Nase versehen ist. Insgesamt sind die Amerikaner auch ein wenig größer als die Europäer.

• **Anmerkung** Die robuste Amerikanisch Kurzhaar ist keine gute Wohnungskatze; sie fühlt sich wohler, wenn sie draußen umherstreifen kann, und sei es nur in einem kleinen Garten.

• *mittelgroße Ohren*

• *markante runde Augen*

• *dichtes, kohlrabenschwarzes Fell ohne rötlichen Anflug*

muskulöse Brust und Schulter •

• *schwarzer Nasenspiegel*

• *feste, runde Pfoten*

• *mittelgroßer bis großer Körper*

breiter Schwanz mit stumpfem Ende •

FELLTYP: **kurz und dick, von harter Textur**

Englischer Name Black American Shorthair	Wesen Unabhängig

Ursprungsland USA	Vorfahren Rasselose Kurzhaarkatzen	Entstehungs-zeit 17. Jh.

Weiß mit verschiedenfarbigen Augen

Der weiße Schlag wird in drei Varietäten gezüchtet, die sich nur durch die Augenfarbe unterscheiden. Mit blauen Augen ist vielfach Taubheit gekoppelt.
• **Merkmale** Mit ihren muskulösen Körpern, die sich deutlich unter dem kurzen Fell abzeichnen, machen diese Katzen insgesamt einen athletischen Eindruck.
• **Anmerkung** Die Amerikanisch Kurzhaar existierte jahrhundertelang im Rohzustand, bevor sie um 1900 registriert wurde.

• *ein Auge tiefblau*

• *rosiger Nasenspiegel, passend zur Ballenfarbe*

kraftvoll gebauter Körper •

mittel-langer Schwanz •

FELLTYP: **kurz und dick, von harter Textur**

Englischer Name Odd-eyed White American Shorthair	Wesen Unabhängig

Ursprungsland USA	Vorfahren Rasselose Kurzhaarkatzen	Entstehungs-zeit 17. Jh.

Schwarz-Smoke

Diese Katze zeigt einen herrlichen Kontrast: Das reinweiße Unterhaar verbirgt sich teilweise unter den schwarzen Spitzen des Deckhaars, solange sich das Tier nicht bewegt.
• **Merkmale** Das Haarkleid der Amerikanisch Kurzhaar ist nicht so plüschig wie das ihres britischen Gegenstücks. Da sich die Träger über Jahrhunderte hinweg an das rauhe Leben im Freien angepaßt haben, ist es nicht verwunderlich, daß das Fell im Winter stets dicker ist.
• **Anmerkung** »Buster Brown«, der als erste amerikanische Katze 1904 im Zuchtbuch registriert wurde, war ein rauchfarbener Kater.

• *leuchtend goldene Augen*

• *breiter, rundlicher Kopf mit vollen Wangen*

• *die kräftigen, muskulösen Beine deuten die Sprungkraft der Katze an*

• *Schwanz verjüngt sich über die ganze Länge*

• *schwere Pfoten*

FELLTYP: **kurz und dick, von harter Textur**

Englischer Name Black Smoke American Shorthair	Wesen Unabhängig

| Ursprungsland USA | Vorfahren Rasselose Kurzhaarkatzen | Entstehungs-zeit 17. Jh. |

Rotgestromt

Dieser Farbschlag ist durchweg etwas größer als sein britisches Gegenstück. Die Rotgestromten mit ihrer kräftig roten Zeichnung, die sich von der blasseren roten Grundfarbe abhebt, sind von jeher sehr beliebt.

• *ein durchge-hender Streifen geht jeweils von den Augen-winkeln aus*

• **Merkmale** Von oben gesehen, sollten die Schultermarkierungen einem Schmetterling gleichen. Ein dunkler Strich verläuft mitten durch den Schmetterling hindurch zum Schwanz, beiderseits begleitet von zwei dunkleren Streifen.

leuchtend goldene Augen •

• **Anmerkung** Die Fellpflege ist einfach und steigert die Kontrastwirkung des Haarkleids.

• *fleckenförmige Zeichnung*

FELLTYP: **kurz und dick, von harter Textur**

| Englischer Name Red.Classic Tabby American Shorthair | Wesen Unabhängig |

| Ursprungsland USA | Vorfahren Rasselose Kurzhaarkatzen | Entstehungs-zeit 17. Jh. |

Braungestromt

Der braungestromte Schlag scheint nicht so populär zu sein wie andere, auffälligere Tabbyvarianten der Amerikanisch Kurzhaar, obwohl einige Spitzenexemplare hoch bewertet worden sind.

Streifen auf dem Rücken •

• **Merkmale** Kennzeichnend ist hier eine kupferbraune Grundfarbe, durchbrochen von dichten schwarzen Markierungen.

• *ziemlich kurzer, muskulöser Hals*

• **Anmerkung** Die Zucht der Rasse geriet in Gefahr, als man in den 1960er Jahren Perser und Burmakatzen ein-kreuzte. Solche Ver-paarungen sind in-zwischen verpönt, und heute entspricht die Amerikanisch Kurzhaar wieder dem hergebrach-ten Typ.

• *die stämmigen Beine unterstreichen den athletischen Körperbau*

FELLTYP: **kurz und dick, von harter Textur**

Beinlänge passend zur Rumpftiefe •

| Englischer Name Brown Classic Tabby American Shorthair | Wesen Unabhängig |

Ursprungsland USA	Vorfahren Rasselose Kurzhaarkatzen	Entstehungs-zeit 17. Jh.

Braungefleckt

Die Amerikanisch Kurzhaar ist eine lebenstüchtige Rasse; ihre Schnauze eignet sich ideal für den Beutefang. Die mäßig kurze und viereckige Form der Schnauze deutet darauf hin, daß in den Kiefern sehr viel Kraft steckt.

• **Merkmale** Das ungewöhnliche Fellmuster dieses Tabbys entsteht durch die Schildpattmarkierungen, die sowohl die Grundfarbe als auch die Tabby-zeichnung überlagern. Gefleckt (»patched«) bedeutet, daß das Fell rote und oder cremefarbene Flecken aufweist.

• **Anmerkung** Diese Katzen werden manchmal als »Torbies« bezeichnet, was soviel wie Schildpatt-Tabby bedeutet.

Tabbymarkierungen vorhanden •

• *Wangen bei Jungtieren weniger ausgeprägt*

• *unregelmäßiges, individuell verschiedenes Fleckenmuster*

FELLTYP: **kurz und dick, von harter Textur**

Englischer Name Brown Patched Tabby American Shorthair	Wesen Unabhängig

Ursprungsland USA	Vorfahren Rasselose Kurzhaarkatzen	Entstehungs-zeit 17. Jh.

Van-Tabby Rot und Weiß

Die hervorragenden Eigenschaften der Amerikanisch Kurzhaar im Verein mit ihrer gesunden Konstitution und ihrer Farbenvielfalt eröffnen dem angehenden Aussteller oder Liebhaber viele Auswahlmöglichkeiten. Dem jahr-hundertelangen Leben in freier Natur verdanken die Tiere ihre angestammte Intelligenz.

• **Merkmale** Ungewöhnlich ist das Fellmuster dieses Farbschlags. Bei der überwiegend weißen Katze sind die dunkleren Farben und die Tabbyzeichnung auf Kopf, Beine und Schwanz beschränkt.

leuchtend blaue Augen •

• **Anmerkung** Der Begriff »Van« ist von der Türkisch Van (siehe S. 78/79) abgeleitet, die diese Zeichnung aufweist.

muskulöse Schulterpartie •

vorwiegend weißer Körper

FELLTYP: **kurz und dick, von harter Textur**

• *Tabbyänderung an den Beinen* *rosige Ballen* •

• *gleich-mäßige Tabbyringe auf dem Schwanz*

Englischer Name Red and White Van Tabby American Shorthair	Wesen unabhängig

Ursprungsland USA	Vorfahren Rasselose Kurzhaarkatzen	Entstehungs-zeit 17. Jh.

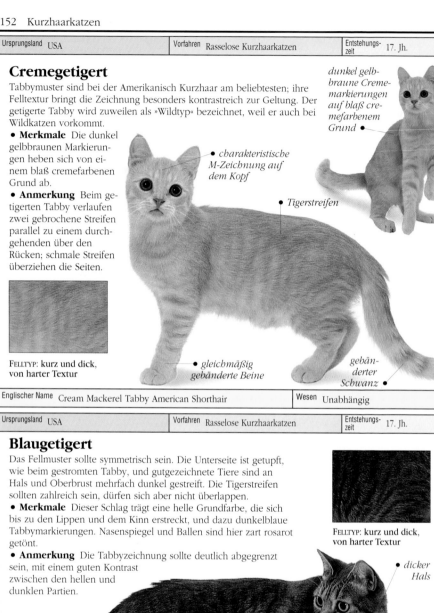

Cremegetigert

Tabbymuster sind bei der Amerikanisch Kurzhaar am beliebtesten; ihre Felltextur bringt die Zeichnung besonders kontrastreich zur Geltung. Der getigerte Tabby wird zuweilen als »Wildtyp« bezeichnet, weil er auch bei Wildkatzen vorkommt.

• **Merkmale** Die dunkel gelbbraunen Markierungen heben sich von einem blaß cremefarbenen Grund ab.

• **Anmerkung** Beim getigerten Tabby verlaufen zwei gebrochene Streifen parallel zu einem durchgehenden über den Rücken; schmale Streifen überziehen die Seiten.

dunkel gelb-braune Creme-markierungen auf blaß cremefarbenem Grund •

• *charakteristische M-Zeichnung auf dem Kopf*

• *Tigerstreifen*

FELLTYP: kurz und dick, von harter Textur

• *gleichmäßig gebänderte Beine*

gebänderter Schwanz •

Englischer Name Cream Mackerel Tabby American Shorthair	Wesen Unabhängig

Ursprungsland USA	Vorfahren Rasselose Kurzhaarkatzen	Entstehungs-zeit 17. Jh.

Blaugetigert

Das Fellmuster sollte symmetrisch sein. Die Unterseite ist getupft, wie beim gestromten Tabby, und gutgezeichnete Tiere sind an Hals und Oberbrust mehrfach dunkel gestreift. Die Tigerstreifen sollten zahlreich sein, dürfen sich aber nicht überlappen.

• **Merkmale** Dieser Schlag trägt eine helle Grundfarbe, die sich bis zu den Lippen und dem Kinn erstreckt, und dazu dunkelblaue Tabbymarkierungen. Nasenspiegel und Ballen sind hier zart rosarot getönt.

• **Anmerkung** Die Tabbyzeichnung sollte deutlich abgegrenzt sein, mit einem guten Kontrast zwischen den hellen und dunklen Partien.

FELLTYP: kurz und dick, von harter Textur

• *dicker Hals*

kräftig blaue Schwanz-ringe •

gebän-derte Beine •

• *Halsringe*

Englischer Name Blue Mackerel Tabby American Shorthair	Wesen Unabhängig

Ursprungsland USA	Vorfahren Rasselose Kurzhaarkatzen	Entstehungszeit 17. Jh.

Blaucreme

Dies ist die Verdünnung von Schildpatt, manchmal auch als Blauschildpatt bezeichnet. Im Typ sollte diese Katze den anderen Farbschlägen entsprechen, doch da es sich wegen der Schildpattfärbung um eine grundsätzlich weibliche Spielart handelt, sind die Wangen nicht so ausgeprägt wie bei manchen Amerikanisch-Kurzhaar-Katern.

• **Merkmale** Tabbymarkierungen dürfen nicht vorhanden sein. Die Schnauze ist vierkantig, eine Einbuchtung im Nasenprofil unerläßlich. Die Nasenfarbe kann Blau, Rosa oder eine Kombination von beiden sein.

• **Anmerkung** Die Gliedmaßenlänge sollte bei der Amerikanisch Kurzhaar zur Körpertiefe passen.

• *mittelgroße Ohren, seitlich am Kopf angesetzt*

• *tief orange- oder kupferfarbene Augen*

• *Blaufärbung mit cremefarbenen Flecken*

• *Schwanzlänge passend zur Körperlänge*

FELLTYP: **kurz und dick, von harter Textur**

Englischer Name Blue-cream American Shorthair	Wesen Unabhängig

Ursprungsland USA	Vorfahren Rasselose Kurzhaarkatzen	Entstehungszeit 17. Jh.

Blaucreme und Weiß

Diese Katzen sind in Nordamerika bekannter unter der Bezeichnung »Dilute Calicos«. Als Schildpatt sind sie fast ausschließlich weiblich; die Kater sind wahrscheinlich unfruchtbar.

• **Merkmale** Blaue und cremefarbene Flecken sollten sich deutlich im Fell abzeichnen, aber keinerlei Spuren eines Tabbymusters. Brust, Beine und Pfoten müssen überwiegend weiß sein, der Bauch reinweiß. Eine weiße Partie im Gesicht ist erwünscht, aber die farbigen Partien dürfen nicht von weißen Haaren durchsetzt sein.

• **Anmerkung** Das Fell ist ein wesentliches Merkmal der Amerikanisch Kurzhaar. Es soll dicht anliegen, ohne jede Spur einer flauschigen Unterwolle.

Ohren mit abgerundeten Spitzen und Innenbehaarung •

• *runde Augen*

deutlich abgegrenzte Farbpartien •

• *muskulöse Brust*

weiße Pfoten ohne Blau- oder Cremespuren •

FELLTYP: **kurz und dick, von harter Textur**

Englischer Name Blue-cream and White American Shorthair	Wesen Unabhängig

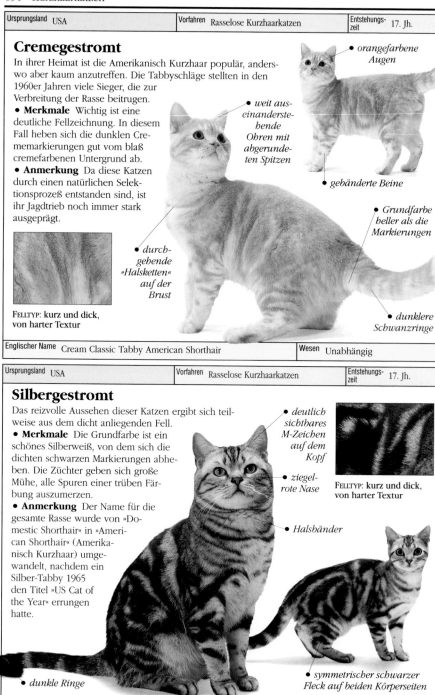

Ursprungsland USA	Vorfahren Rasselose Kurzhaarkatzen	Entstehungs-zeit 17. Jh.

Cremegestromt

In ihrer Heimat ist die Amerikanisch Kurzhaar populär, anderswo aber kaum anzutreffen. Die Tabbyschläge stellten in den 1960er Jahren viele Sieger, die zur Verbreitung der Rasse beitrugen.

• **Merkmale** Wichtig ist eine deutliche Fellzeichnung. In diesem Fall heben sich die dunklen Crememarkierungen gut vom blaß cremefarbenen Untergrund ab.

• **Anmerkung** Da diese Katzen durch einen natürlichen Selektionsprozeß entstanden sind, ist ihr Jagdtrieb noch immer stark ausgeprägt.

• orangefarbene Augen

• weit auseinanderstehende Ohren mit abgerundeten Spitzen

• gebänderte Beine

• Grundfarbe heller als die Markierungen

• durchgehende »Halsketten« auf der Brust

FELLTYP: kurz und dick, von harter Textur

• dunklere Schwanzringe

Englischer Name Cream Classic Tabby American Shorthair	Wesen Unabhängig

Ursprungsland USA	Vorfahren Rasselose Kurzhaarkatzen	Entstehungs-zeit 17. Jh.

Silbergestromt

Das reizvolle Aussehen dieser Katzen ergibt sich teilweise aus dem dicht anliegenden Fell.

• **Merkmale** Die Grundfarbe ist ein schönes Silberweiß, von dem sich die dichten schwarzen Markierungen abheben. Die Züchter geben sich große Mühe, alle Spuren einer trüben Färbung auszumerzen.

• **Anmerkung** Der Name für die gesamte Rasse wurde von »Domestic Shorthair« in »American Shorthair« (Amerikanisch Kurzhaar) umgewandelt, nachdem ein Silber-Tabby 1965 den Titel »US Cat of the Year« errungen hatte.

• deutlich sichtbares M-Zeichen auf dem Kopf

• ziegelrote Nase

FELLTYP: kurz und dick, von harter Textur

• Halsbänder

• dunkle Ringe

• symmetrischer schwarzer Fleck auf beiden Körperseiten

Englischer Name Silver Classic Tabby American Shorthair	Wesen Unabhängig

Ursprungsland USA	Vorfahren Rasselose Kurzhaarkatzen	Entstehungs-zeit 17. Jh.

Chocolateschattiert

Die Fellpflege ist bei diesen Katzen zwar einfach, sollte aber regelmäßig erfolgen, damit die Zeichnung besser zur Geltung kommt.

• **Merkmale** Das Unterhaar ist bei diesem Schlag weißlich, und die schokoladenbraune Spitzenfärbung der Einzelhaare ergibt eine unterschiedliche Schattierung auf dem ganzen Körper. Die Schattierung ist auf dem Rücken am stärksten, hellt sich auf den Flanken auf und wird auf der Unterseite weißlich.

• **Anmerkung** Das Haarkleid verändert sich im Jahreslauf; im Winter wird es dicker und schwerer.

dicker, mittellanger Hals und volle, muskulöse Brust •

• runde, grüne Augen, außen leicht schräggestellt

FELLTYP: kurz und dick, von harter Textur

• die weißliche Unterseite kontrastiert mit der ansonsten schokoladenbraunen Spitzenfärbung

Englischer Name Chocolate Shaded American Shorthair	Wesen Unabhängig

Ursprungsland USA	Vorfahren Rasselose Kurzhaarkatzen	Entstehungs-zeit 17. Jh.

Silberschattiert

Die ausgedehntere Spitzenfärbung bewirkt, daß dieser Farbschlag dunkler erscheint als die Chinchilla. Hier ist eine auffallend schwärzliche Schattierung zu sehen.

• **Merkmale** Die Färbung ist am intensivsten auf der Oberseite und geht unten in Weiß über. Die Augen sind blaugrün oder reingrün, die ziegelrote Nase ist schwarz gerandet. Die Pfoten sollten völlig schwarz sein.

• **Anmerkung** Das kurze Haar dieser Katzen läßt keinen so deutlichen Kontrast wie bei Langhaarrassen zu, aber die Spitzenfärbung ist dennoch gut zu erkennen.

die Spitzenfärbung im Gesicht sollte der an den Beinen entsprechen •

• spitzrunde Ohren außen am Kopf angesetzt

muskulöser Körperbau •

weiße Schwanzunterseite ohne Spitzenfärbung •

FELLTYP: kurz und dick, von harter Textur

Englischer Name Silver Shaded American Shorthair	Wesen Unabhängig

Amerikanisch Drahthaar

Drahthaarkatzen tauchten zwar nach dem Zweiten Weltkrieg in England und anderswo auf, konnten sich aber nicht durchsetzen. Die Amerikanisch Drahthaar (American Wirehair) läßt sich bis zu einem rotweißen Kätzchen zurückverfolgen, das in den 1960er Jahren auf einer Farm in Verona im US-Bundesstaat New York geboren wurde. Davon erfuhr die dort ansässige Rexkatzenzüchterin Mrs. O'Shea, die das männliche Jungtier und

dessen normal behaarte Schwester erwarb. Das Zuchtprogramm von Mrs. O'Shea, das die Etablierung der drahthaarigen Mutation zum Ziel hatte, begann mit der Verpaarung der Wurfgeschwister. Das Merkmal stellte sich schon bald als dominant heraus; wenn ein Elternteil drahthaarig ist, enthält der Wurf einen Anteil an drahthaarigen Welpen. Zur Verbesserung der Rasse wurde später Amerikanisch Kurzhaar eingekreuzt.

Ursprungsland	USA	Vorfahren	Rasselose Kurzhaarkatzen	Entstehungs-zeit	1966

Schildpatt und Weiß

Das Fell der Amerikanisch Drahthaar ist kraus; die einzelnen Leithaare sind am Ende geknickt oder gebogen, sogar in den Innenohren. Die Haare, die das Fell ausmachen, sind außerdem dünner als normal.

• **Merkmale** Durch die Dichte des Fells sollten sich Wirbel ergeben, besonders am Kopf, zudem ein lockeres Wellenmuster. Insgesamt fühlt sich das Fell eher wie Lammwolle an, da es auf der Unterseite, auch am Kinn, weniger derb ist. Die Schnurrhaare sind ebenfalls gekräuselt.

• **Anmerkung** Diese Katzen können in allen Farben und Mustern gezüchtet werden, allerdings darf nur Amerikanisch Kurzhaar eingekreuzt werden. Die Augenfarbe soll stets der Fellfarbe entsprechen. Neugeborene Welpen haben ein dicht anliegendes krauses Fell; was daraus entsteht, zeigt sich erst im Alter von vier oder fünf Monaten.

• *runder, mittelgroßer Kopf mit vorstehenden Wangenknochen*

elastisches Haarkleid •

• *gut abgegrenztes Schildpattmuster*

• *kompakte Pfoten*

muskulöser Körper •

• *Schwanzbehaarung entspricht dem Körperhaar*

• *mittellange, gut bemuskelte Beine*

FELLTYP: **mittellang, kraus und derb**

Englischer Name	Tortie and White American Wirehair	Wesen	Verspielt, aktiv

Ursprungsland USA	Vorfahren Rasselose Kurzhaarkatzen	Entstehungs-zeit 1966

Braungetigert

Diese Katzen brauchen sehr wenig Fellpflege; man bürstet sie einmal in der Woche, um lose Haare zu entfernen. Wenn sie gebadet werden müssen, etwa vor einer Austellung, sollte das mehrere Tage vorher geschehen. Ist das Fell getrocknet, erhält es seine elastische Struktur von selbst zurück.

• **Merkmale** Trotz des ungewöhnlichen Haarkleids ist das Tabbymuster klar zu erkennen. Ein guter Kontrast zwischen diesem und der Grundfarbe ist erwünscht.

• **Anmerkung** Obwohl die Drahthaarkatzen gesund und langlebig sind, trifft man sie außerhalb Nordamerikas nur selten an.

mittellanger Schwanz, der sich zum gerundeten Ende hin verjüngt •

• *gekräuseltes Haar im Innenohr*

• *große, runde Augen*

• *Tabbyhalsbänder*

FELLTYP: **mittellang, kraus und derb**

Englischer Name Brown Mackerel Tabby American Wirehair	Wesen Verspielt, aktiv

Ursprungsland USA	Vorfahren Rasselose Kurzhaarkatzen	Entstehungs-zeit 1966

Schildpatt-und-Weiß-Van

Die Amerikanisch Drahthaar ähnelt weitgehend der Amerikanisch Kurzhaar, abgesehen von dem charakteristischen Fell. Neuerdings werden vereinzelt etwas kleinere Drahthaarkatzen gezüchtet.

• **Merkmale** Die Van-Zeichnung dieser rein weiblichen Varietät stammt von der Amerikanisch Kurzhaar.

• **Anmerkung** Obwohl die ersten reingezüchteten Amerikanisch Drahthaar 1969 geboren wurden, gibt es bis heute keine nichtverwandten Katzen dieses Typs. Alle heutigen Drahthaarkatzen sind direkte Nachkommen von »Adam«, jenem Kater, der diese eigentümliche Rasse begründet hat.

ovale Pfoten •

• *die Farbe beschränkt sich idealerweise auf Kopf und Schwanz; der Körper ist weiß*

FELLTYP: **mittellang, kraus und derb**

Schildpattmarkierungen •

• *Schwanz wird in Körperhöhe getragen*

• *mittellange, starkknochige Beine*

Englischer Name Tortie and White Van American Wirehair	Wesen Verspielt, aktiv

American Curl

Das eigenartige »Kräuselohr« dieser Rasse ist eine relativ junge Mutation, die seit 1981 nachgewiesen ist. In jenem Jahr fiel John und Grace Ruga aus dem kalifornischen Lakewood ein langhaariges Kätzchen mit diesem Merkmal auf. Zwei Nachkommen dieser Katze hatten wiederum Kräuselohren; damit war klar, daß es sich wahrscheinlich um eine do-

minant vererbte Mutation handelte, die unabhängig von der Haarlänge auftrat. Als American Curls erstmals 1983 in Palm Springs ausgestellt wurden, erregten sie sofort großes Interesse. Die Rugas und ihre Freundin Nancy Kiester etablierten die neue Rasse, die sowohl langhaarig (siehe S. 112) als auch kurzhaarig vorkommt.

Ursprungsland	Vorfahren	Entstehungszeit
USA	Rasselose Kräuselohrkatzen	1981

Braungestromt-Schildpatt

Die Entwicklung der kurzhaarigen Kräuselohrkatze dauerte ziemlich lange, vor allem weil die Ausgangsformen langhaarig waren. Doch inzwischen werden sie immer beliebter, zumal sie in allen Farben gezüchtet werden können.

• **Merkmale** Der Grad der Ohrenkrümmung ist variabel. Bevorzugt werden Tiere mit der stärksten »Kräuselung«, sofern die Ohren auf die Mitte der Schädelbasis zeigen. Wenig Bedeutung mißt man der Farbe und dem Fellmuster zu, doch im vorliegenden Fall sollten Schildpatt-und Tabbyzeichnung deutlich ausgeprägt sein.

• **Anmerkung** Weil die kurzhaarige American Curl noch nicht lange existiert, können in manchen Stammbäumen gewöhnliche, nicht registrierte Katzen auftauchen.

die Ohrkrümmung ist nach hinten gerichtet •

• *feste und relativ große Ohren mit abgerundeter Spitze*

gerade Nase •

• *gerade Beine*

• *runde Pfoten*

• *verhältnismäßig langer Schwanz*

Hinterbeine etwas länger als Vorderbeine •

mäßig langer Körper •

FELLTYP: **kurz, seidig, wenig Unterwolle**

Schwanz verjüngt sich auf ganzer Länge •

Englischer Name	Wesen
Brown Classic Tortie Tabby Short-haired American Curl	Sanft

| Ursprungsland USA | Vorfahren Rasselose Kräuselohrkatzen | Entstehungs-zeit 1981 |

Schwarz

Trotz ihres ungewöhnlichen Aussehens sind American Curls verspielte und gesunde Katzen. Sie brauchen nur wenig Fellpflege.

• **Merkmale** Das Schwarz sollte einheitlich sein, ohne Beimischung von weißen Haaren. Die auffälligsten Kennzeichen sind die Ohrenform und die Körperproportionen. Der Typ ist insgesamt halborientalisch, das Gesicht länger als breit. Die ziemlich großen Augen sind walnußförmig und zur Nase hin schräggestellt.

• **Anmerkung** Die flexiblen Ohrspitzen können kreiseln.

Ohren mit breitem Ansatz und innen behaart •

FELLTYP: kurz, seidig, wenig Unterwolle

glattes Fell •

mittelgroßer Körperbau •

Schwanz sollte zur Körperlänge passen •

• mittellange Beine

sich verjüngender Schwanz •

| Englischer Name Black Short-haired American Curl | Wesen Sanft |

| Ursprungsland USA | Vorfahren Rasselose Kräuselohrkatzen | Entstehungs-zeit 1981 |

Seal-Tabby-Point

Inzwischen wurden auch die Siamfarben in die American-Curl-Blutlinien eingebracht, so daß es heute Schläge mit Abzeichen gibt. Wichtig ist jedoch, daß die Katzen ihrem Typ treu bleiben, also eine Mittelstellung zwischen Orientalisch und Britisch Kurzhaar einnehmen.

• **Merkmale** Die Abzeichen sollten die typische sealbraune Färbung aufweisen, mit Tabbyzeichnung auf Beinen und Schwanz. Vor allem unter den Augen müssen Streifen vorhanden sein.

• **Anmerkung** Jungtiere sind stets heller gefärbt als Alttiere.

aufrechte, offene Ohren, sanft nach hinten gebogen •

• M-förmige Tabbyzeichnung

• blaue Augen unerläßlich

• klar abgegrenzte Schwanzringe unterschiedlicher Größe

dunkle Schwanzspitze •

• mehrere durchbrochene Tabbystreifen an den Beinen

• runde Pfoten

FELLTYP: kurz, seidig wenig Unterwolle

| Englischer Name Seal Tabby Point Short-haired American Curl | Wesen Sanft |

Europäisch Kurzhaar

E rst seit 1982 ist die Europäisch Kurzhaar (European Shorthair) als eigenständige Rasse anerkannt. Davor wurde sie neben der Britisch Kurzhaar geführt, und noch heute gleichen sich die beiden Rassen in vieler Hinsicht. Die Typabweichung wird jedoch zunehmend deutlicher, weil die Europäisch Kurzhaar inzwischen selektiv gezüchtet wird; Kreuzungen mit Britisch Kurzhaar sind nicht mehr erlaubt. Diese Katzen sind indes in einer ähnlich großen Farbenvielfalt erhältlich: einfarbig, zweifarbig, gestromt, getigert, getupft, schildpattfarben usw. Seit der Abtrennung der Europäisch Kurzhaar neigen diese Katzen zu einem weniger gedrungenen Körperbau und einer etwas längeren Gesichtsform als ihre britischen Pendants. In der Gesamterscheinung soll die Europäisch Kurzhaar einer durchschnittlichen europäischen Hauskatze entsprechen.

Ursprungsland	Italien	Vorfahren	Rasselose Kurzhaarkatzen	Entstehungs- zeit	1982

Creme

Die Europäisch Kurzhaar ist widerstands- und anpassungsfähig. Helle Fellfarben wie Creme sind relativ selten, und überhaupt sind die Europäischen Kurzhaarkatzen weniger bekannt als ihre britischen und amerikanischen Verwandten. Wo ähnliche Rassen bereits fest etabliert sind, zeigen die Züchter wenig Interesse an diesen »neuen« Kurzhaarkatzen.

• **Merkmale** Bei der Cremekatze ist die Farbintensität variabel. Die wärmeren Töne, die einen rötlichen Anflug zeigen, sind unerwünscht, desgleichen eine deutliche Tabbyzeichnung.

• **Anmerkung** Es gibt eine seltene reinweiße Europäisch Kurzhaar, die trotz ihrer blauen Augen nicht taub ist.

• *rundliches Gesicht mit relativ kleinen Ohren und kurzer Nase*

kupferfarbene Augen •

abgerundete Ohrenspitzen •

gleichmäßiger Cremeton, ohne weiße Haarspuren im Fell •

gerundete Wangen •

• *rosiger Nasenspiegel*

kräftige Beine •

• *breite Brust und mittelgroßer, kräftiger und muskulöser Körper*

FELLTYP: kurz, dicht, fest

Englischer Name	Cream European Shorthair	Wesen	Anhänglich

Ursprungsland Italien	Vorfahren Rasselose Kurzhaarkatzen	Entstehungs-zeit 1982

Rotschattiert-Cameo-Getigert

Katzen werden seit Jahrtausenden auf dem europäischen Kontinent gehalten, und durch selektive Zucht sind zahlreiche Farbspielarten entstanden. Heute bemüht man sich, für die Europäisch Kurzhaar einen klar definierten Typ zu etablieren.

• **Merkmale** Die Unterwolle ist in diesem Fall weiß; die rote Spitzenfärbung der längeren Leithaare ist auf dem Rücken am auffälligsten. Das Rot wird an den Körperseiten blasser und geht unten in Weiß über.

• **Anmerkung** Wie andere heimische Katzen ist auch die Europäisch Kurzhaar robust und gesund.

• Ohren mit gerundeter Spitze und Innenbehaarung

• weit auseinanderstehende, große, runde Augen

dicker Schwanz mit breitem Ansatz •

FELLTYP: **kurz, dicht, fest**

Englischer Name Cameo Mackerel Tabby European Shorthair	Wesen Anhänglich

Ursprungsland Italien	Vorfahren Rasselose Kurzhaarkatzen	Entstehungs-zeit 1982

Schildpatt-Smoke

Die Schildpatt- und Smoke-Merkmale ergeben hier eine kontrastreiche Färbung des Deckhaars, die sich von der der Unterhaare unterscheidet.

• **Merkmale** Während die Unterwolle so weiß wie möglich sein sollte, bildet die cremefarbene, rote und schwarze Spitzenfärbung der Leithaare das Schildpattmuster. Diese farbigen Partien sollten in klar abgegrenzte Flecken aufgeteilt sein.

• **Anmerkung** Wenn sich diese Katzen lange in der Sonne aufhalten, kann sich das Schwarz leicht bräunlich verfärben.

runde Gesichtsform •

FELLTYP: **kurz, dicht, fest**

• *mittelgroßer bis großer Körper*

• *die hellere Rauchfarbe kommt besser zum Vorschein, wenn sich die Katze bewegt*

gut proportionierter Schwanz mit abgerundeter Spitze •

Englischer Name Tortie Smoke European Shorthair	Wesen Anhänglich

| Ursprungsland Italien | Vorfahren Rasselose Kurzhaarkatzen | Entstehungs- zeit 1982 |

Cremeschattiert-Cameo-Gestromt

Bei erstklassigen Europäischen Kurzhaarkatzen bildet sich ein charakteristischer Typ heraus, der sich vom britischen Gegenstück unterscheidet: Der Kopf wird etwas länger und der Körperbau weniger gedrungen.

- **Merkmale** Die Leithaare haben eine Creme-Spitzenfärbung, und auf diesem hellen Fellmuster zeichnen sich die Tabbymarkierungen in einem dunkleren Cremeton ab.
- **Anmerkung** Mit ihrem pflegeleichten Kurzhaar und ihrem angenehmen Wesen geben diese Katzen gute Hausgenossen ab. Sie haben sich jedoch einen starken Jagdtrieb bewahrt.

M-Zeichnung auf dem Kopf

FELLTYP: kurz, dicht, fest

Tabbystreifen in einem dunkleren Cremeton

feste, runde Pfoten

| Englischer Name Cream Shaded Cameo Tabby European Shorthair | Wesen Anhänglich |

| Ursprungsland Italien | Vorfahren Rasselose Kurzhaarkatzen | Entstehungs- zeit 1982 |

Silber-Rotgetigert

Wie die Britischen und Amerikanischen Kurzhaarkatzen wird auch die Europäisch Kurzhaar in vielen Farben und ähnlich vielfältigen Tabbymustern gezüchtet.

- **Merkmale** Die rote Tigerung hebt sich hier von der silbrigen Grundfarbe ab und erzeugt so einen aparten Kontrast. Von den Augenwinkeln müssen Streifen ausgehen und in feinen Linien über die Wangen verlaufen. Die Ohren haben die gleiche Farbe wie die Markierungen, abgesehen von einem zentralen silbernen »Daumenabdruck«.
- **Anmerkung** Während des Haarwechsels verblaßt die Tabbyzeichnung zuweilen.

geringter Schwanz

Tigerstreifen auf dem Körper

dunklere Halsringe

einfarbige Schwanzspitze

gebänderte Beine

mittellanger Schwanz

FELLTYP: kurz, dicht, fest

| Englischer Name Red Silver Mackerel Tabby European Shorthair | Wesen Anhänglich |

| Ursprungsland Italien | Vorfahren Rasselose Kurzhaarkatzen | Entstehungs-zeit 1982 |

Silber-Schwarzgetigert

Alle drei Tabbymuster – gestromt, getigert und getupft –
kommen bei der Europäisch Kurzhaar vor und unterscheiden sich nicht wesentlich von denen anderer Kurz-
haarrassen. Die charakteristische M-förmige Markierung auf
dem Kopf ist allen gemeinsam; nur die Körperzeichnung
weicht bei den drei Formen voneinander ab.

• **Merkmale** Die dichte schwarze Tigerung kontrastiert mit
der silbernen Grundfarbe. Ein schmaler schwarzer Streifen,
beidseits begleitet von zwei durchbrochenen Linien,
verläuft über die Rückenmitte. Davon gehen die
vertikalen Tigerstreifen aus, die die Körperseiten
überziehen. Sie sollten schmal und gleichmäßig
verteilt sein, so daß ein symmetrisches Muster
entsteht. Der Schwanz muß gering sein.

• **Anmerkung** Das Tabbymuster ist bei Kätzchen
gewöhnlich weniger ausgeprägt, die in der Regel
auch insgesamt dunkler sind.

Ohrbüschel

*kräftige,
runde Pfoten*

Tigerzeichnung

*muskulöser
Hals*

*weit auseinanderge-
stellte, große, runde
grüne Augen*

*Beine deutlich
gebändert*

*dichte, schwarze
Zeichnung
auf silberner
Grundfarbe*

*schmaler
Rückenstrei-
fen klar zu
erkennen*

*Schwanzringe
entweder voll-
ständig oder
durchbrochen*

*durchgehende schwarze
Streifen um Hals und Brust*

*feste,
geschlossene
Pfoten*

FELLTYP: **kurz, dicht, fest**

*Soblenstreifen bis zum
Sprunggelenk hochgezogen*

schwarze Schwanzspitze

| Englischer Name Black Silver Tabby European Shorthair | Wesen Anhänglich |

Colourpoint-Europäisch-Kurzhaar

Die Abzeichen, wie wir sie von den Siamesen kennen, sind in die Europäisch Kurzhaar eingezüchtet worden; so entstanden Katzen, die typmäßig mit den anderen Europäischen Kurzhaarkatzen identisch sind und sich nur durch das Fellmuster unterscheiden. Wie bei der Siam wird die Pigmentierung, die für die Abzeichenfärbung verantwortlich ist, durch die Temperatur beeinflußt; der Katzenkörper ist in den Extremitäten etwas kälter, und dadurch wird hier die Pigmentbildung verstärkt. In einem warmen Klima, etwa in Südeuropa, fallen solche Katzen meist etwas heller aus als weiter nördlich.

Ursprungsland Italien	Vorfahren Rasselose Kurzhaarkatzen	Entstehungs-zeit 1982

Blue-Point

Der Kontrast ist ein besonderes Kennzeichen dieser Katzen, und im Idealfall zeigen die Abzeichen eine gleichmäßig intensive Färbung, die sich von der Grundfarbe abhebt. Die Körperfärbung wird mit zunehmendem Alter dunkler, so daß die »Show-Karriere« dieser Katzen meist recht kurz ist. Doch als Zuchttiere sind sie auch danach noch wertvoll.
• **Merkmale** Die Abzeichen – Maske, Ohren, Beine, Pfoten und Schwanz – sollten einen hellen Blauton haben, der mit der Eisfarbe des Körpers kontrastiert, die sich auf dem Rücken blau verfärbt.
• **Anmerkung** Die ganze Palette der Abzeichenfarben kann bei diesen Katzen erzüchtet werden.

• blaue Ohren

blaue Augen •

blauer Schwanz •

blaue Schwanz

FELLTYP: **kurz, dicht, fest**

schattierter Rücken •

• rundliches Gesicht

Stop zwischen den Augen •

mittellanger, stämmiger und gut bemuskelter Körper •

• gleichmäßig intensive Färbung von Beinen und Pfoten

• dicker, mittellanger Schwanz

Englischer Name Blue Point Colour Pointed European Shorthair	Wesen Anhänglich

Kartäuserkatze

M an nimmt an, daß die französische Kartäuserkatze oder Chartreuse von Kartäusermönchen des Klosters La Grande Chartreuse bei Grenoble erzüchtet worden ist. Das Kloster wurde im 14. Jahrhundert oder noch früher gegründet, aber die tatsächliche Herkunft der Rasse ist unbekannt. Der Legende zufolge haben die Kreuzritter solche Katzen aus dem Nahen Osten mitgebracht. Sie übergaben sie den Mönchen, die die Zucht kontrollierten, indem sie nur kastrierte Tiere verkauften. Die blaugraue Fellfarbe der Kartäuserkatze ist als Rassemerkmal festgelegt; andere Farben sind nicht zugelassen.

Ursprungsland Frankreich	Vorfahren Rasselose Kurzhaarkatzen	Entstehungszeit 14. Jh.

Blaugrau

Die Kartäuserkatze wurde früher zum Teil wegen ihres einzigartigen Fells gezüchtet, das hoch im Preis stand. In den 20er Jahren war der Bestand stark zurückgegangen; die Rasse wurde vor allem gerettet durch zwei Schwestern, die fasziniert waren von den blaugrauen Katzen, welche in Belle-Ile-sur-Mer umherstreiften. Diese Tiere bildeten den Grundstock eines Zuchtprogramms. Spätere Einkreuzungen von blauen Katzen dienten dazu, die traditionsreiche Rasse zu verbessern.

• **Merkmale** Die einheitlich blaugraue Fellfarbe kann zwischen Asch- und Schiefergrau schwanken.

• **Anmerkung** Die Rasse wird auch »British Blue« genannt.

• *großer, breiter, trapezförmiger Kopf*

• *runde Pfoten.*

• *klare, leuchtend orangefarbene Augen, die im Alter verblassen können*

blauer Nasenspiegel •

die Augen der Jungtiere verfärben sich von Blau zu Braungrau und dann zu Orange •

FELLTYP: mittelkurz, dicht, glänzend

• *dichtes Haarkleid mit wolligen Unterhaaren*

blaues Fell •

• *muskulöser Körper*

• *mittellanger Schwanz mit abgerundeter Spitze*

Englischer Name Chartreux	Wesen Freundlich

Cornish Rex

Diese Katzen stammen von einem Tier ab, das 1950 im englischen Cornwall geboren wurde. Sie werden seither in einem der Orientalisch Kurzhaar angenäherten Typ und in einer Vielzahl von Farben gezüchtet. Dem ungewöhnlichen Fell fehlen die äuße-ren, primären Leithaare, während die verblie-benen sekundären Leithaare und die Wollhaa-re gewellt und verkürzt sind. Wegen ihres kur-zen Haarkleids fühlen sich die Katzen bei kal-tem oder feuchtem Wetter draußen nicht sehr wohl.

Ursprungsland Großbritannien	Vorfahren Rasselose Kurzhaarkatzen	Entstehungs-zeit 1950

Weiß

Der erste Rexkater, »Kallibunker«, wurde nach einem ähnlichen Kaninchenschlag als »Rex« bezeichnet. Man verpaarte ihn mit seiner Mutter, und das Ergebnis waren weitere Rexkatzen.

• **Merkmale** Obwohl »Kallibunker« eher einen orientalischen Typ verkör-perte, brachte die anfängliche Einkreuzung von Kurzhaarkatzen einen gedrungeneren Typ hervor, der heute als fehlerhaft gilt.

• **Anmerkung** Die ersten Cornish Rexes wurden 1957 in die USA ausgeführt; seitdem hat die Rasse in der ganzen Welt viele Liebhaber gefunden.

Ohren mit feinen Härchen dicht besetzt

große Ohren, an der Basis breit und an der Spitze abgerundet

gerade Nase

lange, gerade Gliedmaßen, die den Eindruck von Hochbeinigkeit erwecken

ovale Augen

reinweißes, gewelltes Fell

schlanker, fester, mus-kulöser Körper

langer, dün-ner und lockig behaarter Schwanz

FELLTYP: kurz, plüschig, gewellt oder gelockt

rosa Ballen

Englischer Name White Cornish Rex	Wesen Verspielt

Ursprungsland Großbritannien	Vorfahren Rasselose Kurzhaarkatzen	Entstehungszeit 1950

Creme

Die Cremefärbung tauchte schon zu Beginn der Reinzucht auf: Der Prototyp »Kallibunker« zeugte 2 Katerchen, von denen eines cremefarben und weiß war.

- **Merkmale** Diese Katzen haben gewöhnlich ein ziemlich dichtes Fell ohne lange Leithaare, aber ein zottiges oder zu kurzes Haarkleid wird als Fehler bewertet. Schnurrhaare und Brauen sind gekräuselt.
- **Anmerkung** Die meisten Rexkatzenhalter pflegen ihre Lieblinge, indem sie vom Kopf bis zum Schwanz fest über das Fell streichen. Dadurch wird das Wellenmuster des Haarkleids aufgefrischt.

flach gewölbter Schädel

Rückenfell besonders wellig

rosa Nasenspiegel

lange, gerade Beine

gewelltes Haar an den Beinen

langer, sich verjüngender Schwanz

FELLTYP: kurz, plüschig, gewellt oder gelockt

Englischer Name Cream Cornish Rex	Wesen Verspielt

Ursprungsland Großbritannien	Vorfahren Rasselose Kurzhaarkatzen	Entstehungszeit 1950

Blau und Weiß

Mutationen, die mit der Cornish Rex identisch sind, hat es in Deutschland und den USA gegeben: Die German Rex trat 1931 auf, ist aber inzwischen selbst in Deutschland ziemlich selten. In Nordamerika sind verschiedene Rexmutationen aufgetaucht, jedoch nicht sehr weit verbreitet. Die Cornish Rex wurde in den 1960er Jahren etabliert und 1967 vom GCCF, 1968 von der FIFE anerkannt.

- **Merkmale** Die blaue Farbe soll gleichmäßig und klar abgegrenzt sein.
- **Anmerkung** Mit einem Kleiebad kann man das Fell entfetten.

lange, gekräuselte Brauen- und Schnurrhaare

der ganze Körper ist gut mit Fell bedeckt

Fell fühlt sich seidig an

gelocktes oder gewelltes Haar

FELLTYP: kurz, plüschig, gewellt oder gelockt

Englischer Name Blue and White Cornish Rex	Wesen Verspielt

Ursprungsland Großbritannien	Vorfahren Rasselose Kurzhaarkatzen	Entstehungs-zeit 1950

Schildpatt

Das Schildpattmuster ist individuell verschieden, sollte aber jeweils deutlich ausgeprägt sein.
- **Merkmale** Die schwarzen Fellpartien sind mit Rottönen durchsetzt, so daß ein guter Kontrast entsteht. Bei Jungtieren zeigen sich eher graue als schwarze Haarspuren, doch diese werden beim Haarwechsel gewöhnlich verdrängt. Die Farben sollten gleichmäßig verteilt sein. Manchmal ist auf der Stirn eine helle Blesse vorhanden.
- **Anmerkung** Auf der Unterseite sollte das kurze Fell deutlich gewellt sein.

ovale Augen

FELLTYP: kurz, plüschig, gewellt oder gelockt

sehr lange Beine

gebogener Rücken und rundes Hinterteil

Englischer Name Tortoiseshell Cornish Rex	Wesen Verspielt

Ursprungsland Großbritannien	Vorfahren Rasselose Kurzhaarkatzen	Entstehungs-zeit 1950

Schildpatt-und-Weiß-Van

Wegen ihres feingliedrigen, aber muskulösen Körpers wirkt die Cornish Rex fast röhrenförmig. Sie ist ziemlich hochbeinig, und Kater sind durchweg größer als Kätzinnen.
- **Merkmale** Dieser Schlag ist überwiegend weiß; die Van-Zeichnung ist ein Merkmal der Türkisch Van (S. 78/79), bei der sich die Farbe hauptsächlich auf Schwanz und Kopf beschränkt.
- **Anmerkung** Im Ruhezustand rollt die Katze gewöhnlich das Ende ihres beweglichen Schwanzes ein.

Schildpatt-muster vor allem auf dem Kopf

gekräuselte Schnurr-haare

ungewöhnlich flexibler Schwanz

zierliche Pfoten betonen die Beinlänge

FELLTYP: kurz, plüschig, gewellt oder gelockt

sich verjüngender Schwanz

Englischer Name Tortie and White Van Cornish Rex	Wesen Verspielt

Ursprungsland Großbritannien	Vorfahren Rasselose Kurzhaarkatzen	Entstehungs-zeit 1950

Cinnamon-Silber

Die Fellqualität ist ein wesentliches Merkmal aller Rex-katzen; unbehaarte oder sehr kurz behaarte Partien sind verpönt. Das lockige Haarkleid sollte den ganzen Körper bis zu den Pfoten bedecken.

• **Merkmale** Das Fell besteht aus weißen Unterhaaren mit zimtfarbener Bänderung (Ticking). Die Bänderung ist am ausgeprägtesten auf dem Rücken, vom Kopf bis zum Schwanz, und an den Flanken.

flacher Schädel •

• **Anmerkung** Die Zimtbänderung erzeugt einen hellen Schimmereffekt.

• *schlanker, muskulöser Körper mit hochgebogenem Rücken*

FELLTYP: **kurz, plüschig, gewellt oder gelockt**

Englischer Name Cinnamon Silver Cornish Rex	Wesen Verspielt

Ursprungsland Großbritannien	Vorfahren Rasselose Kurzhaarkatzen	Entstehungs-zeit 1950

Chocolate-Point-Si-Rex

Die Rexkatzen mit Siam-Abzeichen (abgekürzt Si-Rex) sind Neuzüchtungen, die noch nicht allgemein anerkannt sind. Doch bei dieser Rasse ist die Färbung von untergeordneter Bedeutung; wichtig für die Bewertung und der Körperbautyp und das charakteristische Fell.

Rücken und Flanken am stärksten schattiert •

schokoladenbraune Maske •

• **Merkmale** Der Körper sollte elfenbeinweiß sein, und die geringe dunkle Schattierung entspricht den milchschokoladenfarbenen Abzeichen.

• **Anmerkung** Im Typ sollten die mit Abzeichen versehenen Cornish Rexes mit den anderen Rexkatzen übereinstimmen.

• *erstklassiges Fell mit deutlich erkennbaren Locken und Wellen*

langer, dünner Schwanz mit gekräuselter, milchschokoladenfarbener Behaarung •

FELLTYP: **kurz, plüschig, gewellt oder gelockt**

Englischer Name Chocolate Point Si-rex Cornish Rex	Wesen Verspielt

Ursprungsland Großbritannien	Vorfahren Rasselose Kurzhaarkatzen	Entstehungs-zeit 1950

Rot-Smoke

Rexkatzen können in allen Farben und Fellmustern gezüchtet werden, aber sehr umstritten sind die Si-Rex-Katzen mit Siam-Abzeichen.

● **Merkmale** Erwünscht ist ein tiefer, satter Rotton ohne Tabby-zeichnung, dazu eine hellere Rauchfarbe, die erst richtig zum Vorschein kommt, wenn sich die Katze bewegt. Das Fell hat eine seidige Textur.

● **Anmerkung** Ein zottiges Haarkleid gilt als schwerer Fehler; neuere Versuche, eine Langhaarform zu züchten, haben keinen großen Anklang gefunden.

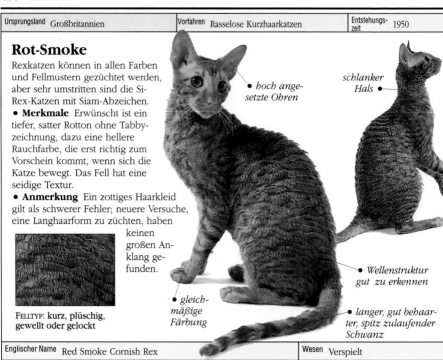

● *hoch ange-setzte Ohren*

schlanker Hals ●

● *Wellenstruktur gut zu erkennen*

● *gleich-mäßige Färbung*

● *langer, gut behaar-ter, spitz zulaufender Schwanz*

FELLTYP: **kurz, plüschig, gewellt oder gelockt**

Englischer Name Red Smoke Cornish Rex	Wesen Verspielt

Ursprungsland Großbritannien	Vorfahren Rasselose Kurzhaarkatzen	Entstehungs-zeit 1950

Blau-Smoke

Rexkatzen neigen zur Fettleibigkeit, was ihren schlanken Wuchs beeinträchtigt und ihrer Gesundheit schadet. Deshalb sollte man sie nicht überfüttern.

● **Merkmale** Hier über-deckt das Blau den weißen Untergrund. Rexkätzchen sind oft spärlich behaart, doch das ändert sich, wenn sie heran-wachsen. Bei ausgewachsenen Tieren gelten jedoch unbehaarte Stellen als schwer fehlerhaft.

● **Anmerkung** Eine blaue Kätzin namens »Riovista Kismet« war eine der berühmtesten frühen Rexkatzen und ein direkter Nachkomme des Ahnherrn »Kallibunker«.

Locken- und Wellen-effekt am auffälligsten auf Rücken und Schwanz ●

muskulöse Schenkel ●

● *lange, gerade Beine*

FELLTYP: **kurz, plüschig, gewellt oder gelockt**

Englischer Name Blue Smoke Cornish Rex	Wesen Verspielt

Ursprungsland Großbritannien	Vorfahren Rasselose Kurzhaarkatzen	Entstehungs-zeit 1950

Blaucreme-Smoke

Eine der ersten Cornish Rexes soll ein Blaucreme-Kater gewesen sein, doch das ist unwahrscheinlich, denn diese Farbe ist ein verdünntes Schildpatt, und solche Kater sind stets unfruchtbar. Vermutlich handelte es sich um ein blaugestromtes Tier.

• **Merkmale** Männliche Tiere sind zwar größer und schwerer als weibliche, aber sie müssen zugleich schlank und muskulös gebaut sein.

• **Anmerkung** Die Rasse hat eine sehr gesunde Konstitution, und die Kätzinnen erweisen sich als gute Mütter.

FELLTYP: **kurz, plüschig, gewellt oder gelockt**

• *gleichmäßige Mischung von Mittelblau und Hellcreme*

• *feingliedriger, gut bemuskelter Körperbau*

kleine, ovale Pfoten •

Englischer Name Blue-cream Smoke Cornish Rex	Wesen Verspielt

Ursprungsland Großbritannien	Vorfahren Rasselose Kurzhaarkatzen	Entstehungs-zeit 1950

Schwarz-Smoke und Weiß

Die Fellbeschaffenheit ist das Hauptmerkmal der Cornish Rex. Das dichte, feine Wellenmuster ist ebenso wichtig wie der Körperbautyp. Im vorliegenden Fall dürfen die weißen Partien asymmetrisch sein.

• **Merkmale** Das silberne Unterhaar ist bei den Smoke-Katzen deutlich sichtbar, weil die langen Leithaare fehlen. Die dunklere Färbung beschränkt sich auf die Grannenhaare.

• **Anmerkung** Das fettige Haarkleid der Cornish Rex kann dazu führen, daß sich auf dem Schwanz schmierige Sekrete ansammeln.

ovale Augen, farblich zum Fell passend •

• *Kopflänge um ein Drittel größer als maximale Kopfbreite*

lange, schlanke Beine •

• *Schwanzspitze bei tief getragenem Schwanz nach oben gebogen*

• *zierliche Pfoten*

FELLTYP: **kurz, plüschig, gewellt oder gelockt**

Englischer Name Black Smoke and White Cornish Rex	Wesen Verspielt

Devon Rex

Diese zweite Rex-Mutation, die 1960 auftrat, hielt man zunächst für eine Variante der Cornish Rex, doch als man diese Katzen verpaarte, wurden keine Rex-Kätzchen geboren – ein Zeichen dafür, daß die Eltern genetisch verschieden waren. Das rassebildende Fell der Devon Rex ist unverwechselbar; es weist sowohl Leithaare als auch Grannenhaare auf, die noch stärker verdreht sind als bei der Cornish-Mutante.

Ursprungsland	Großbritannien	Vorfahren	Rasselose Kurzhaarkatzen	Entstehungszeit	1960

Weiß

Bei dem Rummel, der auf Katzenausstellungen 1960 um die Cornish Rex gemacht wurde, wäre die Devon Rex fast unbeachtet geblieben. Einer Frau in der englischen Grafschaft Devonshire war in der Nähe ihres Hauses ein großer, lockig behaarter Kater aufgefallen. Er deckte ihre Katze, und ein Nachkomme hatte ein ähnliches Lockenfell. Da die Frau von der Cornish Rex gehört hatte, erkannte sie die potentielle Bedeutung ihres Haustieres.

- **Merkmale** Das Fell ist in diesem Fall reinweiß, und da es leicht verschmutzt, muß es vor einer Ausstellung eventuell gewaschen werden. Alle Devon Rexes sind muskulöse Katzen mit einem unverkennbar »orientalischen« Aussehen.
- **Anmerkung** Die koboldhaften Ohren, welche die Devon Rex von der Cornish Rex unterscheiden, sind groß und tief angesetzt; sie müssen regelmäßig mit Watte gesäubert werden.

ovale, weit auseinanderstehende Augen

FELLTYP: kurz, fein, weich, gewellt und gelockt

große, breite Ohren

Fell weniger gewellt als bei der Cornish Rex

reinweiße Färbung

kleine, ovale Pfoten

gut behaarter langer, spitz zulaufender Schwanz

rosa Pfotenballen

Englischer Name	White Devon Rex	Wesen	Verspielt

| Ursprungsland | Großbritannien | Vorfahren | Rasselose Kurzhaarkatzen | Entstehungs-zeit | 1960 |

Creme

Diese Rexkatzen mit ihrem keilförmigen Gesicht und den breiten Ohren, die ihnen ein schelmisches Aussehen verleihen, geben muntere und verschmuste Hausgenossen ab. Bei kaltem oder feuchtem Wetter sollte man sie nicht zu lange draußen lassen.

• **Merkmale** Das Fell der Kätzchen ist nicht so üppig wie das der adulten Tiere. Hier sollte die Cremefarbe gleichmäßig intensiv sein.

• **Anmerkung** Die Devon Rex wurde erstmals 1967 anerkannt.

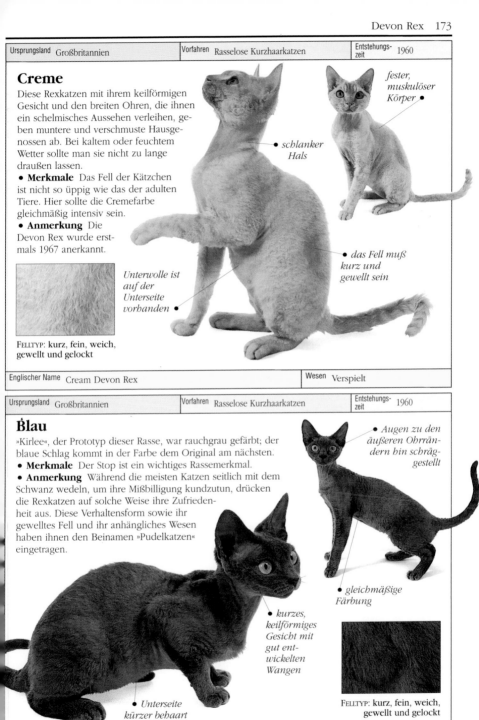

fester, muskulöser Körper •

• schlanker Hals

• das Fell muß kurz und gewellt sein

Unterwolle ist auf der Unterseite vorhanden •

FELLTYP: kurz, fein, weich, gewellt und gelockt

| Englischer Name | Cream Devon Rex | Wesen | Verspielt |

| Ursprungsland | Großbritannien | Vorfahren | Rasselose Kurzhaarkatzen | Entstehungs-zeit | 1960 |

Blau

»Kirlee«, der Prototyp dieser Rasse, war rauchgrau gefärbt; der blaue Schlag kommt in der Farbe dem Original am nächsten.

• **Merkmale** Der Stop ist ein wichtiges Rassemerkmal.

• **Anmerkung** Während die meisten Katzen seitlich mit dem Schwanz wedeln, um ihre Mißbilligung kundzutun, drücken die Rexkatzen auf solche Weise ihre Zufriedenheit aus. Diese Verhaltensform sowie ihr gewelltes Fell und ihr anhängliches Wesen haben ihnen den Beinamen »Pudelkatzen« eingetragen.

• Augen zu den äußeren Ohrrändern hin schräggestellt

• gleichmäßige Färbung

• kurzes, keilförmiges Gesicht mit gut entwickelten Wangen

• Unterseite kürzer behaart

FELLTYP: kurz, fein, weich, gewellt und gelockt

| Englischer Name | Blue Devon Rex | Wesen | Verspielt |

Ursprungsland Großbritannien	Vorfahren Rasselose Kurzhaarkatzen	Entstehungszeit 1960

Creme-Tabby-Point-Si-Rex

Einkreuzungen anderer Rassen, darunter Burma, Bombay und Siam, haben bei der Devon Rex eine Vielzahl von Farbschlägen entstehen lassen. Kreuzungen mit der Cornish Rex sind jedoch unzulässig, seitdem bekannt ist, daß es sich bei beiden um genetisch verschiedene Mutationen handelt.

● **Merkmale** Bei Jungtieren ist das Haarkleid erst mit etwa 18 Monaten voll entwickelt. Diese Varietät zeichnet sich durch eine Cremefarbe mit dunkleren Tabbymarkierungen in den Abzeichen aus.

● **Anmerkung** Die Devon Rex ist inzwischen auch außerhalb Großbritanniens allgemein verbreitet.

flacher Schädel ●

● *kleine, ovale Pfoten*

● *schlanke Beine*

FELLTYP: kurz, fein, weich, gewellt und gelockt

adulte Tiere üppiger behaart ●

Englischer Name Cream Tabby Point Si-rex Devon Rex	Wesen Verspielt

Ursprungsland Großbritannien	Vorfahren Rasselose Kurzhaarkatzen	Entstehungszeit 1960

Silber-Schildpatt-Tabby

Diese Devon Rex, eine der vielen interessanten Neuzüchtungen, demonstriert die potentielle Vielfalt der Rasse. Wie alle Schildpattformen sind auch diese Katzen fast immer weiblich.

● **Merkmale** Bei Schildpatt-Tabbies verdrängt die Tabbyzeichnung meist das im Fell einer Schildpattkatze vorhandene Schwarz. Die weiße Unterwolle ist davon kaum betroffen.

● **Anmerkung** Vor allem in Nordamerika werden diese Katzen auch »Torbies« genannt.

tief angesetzte Ohren ●

● *kräftiges Kinn und ausgeprägte Schnurrhaarkissen*

● *muskulöser, aber schlanker Körperbau*

● *Schwanz ohne Knick*

FELLTYP: kurz, fein, weich, gewellt und gelockt

Englischer Name Silver Tortie Tabby Devon Rex	Wesen Verspielt

Ursprungsland Großbritannien	Vorfahren Rasselose Kurzhaarkatzen	Entstehungs-zeit 1960

Creme und Weiß

Bi-Colour-Formen der Devon Rex sind zwar auf Ausstellungen nicht immer gern gesehen, aber diese Katze ist besonders attraktiv.

• **Merkmale** Die Verteilung der cremefarbenen und weißen Fellpartien ist weniger wichtig als die Beschaffenheit des Fells.

• **Anmerkung** Tabbymarkierungen in den cremefarbenen Partien sind bei adulten Katzen unerwünscht, können aber bei Jungtieren angedeutet sein.

gleichmäßige Cremefärbung

FELLTYP: kurz, fein, weich, gewellt und gelockt

schlanke, ovale Pfoten •

Englischer Name Cream and White Devon Rex	Wesen Verspielt

Ursprungsland Großbritannien	Vorfahren Rasselose Kurzhaarkatzen	Entstehungs-zeit 1960

Weiß-und-Schwarz-Smoke

Obwohl die Mutter der ersten Devon-Rex-Kätzchen schildpattfarben und weiß war, werden andere zweifarbige Spielarten nicht allgemein geschätzt.

• **Merkmale** Die Ohren sind ein unverwechselbares Kennzeichen der Devon Rex, die sich jedoch auch durch die Gesichtsform von der Cornish Rex unterscheidet. Zwischen schwarzen und weißen Partien sollte ein guter Kontrast bestehen.

• **Anmerkung** Die Züchter bemühen sich um eine Verbesserung der Fellqualität, wobei sie weniger Wert auf die Fellmuster legen, die variabel sein dürfen.

große Ohren, dicht und fein behaart; Ohrbüschel an den Spitzen sind erlaubt •

• *fester, schlanker, muskulöser Körper, der wie hier überlang gestreckt sein kann*

• *im Schwarz sind weiße Unterhaare sichtbar*

gut behaarter Schwanz •

FELLTYP: kurz, fein, weich, gewellt und gelockt

Englischer Name White and Black Smoke Devon Rex	Wesen Verspielt

| Ursprungsland Großbritannien | Vorfahren Rasselose Kurzhaarkatzen | Entstehungs-zeit 1960 |

Blaucreme und Weiß

Als Schildpatt ist dieser Farbschlag fast ausschließlich weiblich; etwaige Kater sind durchweg steril.

• **Merkmale** Kahlheit ist zwar bei diesen Katzen ein schwerer Fehler, aber ihre Schnurrhaare sind fragil und brechen leicht ab.

• **Anmerkung** Die Devon Rex verliert beim Fellwechsel sehr viel Haare, was kahle Stellen zur Folge hat. Das ist kein Grund zur Beunruhigung, doch Haarverlust zu anderen Zeiten könnte auf eine Hautpilzerkrankung hindeuten.

• *kurze Schnauze*

• *langer Schwanz* •

• *charakteristi-scher Stop im Gesichtsprofil*

• *lange Hinter-beine*

• *Körper steht hoch auf den Beinen*

FELLTYP: kurz, fein, weich, gewellt und gelockt

| Englischer Name Blue-cream and White Devon Rex | Wesen Verspielt |

| Ursprungsland Großbritannien | Vorfahren Rasselose Kurzhaarkatzen | Entstehungs-zeit 1960 |

Schwarz-Smoke

Das Fell der Devon Rex fühlt sich etwas derber an als das der Cornish Rex; außerdem ist es kürzer und nicht so stark gewellt.

• **Merkmale** Obwohl bei der Smoke die Färbung weniger wichtig ist als der Typ und die Fellbeschaffenheit, ist die schwarze Spielart wegen der reizvollen Kontraste recht begehrt. Bei manchen Katzen wirken die Vorderbeine leicht gekrümmt, doch das ist eine Täuschung, die auf die breite Brust und nicht auf einen angeborenen Defekt zurückzuführen ist.

• **Anmerkung** Fellpflege mit der Hand und einem Seiden-tuch verbessert die Struktur des Haarkleids.

• *behaarte Ohren*

• *welliges Fell*

Schwanz dicht behaart, aber nicht buschig •

FELLTYP: kurz, fein, weich, gewellt und gelockt

| Englischer Name Black Smoke Devon Rex | Wesen Verspielt |

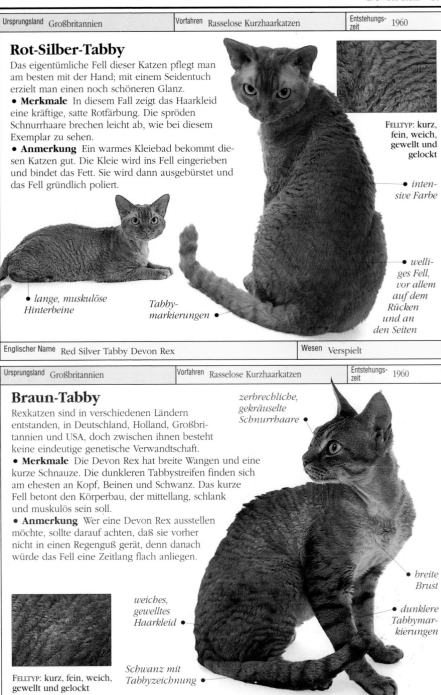

| Ursprungsland Großbritannien | Vorfahren Rasselose Kurzhaarkatzen | Entstehungs-zeit 1960 |

Rot-Silber-Tabby

Das eigentümliche Fell dieser Katzen pflegt man am besten mit der Hand; mit einem Seidentuch erzielt man einen noch schöneren Glanz.

• **Merkmale** In diesem Fall zeigt das Haarkleid eine kräftige, satte Rotfärbung. Die spröden Schnurrhaare brechen leicht ab, wie bei diesem Exemplar zu sehen.

• **Anmerkung** Ein warmes Kleiebad bekommt diesen Katzen gut. Die Kleie wird ins Fell eingerieben und bindet das Fett. Sie wird dann ausgebürstet und das Fell gründlich poliert.

FELLTYP: kurz, fein, weich, gewellt und gelockt

• *intensive Farbe*

• *welliges Fell, vor allem auf dem Rücken und an den Seiten*

• *lange, muskulöse Hinterbeine*

Tabby-markierungen •

| Englischer Name Red Silver Tabby Devon Rex | Wesen Verspielt |

| Ursprungsland Großbritannien | Vorfahren Rasselose Kurzhaarkatzen | Entstehungs-zeit 1960 |

Braun-Tabby

Rexkatzen sind in verschiedenen Ländern entstanden, in Deutschland, Holland, Großbritannien und USA, doch zwischen ihnen besteht keine eindeutige genetische Verwandtschaft.

zerbrechliche, gekräuselte Schnurrhaare •

• **Merkmale** Die Devon Rex hat breite Wangen und eine kurze Schnauze. Die dunkleren Tabbystreifen finden sich am ehesten an Kopf, Beinen und Schwanz. Das kurze Fell betont den Körperbau, der mittellang, schlank und muskulös sein soll.

• **Anmerkung** Wer eine Devon Rex ausstellen möchte, sollte darauf achten, daß sie vorher nicht in einen Regenguß gerät, denn danach würde das Fell eine Zeitlang flach anliegen.

• *breite Brust*

• *dunklere Tabbymar-kierungen*

weiches, gewelltes Haarkleid •

FELLTYP: kurz, fein, weich, gewellt und gelockt

Schwanz mit Tabbyzeichnung •

| Englischer Name Brown Tabby Devon Rex | Wesen Vespielt |

Sphynx

Die Sphynx oder Sphinx ist nicht jedermanns Geschmack, doch sie erregt stets Aufsehen. Einige Zuchtverbände erkennen die Rasse nicht an, weil sie die Haarlosigkeit als einen gesundheitsschädlichen Defekt betrachten. Die Nacktheit ist jedoch kein Einzelfall; ähnliche Mutationen kennen wir auch bei Hunden und Mäusen.

Ursprungsland	Kanada	Vorfahren	Rasselose Kurzhaarkatzen	Entstehungs-zeit	1966

Braun und Weiß

Ein Wurf im kanadischen Ottawa enthielt ein unbehaartes Kätzchen, mit dem die Rasse in einer Vielzahl von Farben erzüchtet wurde.
Frühere Spielarten von »Nacktkatzen« hat es schon in Frankreich und Mexiko gegeben, doch sie wurden nicht weitergezüchtet.

• **Merkmale** Obgleich die Sphynx zuweilen als »haarlos« beschrieben wird, besitzt sie unterschiedlich viele kurze Dunenhaare, vor allem an den Extremitäten.

• **Anmerkung** In den letzten Jahren scheint das Interesse an diesen Katzen zu wachsen, und sie werden inzwischen auch in Europa gezüchtet.

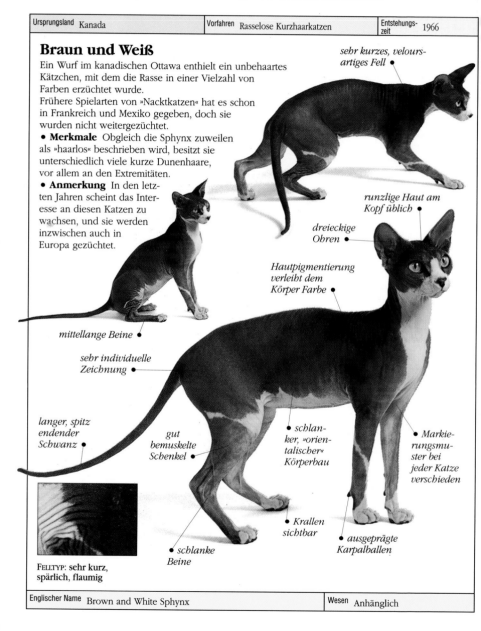

sehr kurzes, velours-artiges Fell •

• runzlige Haut am Kopf üblich

dreieckige Ohren •

Hautpigmentierung verleiht dem Körper Farbe •

mittellange Beine •

sehr individuelle Zeichnung •

langer, spitz endender Schwanz •

gut bemuskelte Schenkel •

schlan-ker, »orien-talischer« Körperbau •

• Markie-rungsmu-ster bei jeder Katze verschieden

• Krallen sichtbar

schlanke Beine •

• ausgeprägte Karpalballen

FELLTYP: **sehr kurz, spärlich, flaumig**

Englischer Name	Brown and White Sphynx	Wesen	Anhänglich

Ursprungsland Kanada	Vorfahren Rasselose Kurzhaarkatzen	Entstehungs-zeit 1966

Schwarz und Weiß

Die erste Sphynx hatte eine schwarz-weiße Mutter. Inzwischen wird die Rasse jedoch in vielerlei Farben und Zeichnungsmustern gezüchtet. Bei allen sollte jedoch die Augenfarbe zur Körperfarbe passen. Wegen der weitgehenden Haarlosigkeit sind die Tiere nicht nur kälteempfindlich, sondern auch bei heißem Wetter gefährdet, weil die weißen Regionen von Sonnenbrand bedroht sind.

• **Merkmale** Die Färbung wird durch die Haut erzeugt und durch die sparsame Behaarung verstärkt. Neugeborene Welpen haben meist ein dichteres Haarkleid, das mit zunehmendem Alter ausdünnt.

• **Anmerkung** Heute weiß man, daß der Haarmangel eine rezessive Mutation ist; das bedeutet, daß man die Katzen untereinander verpaaren muß, um ähnliche »haarlose« Nachkommen zu bekommen.

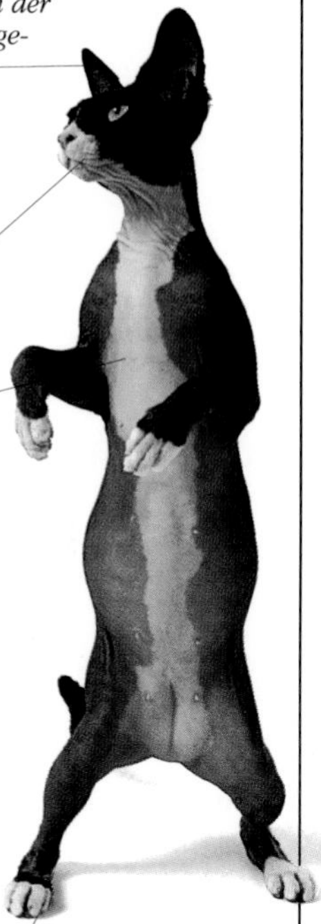

Ohren an der Spitze abgerundet •

Schnurrhaare können feblen •

rundliche, tonnenförmige Brust •

• Körper fühlt sich warm an

• typische Haltung mit erhobener und untergezogener Vorderpfote

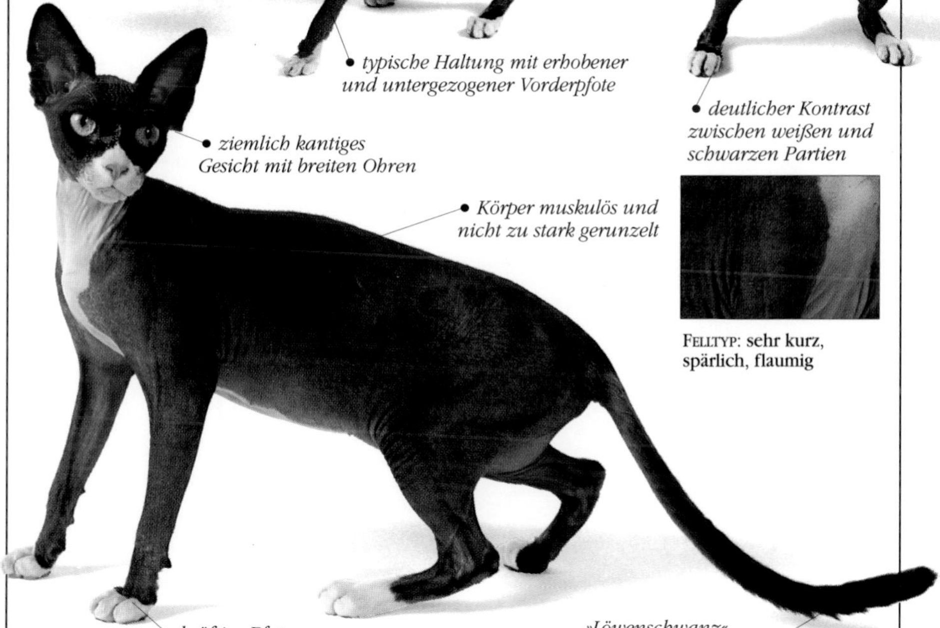

• ziemlich kantiges Gesicht mit breiten Ohren

• Körper muskulös und nicht zu stark gerunzelt

• deutlicher Kontrast zwischen weißen und schwarzen Partien

FELLTYP: **sehr kurz, spärlich, flaumig**

• kräftige Pfoten

»Löwenschwanz«, am Ende etwas länger behaart •

Englischer Name Black and White Sphynx	Wesen Anhänglich

Selkirk Rex

Es können immer wieder überraschend neue Mutationen auftreten, aus denen bei ausreichendem Interesse eine neue Rasse erzüchtet werden kann. Die Selkirk Rex ist einer der jüngsten Neuzugänge des Katzenrassenrepertoires; sie entstand 1987 in den USA. In diesem Jahr entdeckte Peggy Voorhees in Wyoming ein blaucreme-weißes Kätzchen in einem gewöhnlichen Hauskatzenwurf. Es hatte grüne Augen und ein ungewöhnliches Fell; das Haarkleid, einschließlich der Schnurrhaare, war gekräuselt, und die Ohrenbehaarung fühlte sich an wie Stahlwolle. Diese neue Rasse ist außerhalb der USA noch kaum bekannt.

Ursprungsland USA	Vorfahren Rasselose Kurzhaarkatzen	Entstehungszeit 1987

Blaucreme

Das ursprüngliche kraushaarige Kätzchen wurde mit 14 Monaten mit einem Schwarzen Perser gekreuzt, der dem Perserzüchter Jeri Newman gehörte. Von den 6 Nachkommen hatten 3 das gekräuselte Fell ihrer Mutter.

• **Merkmale** Bei dieser Rasse gibt es keine Farbbeschränkungen; ein wichtigeres Merkmal ist die Fellstruktur. Auf die Klarheit der Färbung wird jedoch Wert gelegt, wobei die Farbe der Augen der des Fells entsprechen muß. In diesem Fall ist das Haarkleid blau und cremefarben; die Augen sind tiefgolden bis kupferfarben.

• **Anmerkung** Das gekräuselte Fell deutet auf eine Rasse des Rextyps hin, doch es unterscheidet sich dadurch von den bestehenden Formen, daß es sich um ein dominantes Erbmerkmal handelt.

Kräuselung am Hals besonders ausgeprägt •

• rundlicher Kopf

• mittelgroße, weit auseinandergestellte Ohren mit abgerundeter Spitze

• große Pfoten

• rechteckiger, muskulöser Körper mit guter Farbe

mittellanger, dicker Schwanz, der sich zur Spitze hin verjüngt •

• lockere Kräuselung auf dem Schwanz

• die starkknochigen, muskulösen Beine tragen zum stämmigen Gesamteindruck bei

FELLTYP: dick, plüschig, gelockt

Englischer Name Blue-cream Selkirk Rex	Wesen Freundlich

Ursprungsland USA	Vorfahren Rasselose Kurzhaarkatzen	Entstehungs-zeit 1987

Schildpatt

Die Welpen werden mit krausem Fell geboren, das mit etwa 6 Monaten abgestoßen wird, woraufhin das Haarkleid eine Zeitlang spärlich und drahtig bleibt. Erst mit 8–10 Monaten entwickelt sich das rassetypische dicke, plüschige Fell.

• **Merkmale** Der Lockeneffekt zeigt sich sowohl im ziemlich derben Leithaar als auch in den Dunen- und Grannenhaaren. Die Schnurrhaare sind gleichfalls gekräuselt.

• **Anmerkung** Die Verteilung des Schildpattmusters ist, wie bei anderen Rassen auch, beliebig.

• *rundlicher Kopf mit vollen Wangen und einer kurzen, viereckigen Schnauze*

FELLTYP: **dick, plüschig, gelockt**

• *Körper hinten leicht überbaut*

• *locker hängendes Fell mit einzelnen Locken*

Fell von guter Dichte und weicher Textur •

• *deutliche Schildpattfärbung*

Englischer Name Tortoiseshell Selkirk Rex	Wesen Freundlich

Ursprungsland USA	Vorfahren Rasselose Kurzhaarkatzen	Entstehungs-zeit 1987

Schwarz-Schildpatt-Smoke

Verschiedene Rassen wurden bei der Zucht der Selkirk Rex eingekreuzt, unter anderem Britisch, Amerikanisch und Exotisch Kurzhaar sowie Perser. Andere Rexkatzen, etwa Cornish oder Devon Rex, dürfen nicht verwendet werden. Im August 1990 haben zwei amerikanische Zuchtverbände die Rasse anerkannt, deren Anhänger die Selkirk Rex Society gründeten.

• **Merkmale** Die weißen Unterhaare kontrastieren mit der schwarzen Spitzenfärbung und den Schildpattpartien im Fell.

• **Anmerkung** Beide Geschlechter haben kräftige Kinnbacken.

• *Ohrbüschel*

• *innen behaarte, weit auseinanderstehende Ohren*

FELLTYP: **dick, plüschig, gelockt**

• *runde, weit auseinandergestellte Augen*

• *Kätzinnen sind stets kleiner als Kater*

das Jungtierfell entwickelt sich nach 8–10 Monaten •

• *abgerundete Schwanzspitze* •

Englischer Name Black Tortie Smoke Selkirk Rex	Wesen Freundlich

Russisch Blau

Diese Katzen hießen anfangs »Archangel Blue« nach der russischen Hafenstadt Archangelsk, woher sie, vielleicht schon im 17. Jahrhundert, erstmals nach England gelangten. Sie wurden zunächst in derselben Klasse wie die Britisch Kurzhaar ausgestellt, doch 1912 als »Foreign Blue« abgetrennt. Etwa seit 1940 heißen sie allgemein »Russian Blue«. Neuerdings sind schwarze und weiße Schläge der Rasse erzüchtet worden.

Ursprungsland Rußland	Vorfahren Rasselose Kurzhaarkatzen	Entstehungszeit 19. Jh.

Blau

Die Zahl der Russisch Blauen ging nach dem Zweiten Weltkrieg drastisch zurück. Um die Rasse zu erhalten, hat man unter anderem Siam Blue-Point eingekreuzt, doch das Resultat waren Katzen vom eher orientalischen Typ. In den letzten Jahren bemühen sich die Züchter sehr um die Wiederherstellung des traditionellen Erscheinungsbildes.

• **Merkmale** Das Fell hat eine einmalige, seehundartige Textur. Die Farbe sollte ein einheitliches Mittelblau mit einem ausgeprägten Silberschimmer sein. Nasenspiegel und Ballen sind ebenfalls blau, außer bei Jungtieren, und die Augen sollten lebhaft smaragdgrün gefärbt sein.

• **Anmerkung** Russische Züchter wollen heute diese Rasse in ihrer Heimat wieder etablieren.

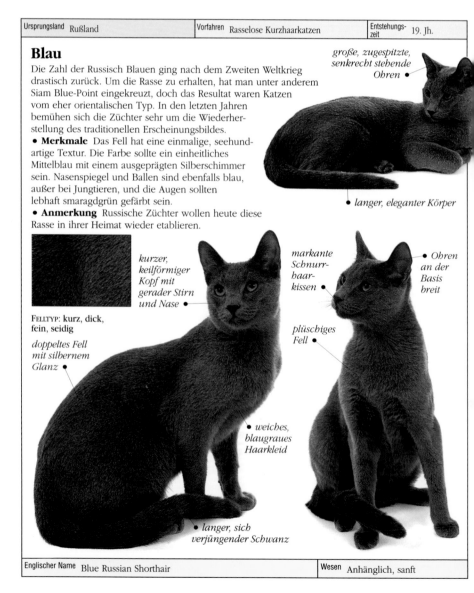

große, zugespitzte, senkrecht stehende Ohren •

• langer, eleganter Körper

kurzer, keilförmiger Kopf mit gerader Stirn und Nase •

markante Schnurrhaarkissen •

• Ohren an der Basis breit

FELLTYP: kurz, dick, fein, seidig

doppeltes Fell mit silbernem Glanz •

plüschiges Fell •

• weiches, blaugraues Haarkleid

• langer, sich verjüngender Schwanz

Englischer Name Blue Russian Shorthair	Wesen Anhänglich, sanft

Koratkatze

D ie nach der Provinz Korat im Nordosten Thailands benannten Katzen haben in dieser Weltregion offenbar eine sehr lange Geschichte. Die Rasse tauchte erstmals 1896 im Westen auf, doch die modernen Blutlinien gehen auf das Jahr 1959 zurück, als ein amerikanischer Züchter ein Pärchen erwarb. Heute werden Koratkatzen von Liebhabern in der ganzen Welt gehalten. Ein Rassezuchtverband entstand 1965.

Ursprungsland	Thailand	Vorfahren	Unbekannt	Entstehungszeit	14.–18. Jh.

Blau

Die Rasse wird in Thailand seit Jahrhunderten hochgeschätzt und ist in den »Katzenbuchgedichten« aus der Ayutthaya-Dynastie (1350–1767) belegt.

• **Merkmale** In diesen Gedichten heißt es, die Korat habe »glatte Haare mit Spitzen wie Wolken und Wurzeln wie Silber und Augen, die wie Tautropfen auf einem Lotusblatt schimmern«. Seit dem Auftritt der Korat im Westen sind die Züchter bestrebt, das traditionelle Erscheinungsbild der Rasse zu erhalten.

• **Anmerkung** Die Rasse wurde 1966 in den USA, 1975 in Großbritannien und 1982 von der FIFE anerkannt.

• runde, leuchtend grüne Augen

• mittellange Beine mit kleinen, ovalen Pfoten

große Ohren mit abgerundeten Spitzen •

• herzförmiger Kopf

• breite Stirn und sanft gebogenes Gesicht

spitz auslaufender Schwanz, am Ansatz schwer •

• mittellanger Schwanz mit gerundeter Spitze

silbern schimmerndes Fell •

• mittelgroßer, muskulöser Körper

FELLTYP: kurz, fein, eng anliegend

Englischer Name	Blue Korat	Wesen	Verspielt

Siamkatze

Die Siam mit ihrem keilförmigen Kopf und dem grazilen Körper ist eine der bekanntesten Rassekatzen. Merkwürdigerweise scheint sie etwas von ihrer Beliebtheit eingebüßt zu haben zugunsten der neuen Rassen, die in den letzten Jahren aus ihr herausgezüchtet worden sind. Charakteristisch für die Siam sind die Abzeichen: Die Extremitäten (Points) sind dunkler gefärbt als der übrige Körper.

Ursprungsland	Thailand	Vorfahren	Asiatische Hauskatzen	Entstehungs-zeit	14. Jh.

Creme-Point

Die Temperaturen im Lebensraum der Katzen haben einen direkten Einfluß auf die Pigmentierung: In einer relativ warmen Umgebung fallen die Abzeichen wahrscheinlich heller aus. Alle Siamesen werden reinweiß geboren; die dunklere Abzeichenfarbe entwickelt sich allmählich, und der volle Kontrast bildet sich erst mit ungefähr einem Jahr aus.

- **Merkmale** Rücken und Körperseiten sind hier blaß cremefarben, der übrige Körper ist weiß. Die Abzeichen haben einen dunkleren Cremeton, am deutlichsten an Ohren, Maske und Schwanz.
- **Anmerkung** Feine dunklere Sprenkelspuren auf dem rosigen Nasenspiegel und den Ballen werden nicht beanstandet. Zur Reinzucht werden Creme-Points untereinander verpaart.

FELLTYP: **sehr kurz, fein, glänzend**

leuchtend blaue Augen •

elegant geschwungener Hals und langer, geschmeidiger Körper •

• *feingemeißelte Schnauze*

• *Hinterbeine länger als Vorderbeine*

Augen zur Nase hin schräggestellt •

• *rosa Ballen*

• *aufmerksamer, intelligenter Gesichtsausdruck*

langer, spitz auslaufender Schwanz ohne Knickspuren •

Englischer Name	Cream Point Siamese	Wesen	Anhänglich

Ursprungsland Thailand	Vorfahren Asiatische Hauskatzen	Entstehungs- zeit 14. Jh.

Red-Point

Die Red-Points, ursprünglich »Orange-Points« genannt, lösten, als sie 1934 erstmals in England ausgestellt wurden, eine Kontroverse aus, weil sie nicht der herkömmlichen Siam-Färbung entsprachen. Man benutzte Rote Perser, um die rote Färbung einzubringen.

• **Merkmale** Die nach Weiß abgetönte Apricotfärbung des Rückens und der Körperseiten kontrastiert mit den hellen rötlichgoldenen Abzeichen. Schemenhafte Tabbymarkierungen können in der Maske sowie an Beinen und Schwanz vorkommen.

• **Anmerkung** In Nordamerika werden diese Katzen als Colourpoint-Kurzhaar angesehen.

FELLTYP: **sehr kurz, fein, glänzend**

• *gespitzte Ohren*

• *keilförmiger Kopf*

• *glattes, dicht anliegendes Fell*

• *langgestreckter Körper*

• *lange, schlanke Beine*

Englischer Name Red Point Siamese		Wesen Anhänglich

Ursprungsland Thailand	Vorfahren Asiatische Hauskatzen	Entstehungs- zeit 14. Jh.

Lilac-Point

Die erste Lilac-Point war vermutlich 1896 in England zu sehen, als auf einer Ausstellung eine »nicht ganz blaue« Siam disqualifiziert wurde.

• **Merkmale** Die rosagrauen Abzeichen heben sich von der magnolienweißen Körperfarbe ab. Die Augen sind leuchtend blau. Der Schwanz darf nicht stark geringt sein.

• **Anmerkung** In den USA sollte dieser Farbschlag einen eisfarbigen Körper haben, ohne jede Spur von Schattierung.

große Ohren mit breitem Ansatz •

FELLTYP: **sehr kurz, fein, glänzend**

vollständige Maske (außer bei Jungtieren), durch Farbspuren mit den Ohren verbunden •

»Latz« und Brust sind blaß gefärbt •

feingliedriger Knochenbau •

• *kleine, ovale Pfoten*

• *leichte Ringelung*

Englischer Name Lilac Point Siamese		Wesen Anhänglich

| Ursprungsland | Thailand | Vorfahren | Asiatische Hauskatzen | Entstehungs-zeit | 14. Jh. |

Blue-Point

Aus der Gruppe der traditionellen Siamschläge hat die Blue-Point seit den 1930er Jahren sehr viele Liebhaber gefunden.

• **Merkmale** Die Färbung ist sehr wichtig, doch die richtige Harmonie ist schwer zu erreichen. Die Einkreuzung von anderen Siam-Blutlinien kann dazu führen, daß der weiße Körper dunkler und die Abzeichen schiefergrau ausfallen.

• **Anmerkung** Dieser Siamschlag gilt als der anhänglichste und sanfteste.

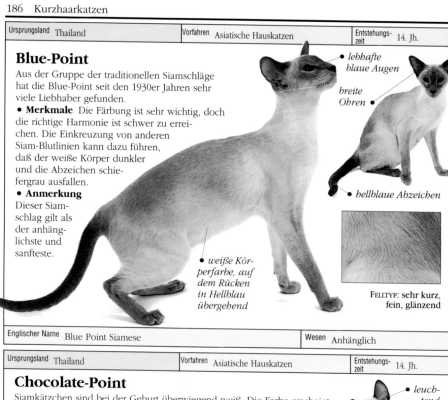

• lebhafte blaue Augen

breite Ohren •

• hellblaue Abzeichen

• weiße Körperfarbe, auf dem Rücken in Hellblau übergehend

FELLTYP: sehr kurz, fein, glänzend

| Englischer Name | Blue Point Siamese | Wesen | Anhänglich |

| Ursprungsland | Thailand | Vorfahren | Asiatische Hauskatzen | Entstehungs-zeit | 14. Jh. |

Chocolate-Point

Siamkätzchen sind bei der Geburt überwiegend weiß. Die Farbe erscheint zuerst an Ohren und Schwanz, wobei die Schokoladenfarbe sich oft erst mit etwa einem Jahr voll entwickelt. Frühreife Jungtiere besitzen häufig Abzeichen, die für Alttiere zu dunkel sind.

• **Merkmale** Die Abzeichen sollten milchschokoladenfarben, der Körper elfenbeinweiß sein. Die Ohren müssen den gleichen Farbton haben wie die anderen Abzeichen, während die Beine etwas heller sein dürfen. Dies ist allerdings nicht erwünscht.

• **Anmerkung** Das Chocolate-Gen war in frühen Seal-Points angelegt, aber diese Katzen sind erst seit den 1950er Jahren als Ausstellungstiere zugelassen.

• leuchtend blaue Augen

• milchschokoladenfarbener Schwanz

• schlanke Beine mit kleinen, ovalen Pfoten

• das dicht anliegende Fell betont den seidigen Glanz

• langer, sich verjüngender Schwanz

FELLTYP: sehr kurz, fein, glänzend

| Englischer Name | Chocolate Point Siamese | Wesen | Anhänglich |

| Ursprungsland | Thailand | Vorfahren | Asiatische Hauskatzen | Entstehungszeit | 14. Jh. |

Seal-Point

Dies ist die Traditionsfarbe der Siamesen, die man in Europa erstmals in den 1880er Jahren zu Gesicht bekam. Siamkatzen werden früh geschlechtsreif; Kätzinnen können schon mit 6 Monaten sexuell aktiv sein.
• **Merkmale** Gezeigt wird eine ältere Katze mit entsprechend dunklerer Färbung auf Rücken und Flanken. Die Abzeichen sind kräftig sealbraun und kontrastrieren mit den leuchtend blauen Augen.

keilförmiger Kopf •

Rücken dunkler gefärbt •

• **Anmerkung** Die ursprünglichen Siamkatzen, erstmals 1793 beschrieben von dem deutschen Forschungsreisenden P. S. Pallas, hatten ein runderes Gesicht als die heutigen.

FELLTYP:
sehr kurz, fein, glänzend

| Englischer Name | Seal Point Siamese | Wesen | Anhänglich |

| Ursprungsland | Thailand | Vorfahren | Asiatische Hauskatzen | Entstehungszeit | 14. Jh. |

Blue-Tortie-Point

Die Schildpattfärbung (Tortie) wurde durch Kurzhaarkatzen in Siamstämme eingekreuzt; die Siam-Merkmale hat man dann durch Selektionszucht erhalten.
• **Merkmale** Die Grundfarbe ist hier Weiß, mit einer Beimischung von Hellblau und Hellcreme auf Rücken und Seiten. Maske, Ohren, Bein, Pfoten und Schwanz sind blau mit cremefarbenen Flecken. Alle Abzeichen sollten eine gewisse Farbbrechung aufweisen, unabhängig vom Ausmaß der Creme-Markierungen.
• **Anmerkung** Wie bei Schildpatt üblich, ist dieser Farbschlag fast ausschließlich weiblich.

große, gespitzte Ohren •

mandelförmige Augen •

langer, geschmeidiger Körper •

Hinterbeine länger als Vorderbeine •

FELLTYP:
sehr kurz, fein, glänzend

| Englischer Name | Blue Tortie Point Siamese | Wesen | Anhänglich |

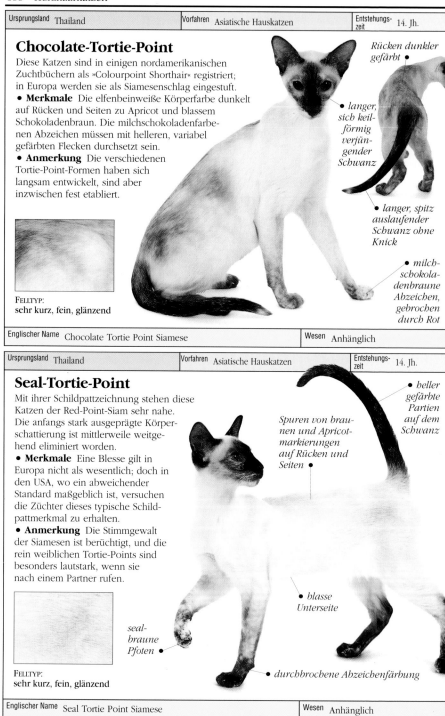

Ursprungsland Thailand	Vorfahren Asiatische Hauskatzen	Entstehungszeit 14. Jh.

Chocolate-Tortie-Point

Diese Katzen sind in einigen nordamerikanischen Zuchtbüchern als »Colourpoint Shorthair« registriert; in Europa werden sie als Siamesenschlag eingestuft.

• **Merkmale** Die elfenbeinweiße Körperfarbe dunkelt auf Rücken und Seiten zu Apricot und blassem Schokoladenbraun. Die milchschokoladenfarbenen Abzeichen müssen mit helleren, variabel gefärbten Flecken durchsetzt sein.

• **Anmerkung** Die verschiedenen Tortie-Point-Formen haben sich langsam entwickelt, sind aber inzwischen fest etabliert.

Rücken dunkler gefärbt •

• *langer, sich keilförmig verjüngender Schwanz*

• *langer, spitz auslaufender Schwanz ohne Knick*

• *milchschokoladenbraune Abzeichen, gebrochen durch Rot*

FELLTYP:
sehr kurz, fein, glänzend

Englischer Name Chocolate Tortie Point Siamese	Wesen Anhänglich

Ursprungsland Thailand	Vorfahren Asiatische Hauskatzen	Entstehungszeit 14. Jh.

Seal-Tortie-Point

Mit ihrer Schildpattzeichnung stehen diese Katzen der Red-Point-Siam sehr nahe. Die anfangs stark ausgeprägte Körperschattierung ist mittlerweile weitgehend eliminiert worden.

• **Merkmale** Eine Blesse gilt in Europa nicht als wesentlich; doch in den USA, wo ein abweichender Standard maßgeblich ist, versuchen die Züchter dieses typische Schildpattmerkmal zu erhalten.

• **Anmerkung** Die Stimmgewalt der Siamesen ist berüchtigt, und die rein weiblichen Tortie-Points sind besonders lautstark, wenn sie nach einem Partner rufen.

• *heller gefärbte Partien auf dem Schwanz*

Spuren von braunen und Apricotmarkierungen auf Rücken und Seiten •

• *blasse Unterseite*

sealbraune Pfoten •

• *durchbrochene Abzeichenfärbung*

FELLTYP:
sehr kurz, fein, glänzend

Englischer Name Seal Tortie Point Siamese	Wesen Anhänglich

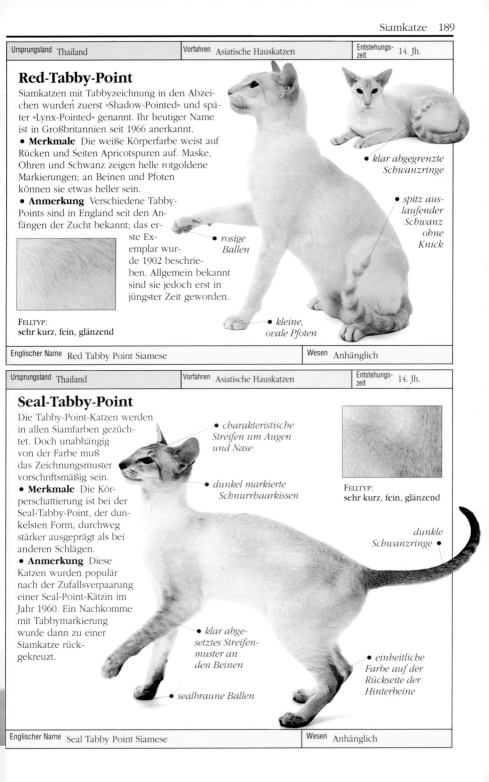

Ursprungsland Thailand	Vorfahren Asiatische Hauskatzen	Entstehungs-zeit 14. Jh.

Red-Tabby-Point

Siamkatzen mit Tabbyzeichnung in den Abzeichen wurden zuerst »Shadow-Pointed« und später »Lynx-Pointed« genannt. Ihr heutiger Name ist in Großbritannien seit 1966 anerkannt.
• **Merkmale** Die weiße Körperfarbe weist auf Rücken und Seiten Apricotspuren auf. Maske, Ohren und Schwanz zeigen helle rotgoldene Markierungen; an Beinen und Pfoten können sie etwas heller sein.
• **Anmerkung** Verschiedene Tabby-Points sind in England seit den Anfängen der Zucht bekannt; das erste Exemplar wurde 1902 beschrieben. Allgemein bekannt sind sie jedoch erst in jüngster Zeit geworden.

• *klar abgegrenzte Schwanzringe*

• *spitz auslaufender Schwanz ohne Knick*

• *rosige Ballen*

FELLTYP:
sehr kurz, fein, glänzend

• *kleine, ovale Pfoten*

Englischer Name Red Tabby Point Siamese	Wesen Anhänglich

Ursprungsland Thailand	Vorfahren Asiatische Hauskatzen	Entstehungs-zeit 14. Jh.

Seal-Tabby-Point

Die Tabby-Point-Katzen werden in allen Siamfarben gezüchtet. Doch unabhängig von der Farbe muß das Zeichnungsmuster vorschriftsmäßig sein.
• **Merkmale** Die Körperschattierung ist bei der Seal-Tabby-Point, der dunkelsten Form, durchweg stärker ausgeprägt als bei anderen Schlägen.
• **Anmerkung** Diese Katzen wurden populär nach der Zufallsverpaarung einer Seal-Point-Kätzin im Jahr 1960. Ein Nachkomme mit Tabbymarkierung wurde dann zu einer Siamkatze rückgekreuzt.

• *charakteristische Streifen um Augen und Nase*

• *dunkel markierte Schnurrhaarkissen*

FELLTYP:
sehr kurz, fein, glänzend

• *dunkle Schwanzringe*

• *klar abgesetztes Streifenmuster an den Beinen*

• *einheitliche Farbe auf der Rückseite der Hinterbeine*

• *sealbraune Ballen*

Englischer Name Seal Tabby Point Siamese	Wesen Anhänglich

| Ursprungsland | Thailand | Vorfahren | Asiatische Hauskatzen | Entstehungs-zeit | 14. Jh. |

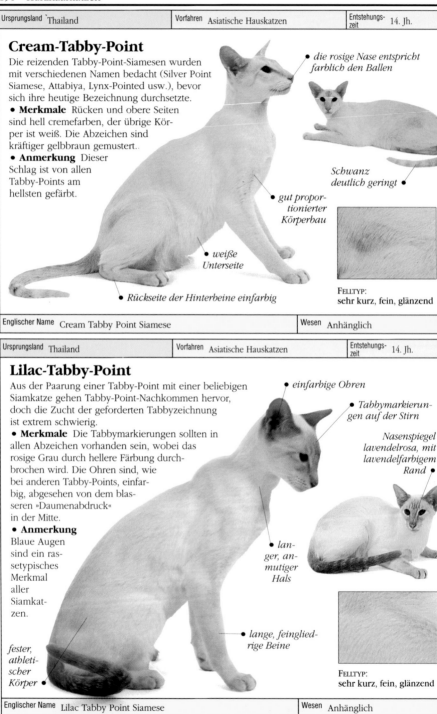

Cream-Tabby-Point

Die reizenden Tabby-Point-Siamesen wurden mit verschiedenen Namen bedacht (Silver Point Siamese, Attabiya, Lynx-Pointed usw.), bevor sich ihre heutige Bezeichnung durchsetzte.

• **Merkmale** Rücken und obere Seiten sind hell cremefarben, der übrige Körper ist weiß. Die Abzeichen sind kräftiger gelbbraun gemustert.

• **Anmerkung** Dieser Schlag ist von allen Tabby-Points am hellsten gefärbt.

• *die rosige Nase entspricht farblich den Ballen*

Schwanz deutlich geringt •

• *gut proportionierter Körperbau*

• *weiße Unterseite*

• *Rückseite der Hinterbeine einfarbig*

FELLTYP:
sehr kurz, fein, glänzend

| Englischer Name | Cream Tabby Point Siamese | Wesen | Anhänglich |

| Ursprungsland | Thailand | Vorfahren | Asiatische Hauskatzen | Entstehungs-zeit | 14. Jh. |

Lilac-Tabby-Point

Aus der Paarung einer Tabby-Point mit einer beliebigen Siamkatze gehen Tabby-Point-Nachkommen hervor, doch die Zucht der geforderten Tabbyzeichnung ist extrem schwierig.

• **Merkmale** Die Tabbymarkierungen sollten in allen Abzeichen vorhanden sein, wobei das rosige Grau durch hellere Färbung durchbrochen wird. Die Ohren sind, wie bei anderen Tabby-Points, einfarbig, abgesehen von dem blasseren »Daumenabdruck« in der Mitte.

• **Anmerkung** Blaue Augen sind ein rassetypisches Merkmal aller Siamkatzen.

• *einfarbige Ohren*

• *Tabbymarkierungen auf der Stirn*

Nasenspiegel lavendelrosa, mit lavendelfarbigem Rand •

• *langer, anmutiger Hals*

fester, athletischer Körper •

• *lange, feingliedrige Beine*

FELLTYP:
sehr kurz, fein, glänzend

| Englischer Name | Lilac Tabby Point Siamese | Wesen | Anhänglich |

Ursprungsland	Thailand	Vorfahren	Asiatische Hauskatzen	Entstehungs-zeit	14. Jh.

Blue-Tabby-Point

Sobald das Tabby-Point-Merkmal erzüchtet war, konnte es mit allen Siam-Abzeichenfarben kombiniert werden. Ein guter Kontrast ist am ehesten bei den Katzen mit dunkleren Abzeichen zu erzielen, auch wenn eine übermäßige Schattierung auftreten kann.

langer, sich verjüngender Schwanz •

• **Merkmale** Die Körperfarbe schwankt zwischen Bläulichweiß und Platingrau; die Unterseite ist viel heller. Die Abzeichen sollten blaugrau und mit blasseren Flecken durchsetzt sein.

• **Anmerkung** Mit zunehmendem Alter zeigen sich bei Tabby-Points oft Markierungen, etwa große Flecken oder weiße Bänder.

• leicht konvexes Profil; lange Nase ohne Stop

klar abgesetzte Streifen an den Beinen •

einfarbige Rückseite der Hinterbeine •

FELLTYP: sehr kurz, fein, glänzend

Englischer Name	Blue Tabby Point Siamese	Wesen	Anhänglich

Ursprungsland	Thailand	Vorfahren	Asiatische Hauskatzen	Entstehungs-zeit	14. Jh.

Chocolate-Tabby-Point

Das unverwechselbare »M« auf der Stirn ist ein Kennzeichen aller Tabby-Points, doch am markantesten ist es bei Katzen mit dunklen Abzeichen. Andere Tabbymerkmale müssen ebenfalls vorhanden sein, z.B. die »Bleistiftstriche«, die auf beiden Kopfseiten von den Augen ausgehen.

• große Ohren

• rosige Nase, schokoladenbraun gesäumt

• **Merkmale** Der elfenbeinfarbene Körper kann im Alter nachdunkeln. Die Abzeichen haben eine warme Milchschokoladenfarbe, durchbrochen von helleren Tönen, und sind in Form von Beinstreifen und Schwanzringen vorhanden. Die Augen sind leuchtend blau und dunkel gerandet.

• die Tabbymarkierungen und Abzeichenfarben sind bei Kätzchen noch nicht ausgebildet

• **Anmerkung** Die Tabby-Point Siam wurde erst 1966 in Großbritannien anerkannt.

• getöntes Elfenbeinweiß auf Rücken und Körperseiten

Beinmarkierungen blasser als andere Abzeichen •

FELLTYP: sehr kurz, fein, glänzend

dunkle Schwanzspitze •

Englischer Name	Chocolate Tabby Point Siamese	Wesen	Anhänglich

Ursprungsland Thailand	Vorfahren Asiatische Hauskatzen	Entstehungs-zeit 14. Jh.

Lilac-Tortie-Tabby-Point

Junge Tortie-Tabby-Points und Tortie-Points sind oft schwer zu unterscheiden, da beide Tabbymarkierungen in ihren Abzeichen aufweisen können. Diese werden manchmal in den ersten 6–8 Wochen nicht deutlich, und bis sie wieder verschwinden, kann es bei den Torties ein halbes Jahr dauern. In diesem Alter wird also eine Identifizierung möglich.

- **Merkmale** Die Schildpattfleckung ist hier cremefarben, aber Tortie-Tabby-Points ähneln im allgemeinen Tabby-Points mehr als Tortie-Points.
- **Anmerkung** In den USA heißen diese Katzen auch »Tortie Lynx Points«.

• breiter Ohren-ansatz

Flecken überlagern das Tabbymuster der Abzeichen •

• klar abgegrenzte Schwanzringe

• kleine, ovale Pfoten

FELLTYP: **sehr kurz, fein, glänzend**

Englischer Name Lilac Tortie Tabby Point Siamese	Wesen Anhänglich

Ursprungsland Thailand	Vorfahren Asiatische Hauskatzen	Entstehungs-zeit 14. Jh.

Blue-Tortie-Tabby-Point

Die Tabbyzeichnung ist hier recht deutlich, besonders in den cremefarbenen Körperpartien. Die auffällige Sprenkelung der Ohren macht es möglich, diese Varietät von der Blue-Tortie-Point zu unterscheiden.

- **Merkmale** Wie bei anderen Siamesen sollten die Augen tiefblau und zur Nase hin schräggestellt sein. Das Fell ist blaß, mit geringer Körpermarkierung. Die Unterseite ist heller als der übrige Körper. Die Nase und die Ballen sind nicht reinblau, sondern rosa gesprenkelt.
- **Anmerkung** Diese Katzen werden zuweilen als »Blue Tortie Lynx Points« bezeichnet.

Streifen auf dem Kopf •

einfarbige Markierung auf der Rückseite der Hinterbeine •

• durchbrochene Ringe an den Beinen

FELLTYP: **sehr kurz, fein, glänzend**

Englischer Name Blue Tortie Tabby Point Siamese	Wesen Anhänglich

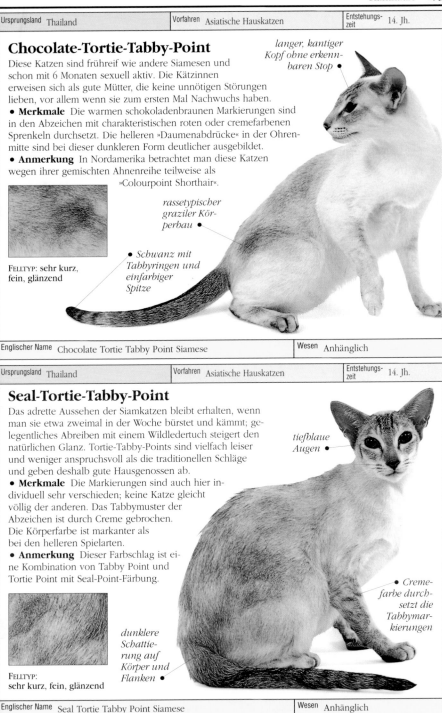

Ursprungsland Thailand	Vorfahren Asiatische Hauskatzen	Entstehungs-zeit 14. Jh.

Chocolate-Tortie-Tabby-Point

Diese Katzen sind frühreif wie andere Siamesen und schon mit 6 Monaten sexuell aktiv. Die Kätzinnen erweisen sich als gute Mütter, die keine unnötigen Störungen lieben, vor allem wenn sie zum ersten Mal Nachwuchs haben.

• **Merkmale** Die warmen schokoladenbraunen Markierungen sind in den Abzeichen mit charakteristischen roten oder cremefarbenen Sprenkeln durchsetzt. Die helleren »Daumenabdrücke« in der Ohrenmitte sind bei dieser dunkleren Form deutlicher ausgebildet.

• **Anmerkung** In Nordamerika betrachtet man diese Katzen wegen ihrer gemischten Ahnenreihe teilweise als »Colourpoint Shorthair«.

langer, kantiger Kopf ohne erkennbaren Stop •

rassetypischer graziler Körperbau •

FELLTYP: sehr kurz, fein, glänzend

• *Schwanz mit Tabbyringen und einfarbiger Spitze*

Englischer Name Chocolate Tortie Tabby Point Siamese	Wesen Anhänglich

Ursprungsland Thailand	Vorfahren Asiatische Hauskatzen	Entstehungs-zeit 14. Jh.

Seal-Tortie-Tabby-Point

Das adrette Aussehen der Siamkatzen bleibt erhalten, wenn man sie etwa zweimal in der Woche bürstet und kämmt; gelegentliches Abreiben mit einem Wildledertuch steigert den natürlichen Glanz. Tortie-Tabby-Points sind vielfach leiser und weniger anspruchsvoll als die traditionellen Schläge und geben deshalb gute Hausgenossen ab.

• **Merkmale** Die Markierungen sind auch hier individuell sehr verschieden; keine Katze gleicht völlig der anderen. Das Tabbymuster der Abzeichen ist durch Creme gebrochen. Die Körperfarbe ist markanter als bei den helleren Spielarten.

• **Anmerkung** Dieser Farbschlag ist eine Kombination von Tabby Point und Tortie Point mit Seal-Point-Färbung.

tiefblaue Augen •

• *Cremefarbe durchsetzt die Tabbymarkierungen*

FELLTYP: sehr kurz, fein, glänzend

dunklere Schattierung auf Körper und Flanken •

Englischer Name Seal Tortie Tabby Point Siamese	Wesen Anhänglich

Burmakatze

Die elegante Gestalt, das angenehme Wesen und die ständig wachsende Farbenvielfalt sind Grund genug für die Beliebtheit dieser Katzen. Die Burma verkörpert weder den extremen grazilen Schlanktyp der Siam noch den gedrungenen Typ der Britisch oder Europäisch Kurzhaar. In Nordamerika gezüchtete Tiere sind stämmiger gebaut und stehen auf etwas kürzeren Beinen als ihre europäischen Verwandten.

Ursprungsland	Thailand	Vorfahren	Rasselose Kurzhaarkatzen	Entstehungszeit	15. Jh.

Creme

Alle Burmakätzchen sind durchweg ziemlich blaß gefärbt und können auch leichte Tabbymarkierungen aufweisen. Bei der adulten Creme-Burma dürfen noch ein paar Tabbyspuren im Gesicht vorhanden sein. Andere feine Markierungen sind zugelassen, sofern sie nicht auf den Körperseiten und der Unterseite auftreten. Ein weißer Fleck gilt als schwerer Fehler.

- **Merkmale** Ausgefärbte Tiere sollten einen satten Cremeton haben. Die Ohren sind etwas dunkler gefärbt als der Rücken.
- **Anmerkung** Eine Zufallspaarung zwischen einem roten »Haustiger« und einer Blauen Burma begründete 1964 die Reinzucht dieses Farbschlags, der 1970 in Großbritannien anerkannt wurde.

FELLTYP: kurz, fein, glänzend

• Außenlinie der Ohren setzt die des Kopfes fort

• oberes Augenlid fällt zur Nase hin ab; unteres Lid gerundet

weit auseinanderstehende, goldgelbe Augen •

• kräftige, rundliche Brust

• schlanke Beine

muskulöser Körperbau •

gerader Schwanz, zur Spitze sich verjüngend •

Hinterbeine etwas länger als Vorderbeine •

rosige Ballen •

Englischer Name	Cream Burmese	Wesen	Verspielt

| Ursprungsland Thailand | Vorfahren Rasselose Kurzhaarkatzen | Entstehungs-zeit 15. Jh. |

Rot

Während in Europa die Zucht des roten und anderer Farbschläge betrieben wird, betrachten amerikanische Züchter den braunen als die einzig echte Burmakatze; andere Farben werden als »Malayans« abgetrennt.
• **Merkmale** Die Fellfarbe sollte ein helles Mandarinenrot sein; Tabbyspuren im Gesicht sind erlaubt.
• **Anmerkung** Die Rote harrt in Nordamerika noch der allgemeinen Anerkennung, selbst in der Malayan-Gruppe.

• *Ohren dunkler gefärbt als Rücken*

• *bernsteinfarbene Augen*

FELLTYP: **kurz, fein, glänzend**

• *muskulöser Körper*

• *rosa Nasenspiegel*

breite Wangenknochen •

mittellanger Schwanz •

| Englischer Name Red Burmese | Wesen Verspielt |

| Ursprungsland Thailand | Vorfahren Rasselose Kurzhaarkatzen | Entstehungs-zeit 15. Jh. |

Chocolate

Dieser Schlag, nicht zu verwechseln mit der Braunen Burmakatze, wird in Amerika meist »Champagne« genannt. Er gelangte erst in den späten 1960er Jahren aus den USA nach Großbritannien.
• **Merkmale** Die Grundfarbe ist ein warmes Milchschokoladenbraun, das auf der Unterseite etwas aufgehellt sein soll. Es sollte einheitlich und frei von Markierungen sein. Maske und Ohren dürfen dagegen etwas dunkler ausfallen als die übrigen Abzeichen.
• **Anmerkung** Das glatte Fell dieser und anderer Burmakatzen braucht wenig Pflege.

• *schokoladenbrauner Nasenspiegel*

• *Maske dunkler als Abzeichen*

• *mittellanger Schwanz mit abgerundeter Spitze*

FELLTYP: **kurz, fein, glänzend**

gerundete Brust •

zierliche, ovale Pfoten •

• *Schwanz etwas heller gefärbt als Gesicht*

| Englischer Name Chocolate Burmese | Wesen Verspielt |

| Ursprungsland | Thailand | Vorfahren | Rasselose Kurzhaarkatzen | Entstehungs-zeit | 15. Jh. |

Lilac

Aus Chocolate- und Braunen Burmakatzen, die 1969 aus den USA nach England kamen, ist dieser Farbschlag erzüchtet worden.
- **Merkmale** Die hellen Jungtiere verfärben sich allmählich zu einem zarten Taubengrau. Die zunächst blaßrosa Ballen werden lavendelrosa. Ohren und Maske dürfen kräftiger gefärbt sein als der übrige Körper.
- **Anmerkung** In den USA heißt diese Katze »Platinum Malayan«.

die spitzrunden Ohren sind leicht nach vorn gerichtet •

• *muskulöser, aber eleganter Hals*

• *rosa Ballen*

FELLTYP:
kurz, fein, glänzend

Hinterbeine etwas länger als Vorderbeine •

| Englischer Name | Lilac Burmese | Wesen | Verspielt |

| Ursprungsland | Thailand | Vorfahren | Rasselose Kurzhaarkatzen | Entstehungs-zeit | 15. Jh. |

Blau

Als diese Farbe 1955 in einem Burmawurf auftauchte, erregte sie großes Aufsehen. Das betreffende Kätzchen erhielt den schönen Namen »Sealcoat Blue Surprise«.
- **Merkmale** Das Blau ist eigentlich ein weiches Silbergrau, zuweilen als »Antiksilber« bezeichnet. Der Silberglanz sollte an Pfoten, Gesicht und Ohren am stärksten sein. Auf Rücken und Schwanz ist ein etwas dunklerer Ton erlaubt.
- **Anmerkung** Die Blaue Burma wurde 1970 in Großbritannien anerkannt.

• *glänzendes Fell ist ein Zeichen für Gesundheit*

• *silbern schimmernde Pfoten*

FELLTYP:
kurz, fein, glänzend

dunkelgrauer Nasenspiegel •

• *die hohen, breiten Wangenknochen verjüngen sich zu einem kurzen, stumpfen Keil*

| Englischer Name | Blue Burmese | Wesen | Verspielt |

| Ursprungsland | Thailand | Vorfahren | Rasselose Kurzhaarkatzen | Entstehungs-zeit | 15. Jh. |

Braun

Katzen des Burmatyps sind in Thailand seit Jahrhunderten bekannt, doch die Reinzucht der Rasse im Westen begann damit, daß eine braune Kätzin namens »Wong Mau«, die 1930 aus Burma (Birma) in die USA gelangte, mit einem Siamkater gekreuzt wurde.

● **Merkmale** Das Fell geschlechtsreifer Tiere sollte eine satte, warme sealbraune Färbung haben; die Unterseite ist nur ein wenig heller.

Maske und Ohren sind etwas dunkler als der Körper ●

● *gleichmäßige Färbung*

● **Anmerkung** Dies ist die ursprüngliche Form der Burmakatzen, die in Nordamerika als »Sable« (Zobel) bezeichnet wird.

FELLTYP: kurz, fein, glänzend

Schwanz ohne Knick oder Knoten ●

| Englischer Name | Brown Burmese | Wesen | Verspielt |

| Ursprungsland | Thailand | Vorfahren | Rasselose Kurzhaarkatzen | Entstehungs-zeit | 15. Jh. |

Chocolate-Schildpatt

Wie andere Schildpattkatzen ist auch dieser Schlag fast ausschließlich weiblich; etwaige Kater sind fast immer unfruchtbar.

● **Merkmale** Bei dieser Burma ist der Typ von entscheidender Bedeutung. Das Fell ist schokoladenbraun und rot sowie streifenfrei.

● **Anmerkung** Dieser Farbschlag wurde in den späten 1960er Jahren erzüchtet und ist noch immer ziemlich selten.

● *leicht gewölbter Oberkopf*

bernstein-farbene Augen ●

rote Flecken ●

● *abgerundete Schwanzspitze*

● *schokoladen-braune Partien*

Schwanz verjüngt sich auf der ganzen Länge ●

● *mittellanger, muskulöser, rundlicher Körper*

FELLTYP: kurz, fein, glänzend

● *zierliche, ovale Pfoten*

| Englischer Name | Chocolate Tortie Burmese | Wesen | Verspielt |

Ursprungsland Thailand	Vorfahren Rasselose Kurzhaarkatzen	Entstehungs-zeit 15. Jh.

Lilac-Schildpatt

Wie bei Burmakatzen üblich, ist auch hier die Unterseite etwas heller gefärbt als der Rücken. Vereinzelte weiße Haare im Fell werden nicht beanstandet, weiße Flecken jedoch als schwerer Fehler bewertet. Das Fell besitzt einen natürlichen Glanz, der die elegante Erscheinung hervorhebt.

• **Merkmale** Die Färbung sollte eine Kombination von Lilac und Creme sein, weshalb die Spielart auch als Lilac-Creme bezeichnet wird. Streifen im Fell sind verpönt, aber bei der Farbe selbst sind erhebliche Schwankungen zugelassen. Wie bei anderen Schildpattkatzen kann sich das Haarkleid aus mehreren getrennten Farben zusammensetzen.

• **Anmerkung** Bei Schildpatt-Burmakatzen wird auf die Färbung weniger Wert gelegt als auf den Typ.

• *Schädel oben nur leicht gewölbt*

• *weit auseinanderstehende Augen; das obere Lid zur Nase hin abfallend, das untere gerundet*

FELLTYP:
kurz, fein, glänzend

• *mittellanger, muskulöser Körper*

gerader, knickfreier Schwanz •

• *reizvolle Farbenmischung*

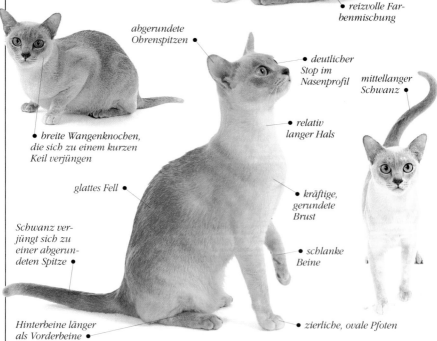

abgerundete Ohrenspitzen •

• *deutlicher Stop im Nasenprofil*

mittellanger Schwanz •

• *relativ langer Hals*

• *breite Wangenknochen, die sich zu einem kurzen Keil verjüngen*

glattes Fell •

• *kräftige, gerundete Brust*

Schwanz verjüngt sich zu einer abgerundeten Spitze •

• *schlanke Beine*

• *zierliche, ovale Pfoten*

Hinterbeine länger als Vorderbeine •

Englischer Name Lilac Tortie Burmese	Wesen Verspielt

Ursprungsland Thailand	Vorfahren Rasselose Kurzhaarkatzen	Entstehungszeit 15. Jh.

Blau-Schildpatt

Die Jungtiere sind vergleichsweise blaß gefärbt und zeigen oft Tabbysspuren.
● **Merkmale** Das Haarkleid ist blau und cremefarben gemustert, aber frei von sichtbaren Streifen. Der Nasenspiegel sollte einfarbig oder blau und rosa gefleckt sein.
● **Anmerkung** Auch bei diesem Schlag sind die Tiere fast durchweg weiblich und die wenigen Kater steril.

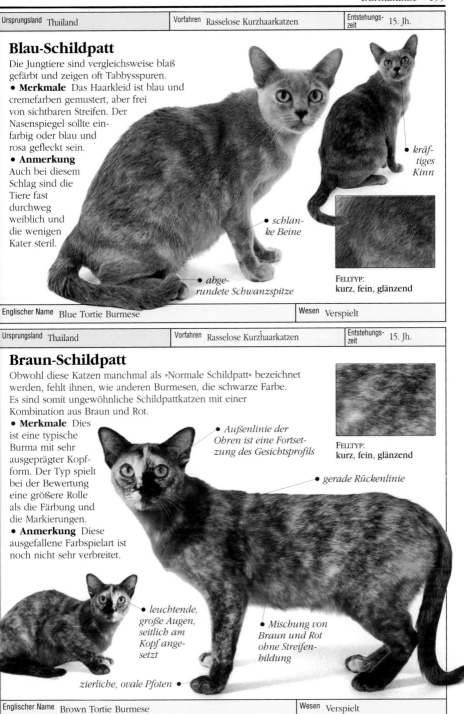

kräftiges Kinn

schlanke Beine

● *abgerundete Schwanzspitze*

FELLTYP: kurz, fein, glänzend

Englischer Name Blue Tortie Burmese	Wesen Verspielt

Ursprungsland Thailand	Vorfahren Rasselose Kurzhaarkatzen	Entstehungszeit 15. Jh.

Braun-Schildpatt

Obwohl diese Katzen manchmal als »Normale Schildpatt« bezeichnet werden, fehlt ihnen, wie anderen Burmesen, die schwarze Farbe. Es sind somit ungewöhnliche Schildpattkatzen mit einer Kombination aus Braun und Rot.
● **Merkmale** Dies ist eine typische Burma mit sehr ausgeprägter Kopfform. Der Typ spielt bei der Bewertung eine größere Rolle als die Färbung und die Markierungen.
● **Anmerkung** Diese ausgefallene Farbspielart ist noch nicht sehr verbreitet.

● *Außenlinie der Ohren ist eine Fortsetzung des Gesichtsprofils*

FELLTYP: kurz, fein, glänzend

● *gerade Rückenlinie*

● *leuchtende, große Augen, seitlich am Kopf angesetzt*

● *Mischung von Braun und Rot ohne Streifenbildung*

zierliche, ovale Pfoten ●

Englischer Name Brown Tortie Burmese	Wesen Verspielt

Tonkanese

Einiges deutet darauf hin, daß die erste Tonkanese (Tonkinese), die im Westen auftauchte, als Begründerin der Burma-Blutlinie aufgefaßt wurde. Zweifellos besteht eine enge Beziehung zwischen Tonkanesen und Burmesen; die ersteren gelten als Burma Siam-Hybriden. In den 1960er Jahren, der Frühzeit der Tonkanesenzucht, erhielten sie den Namen »Golden Siam«, weil sie die typische goldene Bronze-Sepia-Färbung der Burma haben, die mit den Abzeichenfarben der Siam kontrastieren. Die Tonkanese wurde zuerst in Kanada anerkannt, 1972 dann auch in den USA, in Europa jedoch noch nicht.

Ursprungsland	Birma	Vorfahren	Burma × Siam	Entstehungszeit	1930er Jahre

Creme

Die Zucht dieser Katzen dreht sich heute um die Tonkanese-Blutlinien, und in jedem Wurf fällt ein Prozentsatz sowohl von Burma- als auch von Siamwelpen an.

- **Merkmale** Die Zahl der zugelassenen Farben schwankt erheblich. In Großbritannien akzeptiert die Cat Association heute Tonkanesen in dem Farbenspektrum, das bereits innerhalb der Burmarasse besteht.
- **Anmerkung** Die Abzeichen sind etwas dunkler als die Körperfarbe.

- *geschmeidiger, muskulöser, mittelgroßer Körper*

weit auseinanderstehende Ohren, an der Basis breit und mit ovaler Spitze •

- *blaugrüne Augen*

cremefarbenes, auf der Unterseite helleres Fell mit dunkleren Abzeichen •

- *relativ lange, schlanke Beine*

FELLTYP: kurz, glänzend, weich, eng anliegend

• *langer, sich verjüngender Schwanz*

Englischer Name	Cream Tonkinese	Wesen	Aktiv, anhänglich

Ursprungsland Birma	Vorfahren Burma × Siam	Entstehungs-zeit 1930er Jahre

Lilac

In einem vierköpfigen Wurf von Tonkanesen-Eltern fallen im Schnitt 2 Tonkanesen, 1 Siam und 1 Burma an. Manche Tonkanesen-Eltern bringen jedoch auch Würfe ohne Tonkanesen-Junges hervor.

- **Merkmale** Die Körperfarbe ist ein zartes Taubengrau, das zwischen der dunklen Burma- und der helleren Siam-Färbung liegt. Die Abzeichen sind dunkel rosagrau gefärbt.
- **Anmerkung** Die Kätzchen sind heller als adulte Tiere, haben aber auffällige Abzeichen.

FELLTYP: **kurz, glänzend, weich, eng anliegend**

kleine Einbuchtung

blaßlila Kätzchen

Körperbau zwischen Siam und Burma

schön geformte Pfoten

dunklere Abzeichen

Englischer Name Lilac Tonkinese	Wesen Aktiv, anhänglich

Ursprungsland Birma	Vorfahren Burma × Siam	Entstehungs-zeit 1930er Jahre

Blau

Die anerkannten Tonkanesen-Farben werden in den USA unter dem Oberbegriff »Mink« (Nerz) zuammengefaßt. Die hier gezeigte Katze heißt also »Blue Mink«, was sich sowohl auf die Felltextur als auch auf die sanfte Farbe bezieht.

- **Merkmale** Ein Kennzeichen der Tonkanesen ist die Kopfform, die einem Keil ähnelt; die Schnauze ist viereckig. Das Nasenprofil ist leicht eingebuchtet. Das Fell ist weich blau bis blaugrau getönt. Die Abzeichenfarbe ist ein dunkleres Blaugrau.
- **Anmerkung** Es kann 2 Jahre dauern, bis die adulte Färbung voll entwickelt ist und den idealen geringen Kontrast zeigt.

glatter Körperumriß

FELLTYP: **kurz, glänzend, weich, eng anliegend**

schlanker Hals

die Welpenfarbe verändert sich noch

Hinterbeine etwas länger als Vorderbeine

Englischer Name Blue Tonkinese	Wesen Aktiv, anhänglich

Ursprungsland	Birma	Vorfahren	Burma × Siam	Entstehungs-zeit	1930er Jahre

Braun

Dieser in Amerika oft »Natural Mink« genannte Schlag gibt wie die anderen Tonkanesen einen guten Hausgenossen ab. Die Neigung zu Umherstreunen kann ihnen jedoch in der Stadt gefährlich werden.
• **Merkmale** Die dunkel schokoladenfarbenen Abzeichen heben sich hier vom warmen Braun des Körpers ab.
• **Anmerkung** Der Körperbau der Tonkanesen ist eine Zwischenform zwischen dem schlanken Siam- und dem stämmigeren Burmatyp.

FELLTYP: **kurz, glänzend, weich, eng anliegend**

• *mandelförmige Augen*

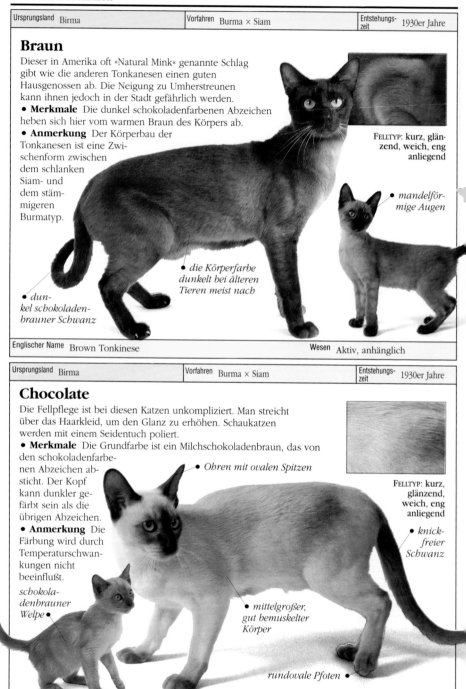

• *die Körperfarbe dunkelt bei älteren Tieren meist nach*

• *dunkel schokoladenbrauner Schwanz*

Englischer Name	Brown Tonkinese	Wesen	Aktiv, anhänglich

Ursprungsland	Birma	Vorfahren	Burma × Siam	Entstehungs-zeit	1930er Jahre

Chocolate

Die Fellpflege ist bei diesen Katzen unkompliziert. Man streicht über das Haarkleid, um den Glanz zu erhöhen. Schaukatzen werden mit einem Seidentuch poliert.
• **Merkmale** Die Grundfarbe ist ein Milchschokoladenbraun, das von den schokoladenfarbenen Abzeichen absticht. Der Kopf kann dunkler gefärbt sein als die übrigen Abzeichen.
• **Anmerkung** Die Färbung wird durch Temperaturschwankungen nicht beeinflußt.

schokoladenbrauner Welpe

• *Ohren mit ovalen Spitzen*

FELLTYP: **kurz, glänzend, weich, eng anliegend**

• *knickfreier Schwanz*

• *mittelgroßer, gut bemuskelter Körper*

• *rundovale Pfoten*

Englischer Name	Chocolate Tonkinese	Wesen	Aktiv, anhänglich

Ursprungsland Birma	Vorfahren Burma × Siam	Entstehungs-zeit 1930er Jahre

Lilac-Schildpatt

Zu den auffälligsten Kennzeichen der Tonkanesen gehört die Augenfarbe, im Idealfall ein Blaugrün, das manchmal Aquamarin genannt wird.

• **Merkmale** Hier sind die Lilac-Abzeichen von unterschiedlich großen Crememarkierungen durchbrochen. Die Andeutung einer Blesse ist fehlerhaft.

• **Anmerkung** Intensität, Klarheit und Leuchtkraft der Augenfarbe sind wesentliche Bewertungskriterien.

ovale Ohrenspitzen

Augen unten gerundet, zum Außenrand der Ohren leicht schräggestellt

FELLTYP: **kurz, glänzend, weich, eng anliegend**

gerader Schwanz

Englischer Name Lilac Tortie Tonkinese	Wesen Aktiv, anhänglich

Ursprungsland Birma	Vorfahren Burma × Siam	Entstehungs-zeit 1930er Jahre

Braun-Schildpatt

eleganter, gut bemuskelter Körper

Die Tonkanesen wirken zwar leicht, sind aber viel schwerer als ihre Siam-Verwandten. Die Abzeichen müssen sich deutlich von der Körperfarbe abheben. Jungtiere sind erst mit etwa 1 Jahr voll ausgefärbt.

• **Merkmale** Die Körperfarbe ist ein einheitlicher warmer Braunton. Die Abzeichen sind etwas dunkler und mit cremefarbenen Flecken durchsetzt.

• **Anmerkung** Jungtiere sind häufig gestreift, was sich jedoch mit etwa 1 Jahr verlieren sollte. Den Kätzchen fehlen auch die Farbpartien, die bei adulten Tieren Maske und Ohren miteinander verbinden.

hohe Wangenknochen

straffer Unterleib

FELLTYP: **kurz, glänzend, weich, eng anliegend**

ziemlich langer Schwanz, sich zur Spitze hin verjüngend

ovale, zierliche Pfoten

Englischer Name Brown Tortie Tonkinese	Wesen Aktiv, anhänglich

Burmilla

Diese neue Züchtung ist in Großbritannien am bekanntesten, wo ihre Zucht in den frühen 1980er Jahren begann. Es ist eine Agouti-Rasse, die in silbernen und goldenen Schlägen mit Spitzenfärbung oder Schattierung gezüchtet wird. Durch sorgfältige Einkreuzungen ist das kurze, dichte und weiche Fell zustande gekommen.

Ursprungsland	Großbritannien	Vorfahren	Burma × Chinchilla-Perser	Entstehungszeit	1981

Chocolate-Tipped

Die Nachkommen einer ungeplanten Verpaarung eines silbernen Chinchilla-Persers mit einer Lilac-Burma bildeten den Grundstock der Burmilla. Die Besitzerin, Baroness Miranda von Kirchberg, entwickelte ein Zuchtprogramm mit dem Ziel, Katzen vom Typ der Burma mit der Spitzenfärbung der Chinchilla zu erzüchten. Burmillas wurden erstmals 1983 auf einer Ausstellung der Cat Association gezeigt.

• **Merkmale** Die Spitzenfärbung ist hier schokoladenbraun, das Unterhaar silbern. Am kräftigsten gefärbt sind Rücken und Schwanz; die Flanken sind aufgehellt.

• **Anmerkung** Eine leichte Fleckung des Bauchs ist erlaubt.

• *die dunklen »Halsbänder« sollten durchbrochen sein*

• *M-förmiges Zeichen auf dem Kopf*

deutlicher Stop •

• *stolz getragener Schwanz*

gleichmäßige und symmetrische Spitzenfärbung •

FELLTYP: kurz, fein, weich, eng anliegend

gut bemuskelter Körper •

• *schokoladenbrauner Sohlenstreifen*

• *leicht geringter Schwanz mit dunkler Spitze*

• *die Körperschattierung sollte von Tabbymarkierungen möglichst frei sein*

Englischer Name	Chocolate Tipped Burmilla	Wesen	Aktiv, freundlich

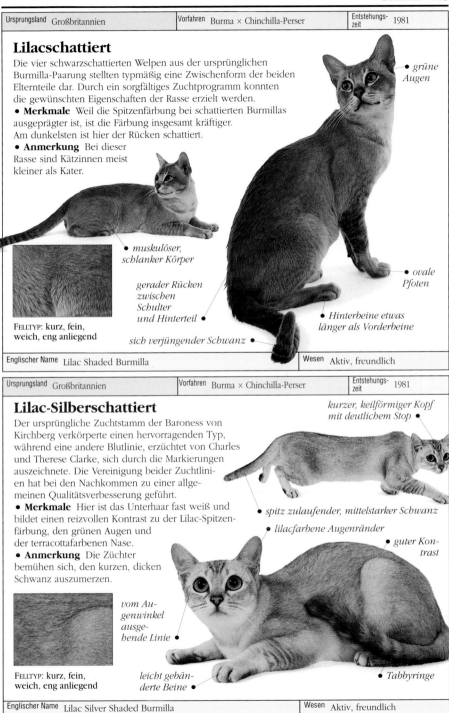

Ursprungsland	Großbritannien	Vorfahren	Burma × Chinchilla-Perser	Entstehungs-zeit	1981

Lilacschattiert

Die vier schwarzschattierten Welpen aus der ursprünglichen Burmilla-Paarung stellten typmäßig eine Zwischenform der beiden Elternteile dar. Durch ein sorgfältiges Zuchtprogramm konnten die gewünschten Eigenschaften der Rasse erzielt werden.

• **Merkmale** Weil die Spitzenfärbung bei schattierten Burmillas ausgeprägter ist, ist die Färbung insgesamt kräftiger. Am dunkelsten ist hier der Rücken schattiert.

• **Anmerkung** Bei dieser Rasse sind Kätzinnen meist kleiner als Kater.

• *grüne Augen*

• *muskulöser, schlanker Körper*

gerader Rücken zwischen Schulter und Hinterteil •

• *ovale Pfoten*

• *Hinterbeine etwas länger als Vorderbeine*

sich verjüngender Schwanz •

FELLTYP: **kurz, fein, weich, eng anliegend**

Englischer Name	Lilac Shaded Burmilla	Wesen	Aktiv, freundlich

Ursprungsland	Großbritannien	Vorfahren	Burma × Chinchilla-Perser	Entstehungs-zeit	1981

Lilac-Silberschattiert

Der ursprüngliche Zuchtstamm der Baroness von Kirchberg verkörperte einen hervorragenden Typ, während eine andere Blutlinie, erzüchtet von Charles und Therese Clarke, sich durch die Markierungen auszeichnete. Die Vereinigung beider Zuchtlinien hat bei den Nachkommen zu einer allgemeinen Qualitätsverbesserung geführt.

• **Merkmale** Hier ist das Unterhaar fast weiß und bildet einen reizvollen Kontrast zu der Lilac-Spitzenfärbung, den grünen Augen und der terracottafarbenen Nase.

• **Anmerkung** Die Züchter bemühen sich, den kurzen, dicken Schwanz auszumerzen.

kurzer, keilförmiger Kopf mit deutlichem Stop •

• *spitz zulaufender, mittelstarker Schwanz*

• *lilacfarbene Augenränder*

• *guter Kontrast*

vom Augenwinkel ausgehende Linie •

FELLTYP: **kurz, fein, weich, eng anliegend**

leicht gebänderte Beine •

• *Tabbyringe*

Englischer Name	Lilac Silver Shaded Burmilla	Wesen	Aktiv, freundlich

| Ursprungsland Großbritannien | Vorfahren Burma × Chinchilla-Perser | Entstehungs-zeit 1981 |

Light-Chocolate-Tipped

Die Intensität der Spitzenfärbung (oder Schattierung) bleibt nicht lebenslang gleich; die Färbung wird mit zunehmendem Alter dunkler.
• **Merkmale** Die Form der Augen ist ein wichtiges Merkmal; sie müssen rund bis mandelförmig sein. Fast wie bei den Orientalen sind sie zur Nase hin leicht schräg gestellt. Die Spitzenfärbung entspricht hier der satten Schokoladenfarbe der Burmakatzen.
• **Anmerkung** Burmillas sind bei der Geburt etwas heller.

M-förmige Markierung •

FELLTYP: **kurz, fein, weich, eng anliegend**

• *schokoladenbraune Spitzenfärbung*

• *Tabby-markie-rungen*

• *muskulöse Beine verweisen auf die Burma-Vorfahren*

• *farbige Schwanzspitze*

| Englischer Name Light Chocolate Tipped Burmilla | Wesen Aktiv, freundlich |

| Ursprungsland Großbritannien | Vorfahren Burma × Chinchilla-Perser | Entstehungs-zeit 1981 |

Brown-Tipped

Bei der Burmilla wurden auch die Wesenseigenschaften in den Standard aufgenommen, der bei der Bewertung angewendet wird - eine relativ neue Entwicklung im Katzenzuchtwesen.
• **Merkmale** Eine braune Spitzenfärbung, abgehoben vom silbernen Unterhaar, kennzeichnet diese Katze. Die Intensität der Spitzenfärbung ist jedoch von untergeordneter Bedeutung, sofern sie gleichmäßig ist. Sehr helle Töne sind unerwünscht, weil sie praktisch weiß wirken.
• **Anmerkung** Die britische Cat Association hat die Burmilla 1983 anerkannt.

grüne Augen •

• *weit auseinander-stehende Ohren, die von vorn gesehen Schmetterlingsflügeln gleichen*

FELLTYP: **kurz, fein, weich, eng anliegend**

Tabbymarkierungen •

| Englischer Name Brown Tipped Burmilla | Wesen Aktiv, freundlich |

Asian

Unter »Asian« versteht man Katzen des traditionellen Burmatyps, die sich in Färbung, Musterung oder Haarlänge von diesem unterscheiden. Der Name selbst wird jedoch nur für die Asian-Smokekatzen und -Tabbys verwendet, die gestromt, getigert, getupft und mit Ticking (Bänderung) gezüchtet werden; die »Asian« oder »asiatische« Gruppe, wie sie vom britischen GCCF aufgestellt wurde, umfaßt dagegen noch weitere Rassen, darunter die Burmilla, Bombay und Tiffanie, die alle einen ähnlichen Typ verkörpern. Die Singapura kommt vielleicht noch hinzu, sobald sie sich besser durchgesetzt hat.

Ursprungsland	Großbritannien	Vorfahren	Burma × Chinchilla-Perser	Entstehungs-zeit	1981

Braungetigert

Die Asian-Tabbygruppe enthält ein gewaltiges Zuchtpotential, da solche Katzen in allen Tabbymustern und in einem großen Farbenspektrum und sogar in Schildpattkombinationen gezüchtet werden können.

• **Merkmale** Die getigerte Asian ist auffälliger gezeichnet als die gestromte. Wie bei dieser verläuft eine Linie über den Rücken bis zur Schwanzspitze, außerdem ziehen sich hier schmale senkrechte Streifen über die Seiten, jedoch ohne Flecken auf den Flanken. Bei Asian-Tabbys mit Ticking (Bänderung) ist die Zahl der Markierungen stark reduziert, und auch die getupfte Form ist mühelos zu erkennen.

• **Anmerkung** Ein guter Kontrast zwischen der dunklen Tigerung und der helleren Grundfarbe ist wichtig.

• *Ohren leicht nach vorne geneigt*

• *Weit auseinanderstehende Ohren*

• *deutlicher Stop*

• *M-förmige Markierung auf dem Kopf*

ovale Pfoten •

• *mittellanger Körper*

eleganter mittelstarker Schwanz •

zierliche, geschlossene Pfoten •

• *Hinterbeine länger als Vorderbeine*

Felltyp: kurz, fein, weich, eng anliegend

Englischer Name	Brown Mackerel Tabby Asian	Wesen	Aktiv, freundlich

Ursprungsland Großbritannien	Vorfahren Burma × Chinchilla-Perser	Entstehungs- zeit 1981

Rot (Cornelian)

Die Kategorie »Asian« wurde geschaffen für Katzen von »halb-orientalischem« Aussehen, die im Typ der Burma ähneln.

• **Merkmale** Einfarbige Asians, so wie die hier abgebildete, sind derzeit in England erst vorläufig anerkannt.

• **Anmerkung** »Cornelian« ist der Name, der für diese einfarbige Katze für den Fall der formellen Anerkennung vorgeschlagen wurde.

gerader Rücken •

FELLTYP: kurz, fein, weich, eng anliegend

langer Schwanz •

rosa Nasen-spiegel •

zierliche, ovale Pfoten •

kräftige Hinterbeine •

Englischer Name Red (Cornelian) Asian	Wesen Aktiv, freundlich

Ursprungsland Großbritannien	Vorfahren Burma × Chinchilla-Perser	Entstehungs- zeit 1981

Burmesenbraun-Smoke

Die Gruppe Asian-Smoke umfaßt Tiere mit Burme-senfärbung, wie sie dieses Exemplar zeigt. Die Unter-wolle sollte weiß oder weißlich sein.

• **Merkmale** Die braune Spitzenfärbung sollte das Haar zu einem Drittel bis zur Hälfte bedecken. Blasse Tab-bymarkierungen müssen am Körper erkennbar sein; Silber-spuren finden sich am Kopf.

• **Anmerkung** In einigen Fäl-len sind die Ohren mit kleinen Haarpin-seln verse-hen.

stolz getragener Schwanz •

• *hellere Runzelmarkierungen am Kopf und silbern umrandete Augen*

• *gut bemus-kelte Hin-terbeine*

• *geschmeidiger Körper*

• *schemen-hafte Tabby-markierungen an den Beinen*

FELLTYP: kurz, fein, weich, eng anliegend

Englischer Name Burmese-Brown Smoke Asian	Wesen Aktiv, freundlich

Ursprungsland Großbritannien	Vorfahren Burma × Chinchilla-Perser	Entstehungs-zeit 1981

Chocolate-Smoke

Die Asians sind im allgemeinen etwas leiser als die Burma-Verwandten, doch ihre Stimmen können dennoch recht laut sein; das gilt insbesondere für rollige Kätzinnen, die nach einem Partner rufen.

• **Merkmale** Der Kontrast zwischen dem schokoladenbraunen Deckhaar und der weißlichen Grundfarbe wird sichtbar, wenn man das Fell teilt. Sehr feine Tabbymarkierungen sind vorhanden. Die großen weit auseinandergestellten Augen erhöhen den Reiz dieser freundlichen Katzen.

• **Anmerkung** Blassere Fellpartien werden akzeptiert, weiße Stellen jedoch als Fehler beanstandet.

FELLTYP: **kurz, fein, weich, eng anliegend**

• *kräftige, gerundete, mittelbreite Brust*

• *der Kontrast des Smoke-Musters kommt besser zum Vorschein, wenn sich die Katze bewegt*

• *sich verjüngender Schwanz*

Englischer Name Chocolate Smoke Asian	Wesen Aktiv, freundlich

Ursprungsland Großbritannien	Vorfahren Burma × Chinchilla-Perser	Entstehungs-zeit 1981

Schwarz-Smoke

Der Kontrast zwischen den verschiedenen Farben ist bei diesem Schlag ausgeprägter. Wie bei anderen Asians entspricht die Farbe von Nase, Ballen und Augenrändern der des Deckhaars.

• **Merkmale** Der Smoke-Effekt, bedingt durch den Kontrast zwischen der weißlichen Grundfarbe und dem pechschwarzen Haar, ist hier deutlich zu erkennen. Die blasse Tabbyzeichnung erweckt den Eindruck von moirierter Seide.

• **Anmerkung** Die silbernen Markierungen um die Augen der Asians werden als »Clownsgesicht« bezeichnet.

• *sanft gewölbter Schädel zwischen den großen Ohren*

• *mittelstarker, sich verjüngender Schwanz*

• *die hellere Unterwolle ist auf dem Rücken weniger sichtbar als auf der Unterseite*

FELLTYP: **kurz, fein, weich, eng anliegend**

ovale Pfoten •

Englischer Name Black Smoke Asian	Wesen Aktiv, freundlich

Bombaykatze

Diese unverwechselbare Rasse wurde 1958 von Nikki Horner aus Kentucky erzüchtet. Das Zuchtziel war eine Katze, die einem verkleinerten Schwarzen Panther ähneln sollte. Sie verkörpert einen Übergangstyp, doch inzwischen bildet sich zwischen den in den USA entstandenen Originalen und den in England gezüchteten Tieren ein merklicher Unterschied heraus, der sich aus dem unterschiedlichen Typ der Burma-Vorfahren ergibt. Die Bombay wurde 1976 in den USA anerkannt, sonst noch kaum. Das GCCF hat sie wegen ihrer Ähnlichkeit mit dem Burmatyp in die »asiatische« Rassengruppe aufgenommen.

Ursprungsland	USA	Vorfahren	Burma × Amerikanisch Kurzhaar	Entstehungszeit	1950er Jahre

Schwarz

Die Bombay sucht die Nähe des Menschen und verträgt sich mit Kindern und Hunden. Sie ist deshalb eine ideale Familienkatze.

• **Merkmale** Das kurze »Lacklederfell« ist ein rassetypisches Merkmal und kontrastiert mit den leuchtenden Augen. Die Jungtiere sind oft Spätentwickler und weisen vielfach Tabbymarkierungen auf. Ihre Augen sind, wie bei allen Kätzchen, zunächst blau, verfärben sich dann grau und schließlich golden oder kupferfarben.

• **Anmerkung** Die Bombay entstand aus der Verpaarung einer Schwarzen Amerikanisch Kurzhaar mit einer Braunen Burma. Die Rasse hat die Färbung der Amerikanisch Kurzhaar behalten und steht im Typ der Burma nahe.

FELLTYP: kurz, glatt, mit deutlichem Glanz

• *muskulöser, mittelgroßer Körper*

• *gerader Schwanz ohne Knick*

• *dichtes, pechschwarzes Fell*

dunkel kupferfarbene Augen erwünscht, dürfen auch golden sein •

spitzrunde Ohren •

kurzes, keilförmiges Gesicht •

• *zierliche, ovale Pfoten*

kräftiger, fester Körperbau •

• *mittellanger, sich verjüngender Schwanz*

Englischer Name	Black Bombay	Wesen	Energisch

Singapura

Der Name ist von der Stadt Singapur abgeleitet, wo diese Rasse Mitte der siebziger Jahre erzüchtet worden ist. Die Vorfahren dieser Katzen, die in Südostasien vielfach verwildert leben und unter der Bezeichnung »Rinnsteinkatzen von Singapur« bekannt geworden sind, haben das Fellmuster des Abessiniertyps.

Ursprungsland	Singapur	Vorfahren	Rasselose Agouti-Kurzhaarkatzen	Entstehungszeit	1974

Sepia-Agouti

Tommy Meadow brachte 1975 fünf Hauskatzen aus Singapur in die USA. Diese 5 Katzen sowie ein weiteres Exemplar, das man 1980 von der Singapurer Cat Association erhielt, bildeten den Grundstock der Rasse.

• **Merkmale** Die Singapura ist eine kleine Katze, die vielfach weniger als 2,7 kg wiegt. Die traditionelle Farbe ist Zobel mit einer warmen, braunen, welligen Bänderung (Ticking) auf Körper und Schnauze; Kinn und Brust sind meist heller.

• **Anmerkung** Die Rasse wurde erstmals 1975 in den USA ausgestellt und erhielt wenig später den Championship-Status zuerkannt.

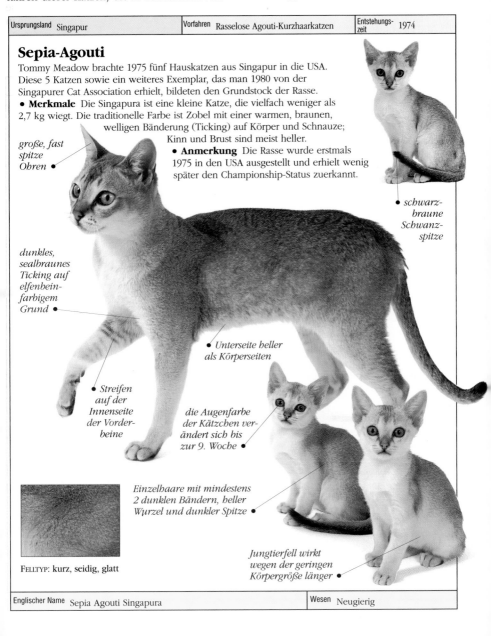

große, fast spitze Ohren •

dunkles, sealbraunes Ticking auf elfenbeinfarbigem Grund •

• schwarzbraune Schwanzspitze

• Unterseite heller als Körperseiten

• Streifen auf der Innenseite der Vorderbeine

die Augenfarbe der Kätzchen verändert sich bis zur 9. Woche •

Einzelhaare mit mindestens 2 dunklen Bändern, heller Wurzel und dunkler Spitze •

Jungtierfell wirkt wegen der geringen Körpergröße länger •

FELLTYP: **kurz, seidig, glatt**

Englischer Name	Sepia Agouti Singapura	Wesen	Neugierig

Orientalisch Kurzhaar

Einige der ersten Siamkatzen, die in den Westen gelangten, waren einfarbig und hatten keine Siamabzeichen. Diese Tiere starben jedoch allmählich aus, da damals nur typische Siamesen mit blauen Augen auf Ausstellungen zugelassen waren. Erfolgreiche Versuche zur Wiederherstellung des Typs begannen in den fünfziger Jahren. Die Rasse umfaßt sowohl einfarbige als auch gemusterte Schläge, etwa Tabbys. Sie wird in allen Farben und Fellmustern mit Ausnahme der Abzeichenform gezüchtet.

Ursprungsland Großbritannien	Vorfahren Siam-Kreuzungen	Entstehungs-zeit 1950er Jahre

Weiß (Foreign White)

Im Anschluß an die erfolgreiche Zucht der Havana (S. 216) versuchte man in England diesen Farbschlag durch die Kreuzung von Siamkatzen mit weißen Kurzhaarkatzen zu erzielen. Das Ergebnis waren weiße Katzen mit orangefarbenen oder blauen Augen. Die Rasse wurde dann erzüchtet, indem man die Blauäugigen auf Siamesen rückkreuzte. 2 der ursprünglichen 3 Zuchtlinien waren mit Taubheit behaftet, doch dieser Defekt ist inzwischen eliminiert worden.

• **Merkmale** Im Typ sind diese Katzen bis auf die Färbung nicht mehr von ihren Siam-Vorfahren zu unterscheiden.

• **Anmerkung** In Großbritannien wird diese Katze unter dem Namen »Foreign White« geführt, international heißt sie »Orientalisch Kurzhaar Weiß«.

• *blaue Augen*

FELLTYP: **kurz, fein, glänzend**

• *lange, schlanke Beine mit kleinen, ovalen Pfoten*

sehr langer, dünner, spitz zulaufender Schwanz •

• *das reinweiße Fell betont den grazilen Körperbau*

• *rosa Pfotenballen*

• *rosa Nasenspiegel ohne dunklere Farbspuren*

Englischer Name Foreign White	Wesen Lebhaft

Ursprungsland	Großbritannien	Vorfahren	Siam-Kreuzungen	Entstehungs-zeit	1950er Jahre

Creme (Foreign Cream)

Dieser Schlag entstammt demselben Zuchtprogramm wie der Lilac- und der Blaue Schlag (S. 217).

• **Merkmale** Hier sollte das Fell hell cremefarben und mehr oder weniger frei von Tabbymarkierungen sein.

• **Anmerkung** Ein Vererbungsforscher hat errechnet, daß in der Rasse Orientalisch Kurzhaar fast 400 Farbvarianten möglich sind.

kantiger Kopf mit flach gewölbtem Schädel

sich verjüngender Schwanz ohne Knick

geschmeidiger, röhrenförmiger Körper

Hinterbeine etwas länger als Vorderbeine

FELLTYP:
kurz, fein, glänzend

Englischer Name	Foreign Cream	Wesen	Lebhaft

Ursprungsland	Großbritannien	Vorfahren	Siam-Kreuzungen	Entstehungs-zeit	1950er Jahre

Lilac (Foreign Lilac)

Die ersten Exemplare dieses Schlags fielen bei der Havana-Zucht bereits in den 1950er Jahren an, doch erst in den 1960ern wurden ernsthafte Zuchtversuche unternommen.

• **Merkmale** Lilac-Kätzchen können Tabbymarkierungen aufweisen, die jedoch bald verschwinden. Schwache Streifen zeigen sich vielleicht auch im Sommer an den Flanken älterer Tiere; sie verschwinden nach dem herbstlichen Fellwechsel. Bläuliche oder beige Töne gelten als Fehler.

• **Anmerkung** Dieser Farbschlag wurde anfangs als »Oriental Lavender« bezeichnet.

lange, gerade Nase betont die Kopfform

eisgraues Fell mit auffälliger rosiger Tönung

grüne Mandelaugen

schlanke, elegante Beine

FELLTYP:
kurz, fein, glänzend

Englischer Name	Foreign Lilac	Wesen	Lebhaft

Ursprungsland Großbritannien	Vorfahren Siam-Kreuzungen	Entstehungs-zeit 1950er Jahre

Rot (Foreign Red)

Das geschmeidige Äußere dieser Katzen wird durch ihr langes, schlankes Profil und das feine, glänzende Fell unterstrichen. In Großbritannien werden die einfarbigen Schläge als »Foreign Shorthair« und nur die gemusterten, etwa die Tabbys, als »Oriental Shorthair« bezeichnet.

● **Merkmale** Das Rot sollte einen satten, warmen und gleich-mäßigen Ton haben. Etwaige weiße Haare im Fell werden als schwer fehlerhaft gewertet.

● **Anmerkung** Tabbymarkierun-gen, vor allem bei Jungtieren, sind nicht ungewöhnlich und eine Folge des Zuchtprogramms.

gleich-mäßige rote Färbung ●

FELLTYP: kurz, fein, glänzend

rosa Ballen ●

Englischer Name Foreign Red	Wesen Lebhaft

Ursprungsland Großbritannien	Vorfahren Siam-Kreuzungen	Entstehungs-zeit 1950er Jahre

Beige (Foreign Fawn)

Diese Neuzüchtung ist in jeder Hinsicht eine typische Orientalisch Kurzhaar. Deren kurzes Fell ist leicht zu pflegen, und die Katzen geben anschmiegsame und oft recht anspruchsvolle Hausgenossen ab.

● **Merkmale** Die Färbung sollte gleichmäßig sein und jedes Haar bis zur Wurzel erfas-sen. Das Fell ist eher rosig als bläulich getönt und enthält keine weißen Haare.

● **Anmerkung** Die Erzüchtung des hell-braunen Schlags (Caramel) war ein wichtiger Durch-bruch bei der Zucht dieser und anderer einfarbi-ger Orientalen.

● grüne Augen oder andersfarbige Sprenkel

lange, schlanke Beine ●

● elegant geschwun-gener Hals

ovale Pfoten ●

● warmer, rosiger Farbton

● sehr langer, spitz endender Schwanz

FELLTYP: kurz, fein, glänzend

Englischer Name Foreign Fawn	Wesen Lebhaft

Ursprungsland Großbritannien	Vorfahren Siam-Kreuzungen	Entstehungs-zeit 1950er Jahre

Rot und Weiß

Innerhalb der Rasse Orientalisch Kurzhaar lassen sich praktisch alle Farben und Fellmuster herauszüchten.

• **Merkmale** Charakteristisch für die Rasse ist die Ausgewogenheit aller Körperteile. Der Kopf sollte die Form eines gut proportionierten Dreiecks haben.

• **Anmerkung** Das abgebildete Jungtier soll für den Aufbau einer neuen britischen Rasse, der Seychellois, verwendet werden.

• *große Ohren*

FELLTYP: kurz, fein, glänzend

• *klar abgegrenzte weiße und rote Partien*

• *Hinterbeine länger als Vorderbeine*

• *schräggestellte Augen*

Englischer Name Red and White Oriental Shorthair	Wesen Lebhaft

Ursprungsland Großbritannien	Vorfahren Siam-Kreuzungen	Entstehungs-zeit 1950er Jahre

Zimtfarben (Foreign Cinnamon)

In Großbritannien verwendet man den Begriff »Foreign« (ausländisch) nach wie vor für die einfarbigen Schläge, die in anderen Ländern zusammen mit den gemusterten als »Orientalisch« klassifiziert werden. Die Zimtfarbe wurde in den USA als »Oriental Caramel« und in den Niederlanden als »Blonde Havana« bezeichnet, heißt jedoch heute allgemein »Oriental Cinnamon«.

• **Merkmale** Die Farbe sollte einfarbig Zimtbraun ohne Weißspuren sein. Die Augen sind leuchtend grün.

• **Anmerkung** Diese Katzen entstanden in den 1960er Jahren aus Kreuzungen zwischen Havanas und Sorrel-Abessiniern.

• *lebhafte grüne Augen*

• *zimtbrauner Nasenspiegel*

• *langer, spitz zulaufender Schwanz*

• *langer, schlanker, geschmeidiger Körper mit straffem Unterleib*

• *schlanke Beine*

FELLTYP: kurz, fein, glänzend

• *kleine, ovale Pfoten*

Englischer Name Foreign Cinnamon	Wesen Lebhaft

| Ursprungsland | Großbritannien | Vorfahren | Siam-Kreuzungen | Entstehungs-zeit | 1950er Jahre |

Karamelfarben (Foreign Caramel)

Diese Katzen tauchten in der Zucht der schattierten
Orientalen auf und haben ihrerseits zur Entwicklung
neuer einfarbiger Schläge beigetragen.
- **Merkmale** Diese Katzen mit dem typischen
Siamprofil sind ganz und gar bläulichbeige gefärbt.
- **Anmerkung** Die Varietät entstammt der
Verpaarung eines silbernen Chinchilla-Persers
mit einer Siamkatze.

dreieckiger Kopf •

• *mittelgroßer Körper*

reingrüne Augen •

FELLTYP: **kurz, fein, glänzend**

• *kleine, ovale Pfoten*

| Englischer Name | Foreign Caramel | | Wesen | Lebhaft |

| Ursprungsland | Großbritannien | Vorfahren | Siam-Kreuzungen | Entstehungs-zeit | 1950er Jahre |

Havana

Den heute allgemein üblichen Namen erhielt die Havana in den USA.
In England hieß sie bis 1970 »Chestnut Brown Foreign«.
- **Merkmale** In Europa gleicht die Havana heute mehr der in Nordamerika
erzüchteten Braunen Orientalisch Kurzhaar vom Siamtyp. Der amerikanischen
»Havana Brown« hat man hingegen ein runderes Gesicht und eine kürzere
Nase angezüchtet, da Siam-Einkreuzungen verpönt sind.
- **Anmerkung** Die Entwicklung der Havana begann 1951, als ein
Chocolate-Point-Siam-
kater mit einer rasselo-
sen schwarzen Katze
verpaart wurde.

sattes, warmes Kastanien-braun •

• *leuchtend grüne Augen*

• *dreieckiger Kopf*

FELLTYP:
kurz, fein, glänzend

lange, schlanke Beine •

langer, spitz zulaufender Schwanz •

| Englischer Name | Havana | | Wesen | Lebhaft |

| Ursprungsland Großbritannien | Vorfahren Siam-Kreuzungen | Entstehungszeit 1950er Jahre |

Blau (Foreign Blue)

Diese und andere Orientalen sind im allgemeinen etwas leiser als ihre siamesischen Vorfahren, doch sie können ebenso verschmust und anspruchsvoll sein.

• **Merkmale** Verlangt wird ein reinblaues Fell ohne jede Weißspuren. Die Augen müssen vollkommen grün sein.

• **Anmerkung** Blaue Tiere des orientalischen Typs tauchten vereinzelt in Siam-Würfen auf, wurden aber bis zur Entwicklung der Havana und des Lilac-Schlags kaum beachtet.

FELLTYP:
kurz, fein, glänzend

• *Augen zur Nase hin schräggestellt*

• *Haar bis zur Basis gleichmäßig gefärbt*

| Englischer Name Foreign Blue | Wesen Lebhaft |

| Ursprungsland Großbritannien | Vorfahren Siam-Kreuzungen | Entstehungszeit 1950er Jahre |

Schwarz (Foreign Black)

Dieser Farbschlag, vielfach Ebony genannt, ist eine der ältesten heute gezüchteten Orientalisch Kurzhaarkatzen.

• **Merkmale** Die Farbe muß ein tiefes Schwarz sein, ohne jeden rostbraunen Anflug bei adulten Tieren.

• **Anmerkung** Die ersten schwarzen Exemplare entstammen einer Verbindung von Siam und Russisch Blau im Zuge der Havana-Zucht. Das lackschwarze Fell verleiht ihnen ein besonders attraktives Aussehen.

• *keilförmiger Kopf*

• *lange Nase ohne Stop*

• *große, spitze Ohren*

• *glänzendes, pechschwarzes Fell*

• *lange, schlanke Beine*

• *eng anliegendes Fell betont den geschmeidigen Körperbau*

FELLTYP:
kurz, fein, glänzend

• *sehr langer, spitz zulaufender Schwanz*

| Englischer Name Foreign Black | Wesen Lebhaft |

| Ursprungsland | Großbritannien | Vorfahren | Siam-Kreuzungen | Entstehungs-zeit | 1950er Jahre |

Caramel-Silver-Ticked-Tabby

Orientalische Tabbys mit Ticking erkennt man an ihrem
schillernden Körperfell; abgesehen von einer dunkleren Rücken-
färbung, fehlen die üblichen Streifen, Flecken oder Tupfen.

• **Merkmale** Die Körperfarbe ist hier eine
Kombination von kühlem
bläulichem Beige und einem
blasseren silberbeigen
Grund. Auf der Oberbrust
sollten 1 oder 2 »Halsbänder«
zu erkennen sein. Hinzu kommen bläulichbeige Tabbystreifen an Kopf, Beinen und
Schwanz.

• **Anmerkung** In die-
sem Fall bringt das Sil-
ber-Gen einen kühlen
Ton hervor, der bei
Ausstellungskatzen zulässig ist.

• bläulichbeige
»Runzellinien«
bilden ein »M«
auf dem Kopf

FELLTYP:
kurz, fein, glänzend

jedes Haar zwei- oder
dreifach gebändert •

• dunkle Schwanzspitze

| Englischer Name | Caramel Silver Ticked Tabby Oriental Shorthair | Wesen | Lebhaft |

| Ursprungsland | Großbritannien | Vorfahren | Siam-Kreuzungen | Entstehungs-zeit | 1950er Jahre |

Cinnamon-Schildpatt

Auch die orientalischen Schildpattkatzen
sind fast ausschließlich weiblich. Sie sind
aus Verpaarungen von Havanas oder
schwarzen Schlägen mit Red-Point-
Siamesen hervorgegangen.

• **Merkmale** Die warme Zimtfarbe
ist hier mit Dunkel- oder Hellrot bzw.
mit diesen beiden Farben kombiniert
worden. Weiße Haare oder Tabbyspuren sind nicht zugelassen.

• **Anmerkung** Diese Katzen
werden zuweilen »Oriental
Parti-Colours« genannt.

• grüne
Augen

FELLTYP:
kurz, fein, glänzend

eine gewisse
Einsprengung
von Rottönen
erkennbar •

• Beine
unterschied-
lich gefärbt

• lange, ele-
gante Beine betonen
die Hochbeinigkeit

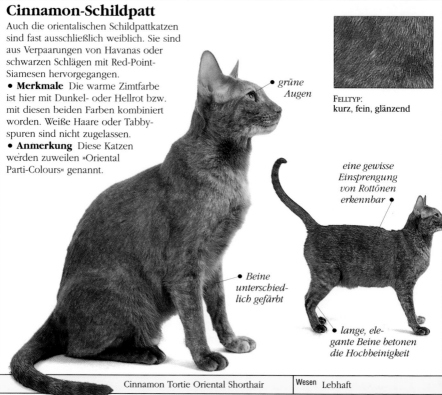

| | Cinnamon Tortie Oriental Shorthair | Wesen | Lebhaft |

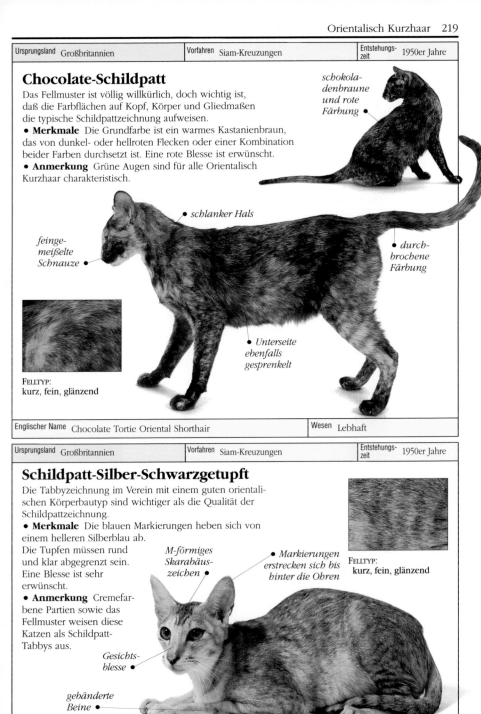

| Ursprungsland | Großbritannien | Vorfahren | Siam-Kreuzungen | Entstehungs-zeit | 1950er Jahre |

Chocolate-Schildpatt

Das Fellmuster ist völlig willkürlich, doch wichtig ist,
daß die Farbflächen auf Kopf, Körper und Gliedmaßen
die typische Schildpattzeichnung aufweisen.
- **Merkmale** Die Grundfarbe ist ein warmes Kastanienbraun,
das von dunkel- oder hellroten Flecken oder einer Kombination
beider Farben durchsetzt ist. Eine rote Blesse ist erwünscht.
- **Anmerkung** Grüne Augen sind für alle Orientalisch
Kurzhaar charakteristisch.

schokola-
denbraune
und rote
Färbung ●

● schlanker Hals

feinge-
meißelte
Schnauze ●

● durch-
brochene
Färbung

● Unterseite
ebenfalls
gesprenkelt

FELLTYP:
kurz, fein, glänzend

| Englischer Name | Chocolate Tortie Oriental Shorthair | Wesen | Lebhaft |

| Ursprungsland | Großbritannien | Vorfahren | Siam-Kreuzungen | Entstehungs-zeit | 1950er Jahre |

Schildpatt-Silber-Schwarzgetupft

Die Tabbyzeichnung im Verein mit einem guten orientali-
schen Körperbautyp sind wichtiger als die Qualität der
Schildpattzeichnung.
- **Merkmale** Die blauen Markierungen heben sich von
einem helleren Silberblau ab.
Die Tupfen müssen rund
und klar abgegrenzt sein.
Eine Blesse ist sehr
erwünscht.
- **Anmerkung** Cremefar-
bene Partien sowie das
Fellmuster weisen diese
Katzen als Schildpatt-
Tabbys aus.

M-förmiges
Skarabäus-
zeichen ●

● Markierungen
erstrecken sich bis
hinter die Ohren

FELLTYP:
kurz, fein, glänzend

Gesichts-
blesse ●

gebänderte
Beine ●

| Englischer Name | Tortie Black Silver Spotted Oriental Shorthair | Wesen | Lebhaft |

Ursprungsland Großbritannien	Vorfahren Siam-Kreuzungen	Entstehungs-zeit 1950er Jahre

Chocolategetupft

In England hieß diese Katze früher »Egyptian Mau«, doch der Name wurde geändert, um Verwechslungen mit einer anderen Rasse (S. 226) auszuschließen.

• **Merkmale** Die Tüpfelung besteht aus satten schokoladenbraunen Tönen, die möglichst hell sein sollten. Sie müssen sich deutlich von der Bronze-Agouti-Grundfarbe abheben. Die Tupfen sind rundlich und gleichmäßig verteilt.

• **Anmerkung** Der bei Jungtieren oft auftretende Rückenstreifen (Aalstrich) gilt bei adulten Tieren als schwerer Fehler.

Ohren betonen die Keilform des Kopf •

FELLTYP: **kurz, fein, glänzend**

schokoladenbraune Schwanzringe •

Rückenstreifen in Tupfen aufgelöst •

• *langer Hals*

Englischer Name Chocolate Spotted Oriental Shorthair	Wesen Lebhaft

Ursprungsland Großbritannien	Vorfahren Siam-Kreuzungen	Entstehungs-zeit 1950er Jahre

Lilacgestromt

Eine klare Abgrenzung der Markierungen ist ein wesentliches Merkmal dieses Farbschlags.

• **Merkmale** Die lilacfarbenen Tabbymarkierungen kontrastieren mit der kühlen beigen Grundfarbe. Die Unterseite des Körpers ist insgesamt heller und mit Lilac getupft. Die Markierungen auf den Schultern sind schmetterlingsförmig, die auf den Flanken haben die Form einer Auster und sind jeweils umrandet.

• **Anmerkung** Die Lilacgestromte wird in den USA manchmal als »Lavender« bezeichnet.

FELLTYP: **kurz, fein, glänzend**

wichtig sind die symmetrischen Körpermarkierungen •

lilacfarbene »Halsbänder« an der Brust •

lilacfarbene Schwanzspitze •

Englischer Name Lilac Classic Tabby Oriental Shorthair	Wesen Lebhaft

Ursprungsland Großbritannien	Vorfahren Siam-Kreuzungen	Entstehungs-zeit 1950er Jahre

Schwarz-Smoke

Dieser Schlag ist durch Verpaarung von Siamkatzen mit Chinchilla-Persern entstanden; zur Erhaltung des Typs wurden schwarze Orientalen und Havanas eingekreuzt. Eine Red-Point-Siamkatze, verpaart mit einem silberschattierten Perser, warf in den 1970er Jahren die erste rauchfarbene Orientalisch Kurzhaar.

• **Merkmale** Das schwarze Aussehen täuscht über das weiße Unterhaar hinweg, das ungefähr ein Drittel der gesamten Haarlänge ausmachen soll. Ein gleichmäßiger Smoke-Effekt ist erwünscht.

• **Anmerkung** Eine Tabby-Geisterzeichnung ist bei Smoke-Katzen oft vorhanden.

weißes Unterhaar kommt zum Vorschein, wenn sich die Katze bewegt •

• grüne Augen

• schlanke Beine

• der Smoke-Effekt am Körper sollte dem des Kopfes entsprechen

schattenhafte Tabbymarkierungen •

Ballenfarbe paßt zur Grundfarbe •

FELLTYP:
kurz, fein, glänzend

langer, sich verjüngender Schwanz •

Englischer Name Black Smoke Oriental Shorthair	Wesen Lebhaft

Ursprungsland Großbritannien	Vorfahren Siam-Kreuzungen	Entstehungs-zeit 1950er Jahre

Schwarz-Smoke und Weiß

Bei den rauchfarbenen Orientalen sind alle Farben erlaubt. Diese Farbschlaggruppe hat sich in den letzten Jahren rapide entwickelt. Gezeigt wird einer der ersten zweifarbigen Schläge.

• **Merkmale** Das Unterhaar ist reinweiß, das Deckhaar hat eine kräftige schwarze Spitzenfärbung, wodurch der Eindruck einer schwarz-weißen Katze entsteht. Die Verteilung von Schwarz und Weiß ist individuell verschieden.

• **Anmerkung** Die zweifarbigen Orientalen sind ein Produkt des Seychellois-Zuchtprogramms, dessen Ziel vorwiegend weiße Bi-Colours sind.

• die großen, breiten Ohren setzen die Kopfaußenlinie fort

FELLTYP: kurz, fein, glänzend

klare Abgrenzung von weißen und schwarz-rauchfarbenen Partien •

begrenzte weiße Markierungen •

• kleine, ovale Pfoten

Englischer Name Black Smoke and White Oriental Shorthair	Wesen Lebhaft

Ursprungsland Großbritannien	Vorfahren Siam-Kreuzungen	Entstehungs-zeit 1950er Jahre

Red-Ticked-Tabby

Die Tabbys mit Tickung (Bänderung) erkennt man am fehlenden Fellmuster, verglichen mit den drei anderen Tabbyvarianten.

• **Merkmale** Die Einzelhaare sollten zwei- oder möglichst dreifach dunkelrot gebändert sein. Der Kontrast entsteht durch die warme rote Bänderung auf dem helleren, apricotfarbenen Grund.

• **Anmerkung** Ein durchgehender Aalstrich auf dem Rücken ist verpönt, doch Gesicht, Beine und Schwanz sollten mit Tabbystreifen gezeichnet sein.

weit auseinander-stehende, breite Ohren

FELLTYP:
kurz, fein, glänzend

vollständiges oder durch-brochenes »Halsband«

gerades Kopfprofil

Tabbystrei-fen an den Beinen

rote Schwanzspitze

Englischer Name Red Ticked Tabby Oriental Shorthair	Wesen Lebhaft

Ursprungsland Großbritannien	Vorfahren Siam-Kreuzungen	Entstehungs-zeit 1950er Jahre

Lilac-Ticked-Tabby

Kontrast ist ein Hauptkennzeichen der »getickten« Tabbys, doch jede Spur der traditionellen Tabby-zeichnung auf dem Körper wird beanstandet. Der Rücken darf jedoch dunkler schattiert sein.

• **Merkmale** Hier hebt sich die dunklere Lilacbänderung von dem kühlen Beige ab. Nasenspiegel, Ballen und Augenränder haben einen verblaßten Lilacton; etwas Rosa darf auf Nase und Ballen zu sehen sein. Die Augen sollten vollkommen grün sein.

• **Anmerkung** Auf der Körperunterseite können Tabby-markierungen angedeutet sein.

gut proportionierter, dreieckiger Kopf

FELLTYP: **kurz, fein, glänzend**

Tabbystreifen

Tabbymarkierungen auf dem Schwanz, der eine dunkle Spitze hat

Englischer Name Lilac Ticked Tabby Oriental Shorthair	Wesen Lebhaft

Ursprungsland	Großbritannien	Vorfahren	Siam-Kreuzungen	Entstehungs- zeit	1950er Jahre

Caramel-Ticked Tabby

Der Schillereffekt des Fells rührt vom Ticking der Einzelhaare her, die zwei- oder dreifach gebändert sein sollen.

• **Merkmale** Die kühlen, bläulich rehbraunen Markierungen kontrastieren mit der beigen Agouti-Grundfarbe. Flecken, Streifen oder Tupfen sind verpönt, aber Spuren von Tabbymarkierungen auf der unteren Körperhälfte erlaubt. Die dunklere Karamelfarbe muß sich an den Hinterbeinen hinaufziehen und auf der Schwanzspitze vorhanden sein.

• **Anmerkung** Das Fell ist auf dem Rücken zwar dunkler, doch ein Streifen ist hier fehlerhaft.

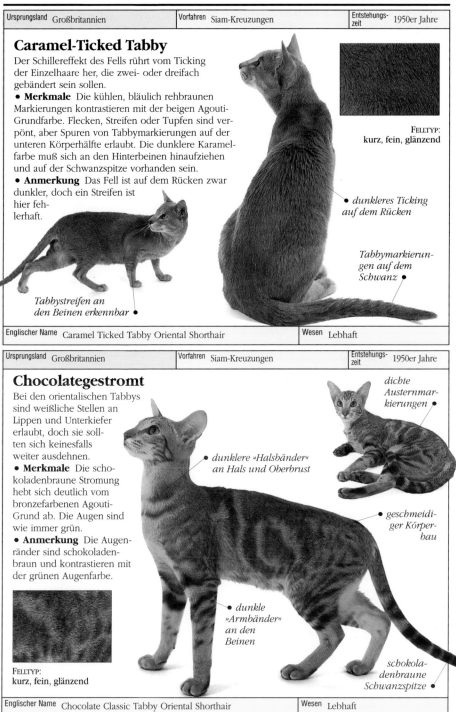

FELLTYP:
kurz, fein, glänzend

• *dunkleres Ticking auf dem Rücken*

Tabbymarkierungen auf dem Schwanz •

• *Tabbystreifen an den Beinen erkennbar*

Englischer Name	Caramel Ticked Tabby Oriental Shorthair	Wesen	Lebhaft

Ursprungsland	Großbritannien	Vorfahren	Siam-Kreuzungen	Entstehungs- zeit	1950er Jahre

Chocolategestromt

Bei den orientalischen Tabbys sind weißliche Stellen an Lippen und Unterkiefer erlaubt, doch sie sollten sich keinesfalls weiter ausdehnen.

• **Merkmale** Die schokoladenbraune Stromung hebt sich deutlich vom bronzefarbenen Agouti-Grund ab. Die Augen sind wie immer grün.

• **Anmerkung** Die Augenränder sind schokoladenbraun und kontrastieren mit der grünen Augenfarbe.

dichte Austernmarkierungen •

• *dunklere »Halsbänder« an Hals und Oberbrust*

• *geschmeidiger Körperbau*

• *dunkle »Armbänder« an den Beinen*

FELLTYP:
kurz, fein, glänzend

schokoladenbraune Schwanzspitze •

Englischer Name	Chocolate Classic Tabby Oriental Shorthair	Wesen	Lebhaft

Ursprungsland	Großbritannien	Vorfahren	Siam-Kreuzungen	Entstehungszeit	1950er Jahre

Chocolate-Ticked-Tabby

Die orientalischen Tabbys von heute lassen sich auf die Zucht der Siamesen mit Tabbyabzeichen zurückführen; damals wurden Siamesen mit rasselosen Tabbys gekreuzt. Später verfeinerte man die Farbschläge durch die Verpaarung mit Havanas und Tabby-Point-Siamkatzen.

- **Merkmale** Die schokoladenbraune Bänderung kontrastiert mit der Bronze-Agouti-Grundfarbe und erzeugt einen Schillereffekt. Am kräftigsten gefärbt sind die Haarspitzen. Bei der hier gezeigten Katze beschränken sich die Tabbymarkierungen auf Kopf, Beine und Schwanz.

- **Anmerkung** Diese und andere Chocolate-Schläge der Orientalisch Kurzhaar werden in den USA meist als »Chestnut« bezeichnet. Die Augenfarbe dieser Farbschlaggruppe ist ein makelloses Grün.

grüne Augen •

graziler Körperbau •

langer Schwanz •

• *deutliche Tabbymarkierungen auf dem Kopf unerläßlich*

kleine Pfoten •

dunklere Schattierung auf dem Rücken •

langer, keilförmiger Kopf mit geradem Nasenrücken •

• *mindestens ein »Halsband«*

schokoladenbraune Markierungen auf der Rückseite der Hinterbeine •

• *gleichmäßiges Ticking*

FELLTYP:
kurz, fein, glänzend

Englischer Name	Chocolate Ticked Tabby Oriental Shorthair	Wesen	Lebhaft

| Ursprungsland Großbritannien | Vorfahren Siam-Kreuzungen | Entstehungszeit 1950er Jahre |

Silber-Schwarzgetupft

Dies ist einer der auffälligsten und kontrastreichsten Farbschläge der getupften Orientalisch Kurzhaar.

• **Merkmale** Während die Kopfzeichnung der des gestromten Tabbys gleicht, bestehen die Körpermarkierungen aus Tupfenreihen von unterschiedlicher Größe, die sich gleichmäßig über das Fell verteilen. Sie dürfen sich nicht überlappen oder Flecken bilden.

• **Anmerkung** 2 Tupfenreihen sollten auf der Unterseite vorhanden sein, und auf dem Rücken ersetzt ein Tupfenmuster den Streifen.

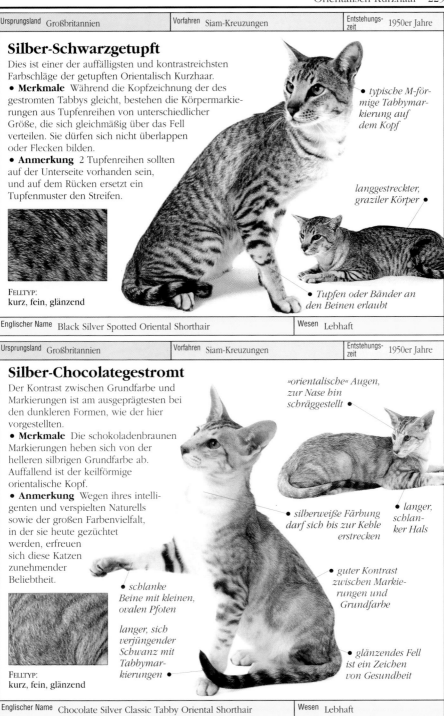

• *typische M-förmige Tabbymarkierung auf dem Kopf*

langgestreckter, graziler Körper •

FELLTYP: kurz, fein, glänzend

• *Tupfen oder Bänder an den Beinen erlaubt*

| Englischer Name Black Silver Spotted Oriental Shorthair | Wesen Lebhaft |

| Ursprungsland Großbritannien | Vorfahren Siam-Kreuzungen | Entstehungszeit 1950er Jahre |

Silber-Chocolategestromt

Der Kontrast zwischen Grundfarbe und Markierungen ist am ausgeprägtesten bei den dunkleren Formen, wie der hier vorgestellten.

• **Merkmale** Die schokoladenbraunen Markierungen heben sich von der helleren silbrigen Grundfarbe ab. Auffallend ist der keilförmige orientalische Kopf.

• **Anmerkung** Wegen ihres intelligenten und verspielten Naturells sowie der großen Farbenvielfalt, in der sie heute gezüchtet werden, erfreuen sich diese Katzen zunehmender Beliebtheit.

»orientalische« Augen, zur Nase hin schräggestellt •

• *schlanke Beine mit kleinen, ovalen Pfoten*

langer, sich verjüngender Schwanz mit Tabbymarkierungen •

• *silberweiße Färbung darf sich bis zur Kehle erstrecken*

• *langer, schlanker Hals*

• *guter Kontrast zwischen Markierungen und Grundfarbe*

• *glänzendes Fell ist ein Zeichen von Gesundheit*

FELLTYP: kurz, fein, glänzend

| Englischer Name Chocolate Silver Classic Tabby Oriental Shorthair | Wesen Lebhaft |

Ägyptische Mau

Diese getupften Katzen sind in den USA aus europäischen Stämmen herausgezüchtet worden. Sie zeigen eine verblüffende Ähnlichkeit mit altägyptischen Katzen, wie sie auf jahrtausendealten Grabmalereien und Papyrusrollen abgebildet sind. Die Ägyptische Mau (=Katze) ist heute noch selten, doch auch in Europa versucht man ähnlich aussehende Katzen zu züchten. Deren Blutlinie geht auf Tabbys zurück, die bei der Tabby-Point-Siam anfielen. Diese Katzen hießen zunächst ebenfalls »Egyptian Mau«, wurden aber dann in »Orientalisch Kurzhaar Chocolategetupft« (S. 220) umbenannt.

Ursprungsland	Ägypten	Vorfahren	Rasselose Kurzhaarkatzen	Entstehungs-zeit	1950er Jahre

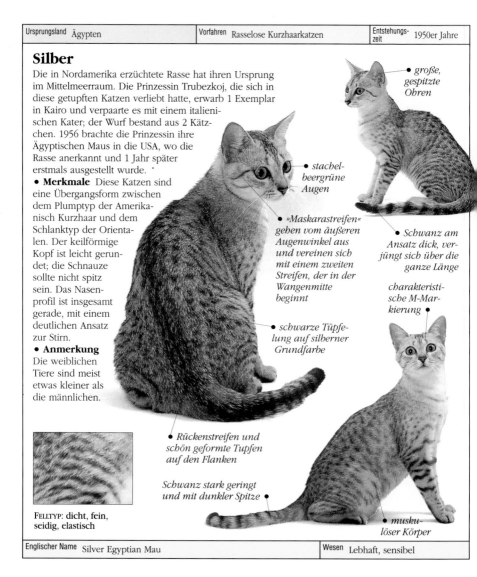

Silber

Die in Nordamerika erzüchtete Rasse hat ihren Ursprung im Mittelmeerraum. Die Prinzessin Trubezkoj, die sich in diese getupften Katzen verliebt hatte, erwarb 1 Exemplar in Kairo und verpaarte es mit einem italienischen Kater; der Wurf bestand aus 2 Kätzchen. 1956 brachte die Prinzessin ihre Ägyptischen Maus in die USA, wo die Rasse anerkannt und 1 Jahr später erstmals ausgestellt wurde.

- **Merkmale** Diese Katzen sind eine Übergangsform zwischen dem Plumptyp der Amerikanisch Kurzhaar und dem Schlanktyp der Orientalen. Der keilförmige Kopf ist leicht gerundet; die Schnauze sollte nicht spitz sein. Das Nasenprofil ist insgesamt gerade, mit einem deutlichen Ansatz zur Stirn.
- **Anmerkung** Die weiblichen Tiere sind meist etwas kleiner als die männlichen.

große, gespitzte Ohren

stachelbeergrüne Augen

»Maskarastreifen« gehen vom äußeren Augenwinkel aus und vereinen sich mit einem zweiten Streifen, der in der Wangenmitte beginnt

Schwanz am Ansatz dick, verjüngt sich über die ganze Länge

charakteristische M-Markierung

schwarze Tüpfelung auf silberner Grundfarbe

Rückenstreifen und schön geformte Tupfen auf den Flanken

Schwanz stark geringt und mit dunkler Spitze

muskulöser Körper

FELLTYP: dicht, fein, seidig, elastisch

Englischer Name	Silver Egyptian Mau	Wesen	Lebhaft, sensibel

Ursprungsland	Ägypten	Vorfahren	Rasselose Kurzhaarkatzen	Entstehungs-zeit	1950er Jahre

Bronze

Es gibt nur 3 Farbschläge der Ägyptischen Mau, alle mit der herkömmlichen getupften Tabbyzeichnung. Die Tupfen müssen klar abgegrenzt sein. Die Grundfarbe besteht aus gebänderten Haaren mit schwarzen Spitzen. Jedes Haar sollte mindestens zweifach gebändert sein.

• **Merkmale** Die Tupfen sind rund und gleichmäßig über den Körper verteilt. Hinzu kommen sogenannte »Westenknöpfe« in Form von Tupfen auf der Unterseite. Bei Neugeborenen sind die Tupfen meist noch nicht so ausgeprägt.

• **Anmerkung** Während des Fellwechsels verblaßt die Tüpfelzeichnung.

gebogener Hals •

dunkle Bänderung auf bronzefarbenem Grund •

• *mittellanges Haar mit deutlichem Ticking*

• *zierliche, ovale Pfoten*

FELLTYP: **dicht, fein, seidig, elastisch**

Englischer Name	Bronze Egyptian Mau	Wesen	Lebhaft, sensibel

Ursprungsland	Ägypten	Vorfahren	Rasselose Kurzhaarkatzen	Entstehungs-zeit	1950er Jahre

Schwarz-Smoke

Der Farbkontrast ist bei diesem Schlag oft erst nach 2 Jahren voll ausgebildet. Die Haare sind nicht gebändert, sondern haben weißliche Wurzeln und schwarze Spitzen.

• **Merkmale** Die Augen sind sehr groß, oval und schräggestellt. Die typische grüne Augenfarbe entwickelt sich relativ langsam, und im Alter hellt sie im allgemeinen auf.

• **Anmerkung** Die Ägyptische Mau ist im Vergleich zu den Orientalen recht leise. Die schwarze Färbung kann zu einem helleren Braun ausbleichen, wenn die Katze der grellen Sonne ausgesetzt wird.

grüne Augen •

• *breite Stirn und weit auseinanderstehende Ohren*

• *tiefschwarze Tupfen auf dunkelgrauer Grundfarbe*

muskulöser Hals •

sehr lange Zehen an den Hinterpfoten •

Schwanzlänge gleich Rumpflänge •

FELLTYP: **dicht, fein, seidig, elastisch**

Englischer Name	Black Smoke Egyptian Mau	Wesen	Lebhaft, sensibel

Abessinier

Die Abessinier, die äußerlich den Katzen Altägyptens ähneln, zählen für manche Kenner zu den ältesten Hauskatzenrassen. Die ersten Katzen dieses Typs wurden von Soldaten, die 1868 aus dem Abessinienkrieg heimkehrten, nach England gebracht. Die Erzüchtung der Rasse in Großbritannien durch Einkreuzung von Britisch Kurzhaar führte zu einer Modifizierung des Erscheinungsbilds und der Färbung. Obwohl die Entwicklung der nicht sehr vermehrungsfreudigen Abessinier langsam vonstatten ging, wurde sie schon sehr früh, nämlich 1882 als eigenständige Rasse anerkannt.

Ursprungsland	Großbritannien	Vorfahren	Kurzhaarkatzen mit Ticking	Entstehungs-zeit	1860er Jahre

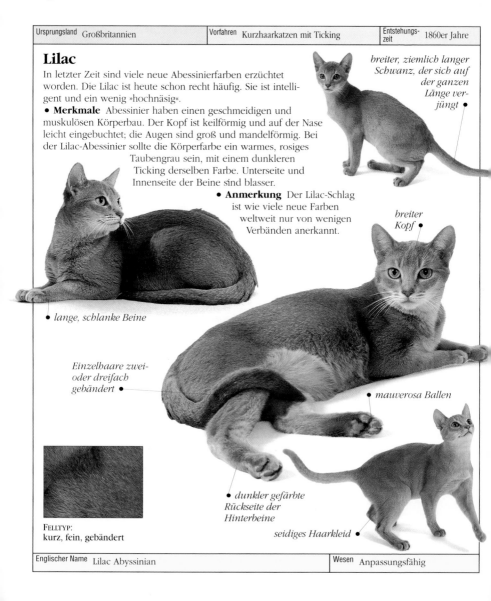

Lilac

In letzter Zeit sind viele neue Abessinierfarben erzüchtet worden. Die Lilac ist heute schon recht häufig. Sie ist intelligent und ein wenig »hochnäsig«.

• **Merkmale** Abessinier haben einen geschmeidigen und muskulösen Körperbau. Der Kopf ist keilförmig und auf der Nase leicht eingebuchtet; die Augen sind groß und mandelförmig. Bei der Lilac-Abessinier sollte die Körperfarbe ein warmes, rosiges Taubengrau sein, mit einem dunkleren Ticking derselben Farbe. Unterseite und Innenseite der Beine sind blasser.

• **Anmerkung** Der Lilac-Schlag ist wie viele neue Farben weltweit nur von wenigen Verbänden anerkannt.

breiter, ziemlich langer Schwanz, der sich auf der ganzen Länge verjüngt •

breiter Kopf •

• *lange, schlanke Beine*

Einzelhaare zwei- oder dreifach gebändert •

• *mauverosa Ballen*

FELLTYP:
kurz, fein, gebändert

• *dunkler gefärbte Rückseite der Hinterbeine*

seidiges Haarkleid •

Englischer Name	Lilac Abyssinian	Wesen	Anpassungsfähig

Ursprungsland Großbritannien	Vorfahren Kurzhaarkatzen mit Ticking	Entstehungs-zeit 1860er Jahre

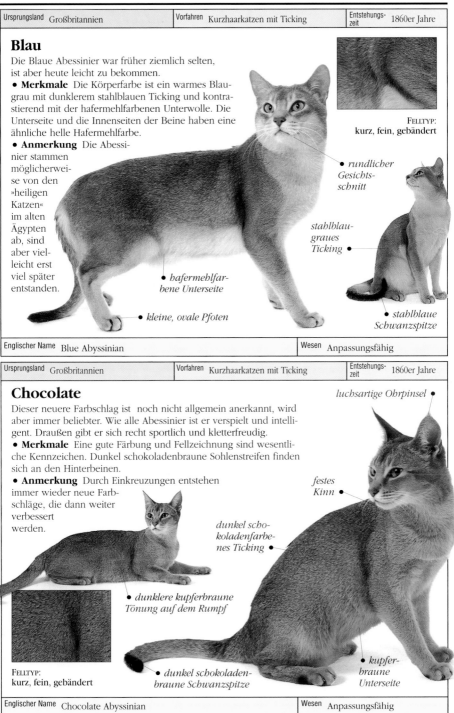

Blau

Die Blaue Abessinier war früher ziemlich selten, ist aber heute leicht zu bekommen.

• **Merkmale** Die Körperfarbe ist ein warmes Blaugrau mit dunklerem stahlblauen Ticking und kontrastierend mit der hafermehlfarbenen Unterwolle. Die Unterseite und die Innenseiten der Beine haben eine ähnliche helle Hafermehlfarbe.

• **Anmerkung** Die Abessinier stammen möglicherweise von den »heiligen Katzen« im alten Ägypten ab, sind aber vielleicht erst viel später entstanden.

FELLTYP: kurz, fein, gebändert

• *rundlicher Gesichtsschnitt*

• *stahlblaugraues Ticking*

• *hafermehlfarbene Unterseite*

• *kleine, ovale Pfoten*

• *stahlblaue Schwanzspitze*

Englischer Name Blue Abyssinian	Wesen Anpassungsfähig

Ursprungsland Großbritannien	Vorfahren Kurzhaarkatzen mit Ticking	Entstehungs-zeit 1860er Jahre

Chocolate

Dieser neuere Farbschlag ist noch nicht allgemein anerkannt, wird aber immer beliebter. Wie alle Abessinier ist er verspielt und intelligent. Draußen gibt er sich recht sportlich und kletterfreudig.

• **Merkmale** Eine gute Färbung und Fellzeichnung sind wesentliche Kennzeichen. Dunkel schokoladenbraune Sohlenstreifen finden sich an den Hinterbeinen.

• **Anmerkung** Durch Einkreuzungen entstehen immer wieder neue Farbschläge, die dann weiter verbessert werden.

• *luchsartige Ohrpinsel*

• *festes Kinn*

• *dunkel schokoladenfarbenes Ticking*

• *dunklere kupferbraune Tönung auf dem Rumpf*

FELLTYP: kurz, fein, gebändert

• *dunkel schokoladenbraune Schwanzspitze*

• *kupferbraune Unterseite*

Englischer Name Chocolate Abyssinian	Wesen Anpassungsfähig

| Ursprungsland | Großbritannien | Vorfahren | Kurzhaarkatzen mit Ticking | Entstehungszeit | 1860er Jahre |

Schwarz-Silber

Mehrere silberne Schläge der Abessinier sind anerkannt, darunter der hier gezeigte schwarze, doch in jedem Fall muß die Unterwolle weiß sein.

• **Merkmale** Die Schattierung über dem Rückgrat ist schwarz, desgleichen die Schwanzspitze und die Sohlenstreifen der Hinterbeine. Gelbspuren im Fell sind unerwünscht.

• **Anmerkung** Die Zucht der Silberschläge hat in Großbritannien und in Neuseeland in den letzten Jahren ein hohes Niveau erreicht.

• *Augen dunkel umrandet*

klares Silber mit schwarzer Bänderung •

• *Aalstrich dunkler gefärbt*

• *weiße Unterseite*

• *schwarze Ballen*

FELLTYP: kurz, fein, gebändert

| Englischer Name | Black Silver Abyssinian | Wesen | Anpassungsfähig |

| Ursprungsland | Großbritannien | Vorfahren | Kurzhaarkatzen mit Ticking | Entstehungszeit | 1860er J. |

Fawn (Beige)

Abessinierkätzchen haben einen dunklen Oberkopf und ein merklich dunkleres Ticking als adulte Tiere; die Bänderung erscheint jedoch erst mit etwa 3 Wochen.

• **Merkmale** Das Beige ist eine Verdünnung von Sorrel (Rotbraun). Die Grundfarbe ist hier ein rosiges Taubengrau mit dunkelbeiger Bänderung. Streifen auf Brust, Beinen oder Schwanz gelten als fehlerhaft. Der Nasenspiegel ist rosa.

• **Anmerkung** Dieser Farbschlag hat sich wohl zur Zeit am besten in den USA etabliert.

eleganter Hals •

• *große, leuchtende Augen*

• *schlanke, feingliedrige Beine und zierliche, kompakte Pfoten*

• *Weißspuren nur um die Lippen und auf dem Unterkiefer erlaubt*

• *einheitlich beige Schwanzspitze*

• *mauverosa Ballen*

FELLTYP: kurz, fein, gebändert

| Englischer Name | Fawn Abyssinian | Wesen | Anpassungsfähig |

| Ursprungsland Großbritannien | Vorfahren Kurzhaarkatzen mit Ticking | Entstehungs-zeit 1860er Jahre |

Sorrel (Rotbraun)

Nur wenige Katzen sehen so elegant aus wie die Abessinier, die außerdem sehr pflegeleicht sind. Sie sind nicht sehr fruchtbar und bringen nur selten Würfe mit mehr als 3 oder 4 Kätzchen.

• **Merkmale** Die Grundfarbe ist ein sattes Apricot; der Rumpf ist etwas dunkler gefärbt. Die Bänderung ist schokoladenbraun.

• **Anmerkung** Der Sorrel-Schlag wurde anfangs als rot bezeichnet; neuerdings versucht man ein echtes Rot zu erzüchten.

FELLTYP:
kurz, fein, gebändert

• leuchtendes kupferfarbenes Fell

bernsteinfarbene Augen •

breiter Schwanzansatz •

• kleine, ovale Pfoten

• langer, eleganter Hals

| Englischer Name Sorrel Abyssinian | Wesen Anpassungsfähig |

| Ursprungsland Großbritannien | Vorfahren Kurzhaarkatzen mit Ticking | Entstehungs-zeit 1860er Jahre |

Wildfarben

Zwischen den Abessiniern in Europa und in Nordamerika besteht ein Typunterschied. Letztere haben eine rundere und kürzere Kopfform, während die Rasse in Europa mehr dem Schlanktyp entspricht. Es ist jedoch zu hoffen, daß eine weitere Verlängerung des Gesichts durch den Rassestandard verhindert werden kann.

• **Merkmale** Im Englischen wird dieser Farbschlag als »Usual« (normal) oder als »Ruddy« (rötlich) bezeichnet. Die Körperfarbe ist ein sattes Goldbraun.

• **Anmerkung** Die verdünnten Farben der Abessinier wurden erst 1982 von der FIFE anerkannt.

große, gespitzte Ohren •

schwarze Schwanz spitze •

• mittellanger Körper

FELLTYP:
kurz, fein, gebändert

• deutlich sichtbares Ticking

lange, schlanke Beine •

| Englischer Name Usual Abyssinian | Wesen Anpassungsfähig |

Ursprungsland Großbritannien	Vorfahren Kurzhaarkatzen mit Ticking	Entstehungs-zeit 1860er Jahre

Sorrel-Silber

Das Abessinier-Fellmuster entspricht dem getickten Tabby, doch die selektive Zucht hat die Markierungen an Beinen und Schwanz sowie die dunklen »Halsbänder« zum Verschwinden gebracht. Alle diese Merkmale gelten bei der heutigen Abessinier als schwere Fehler. Ein weiteres, schwerer zu lösendes Problem war die Ausmerzung von weißen Fellpartien: Jedes Weiß, außer an Lippen und Unterkiefer, wird als Fehler gewertet.

• **Merkmale** Diese Katzen besitzen ein weißes Unterhaar. Die Körperfarbe ist ein silberner Pfirsichton mit schokoladenbrauner Bänderung. Ballen und Nasenspiegel sollten rosa und die Augen dunkel gerandet sein. Bernsteinfarbene, grüne oder haselnußbraune Augen werden toleriert.

• **Anmerkung** Die einzigen Tabbymarkierungen finden sich auf dem Kopf.

große, weit auseinandergestellte Augen mit breiter Basis •

• geschmeidiger, muskulöser Körper ohne Tendenz zum Plumptyp

Ohrbüschel erwünscht •

schräggestellte Augen •

• Aalstrich ist erlaubt

spitz zulaufender Schwanz •

• Einzelhaare zwei- oder dreifach gebändert

Schwanzspitze in Tickingfarbe •

• feingliedrige, schlanke Beine mit kleinen, ovalen Pfoten

M-förmige Tabbyzeichnung und dunklere »Bleistiftstriche«

• breiter, keilförmiger Kopf mit leichtem Stop

• mittellanger Körper

• kompakte Pfoten

• dunklere Sohlenstreifen

FELLTYP:
kurz, fein, gebändert

Englischer Name Sorrel Silver Abyssinian	Wesen Anpassungsfähig

Wild-Abessinier

N euerdings haben die Züchter den Katzen mit den Fellmustern des Abessiniertyps große Aufmerksamkeit geschenkt. Die Singapura ist bereits recht bekannt geworden, und die Freunde der Wild-Abessinier hoffen, daß es ihren Katzen ebenso ergeht. Sie ähneln angeblich den frühen Abessiniern im viktorianischen England, doch es handelt sich nicht um eine Hybridform aus Wild- und Hauskatzen, wie der Name vermuten lassen könnte. Ein dritter Vertreter der Gruppe, die Ceylonese, sieht der Wild-Abessinier ein wenig ähnlich und wurde vom Cat Club of Ceylon (heute Sri Lanka) erzüchtet. Die Wild-Abessinier wird heute in Italien und in anderen Ländern gezüchtet.

Ursprungsland Singapur	Vorfahren Rasselose Kurzhaarkatzen	Entstehungszeit 1980er Jahre

Wildfarben

Die Vorfahren dieser Katze, die in Singapur verwildert lebten, gelangten in die USA, wo Tord Svenson und andere Züchter dabei sind, die Rasse aufzubauen. Um das originale »wilde« Erscheinungsbild zu erhalten und nachteilige Inzuchtfolgen zu verringern, hat man entschieden, daß der Stammbaum einer jeden Katze innerhalb von 5 Generationen mindestens ein Importtier aufweisen muß.

• **Merkmale** Diese Katzen, die größer sind als die eigentlichen Abessinier, existieren nur in der rötlichen Wildfarbe: ein sattes Goldbraun mit rötlich-orangefarbenem Unterhaar. Ein schwarzes Ticking ist sichtbar und - im Unterschied zur Abessinier - auch eine Bänderung an den Beinen. Der Schwanz ist mehrfach schwarz geringt.

• **Anmerkung** Durch Selektionszucht wurde bei der Abessinier, die eigentlich ein getickter Tabby ist, die normale Tabbyzeichnung eliminiert. Sie gilt jedoch als ein besonderes Kennzeichen der Wild-Abessinier.

FELLTYP: **kurz, fein, dicht, eng anliegend**

• *charakteristisches M-förmige Tabbyzeichnung*

• *langer, kompakter Kopf*

• *große, runde Augen*

• *dunkle Halsbänder*

• *große, ovale Pfoten*

• *Ticking ist auf Rücken und Körperseiten am stärksten*

Schwanz mit breitem Ansatz, deutlichen schwarzen Tabbyringen und dunkler Spitze •

• *Tabbystreifen an den Beinen*

• *schwarzer Sohlenstreifen*

Englischer Name Usual Wild Abyssinian	Wesen Unabhängig, freundlich

Ocicat

Diese relativ neue Rasse entstand 1964 nach einer Zufallspaarung zwischen einem Chocolate-Point-Siamkater und einer Abessinier × Seal-Point-Siam. Die im US-Bundesstaat Michigan lebende Besitzerin dieser Katze, Virginia Daly, war fasziniert vom wild-katzenähnlichen Aussehen des Kätzchens, das aus dieser Verbindung hervorging und dem sie den Namen »Dalai Talua« gab. Sie wiederholte die Paarung, und ein anderer Züchter, Tom Brown, half ihr bei der Erzüchtung der Blutlinie.

Ursprungsland USA	Vorfahren Siam x Siam/Abessinier	Entstehungs-zeit 1964

Chocolate

In den USA verwendete man Amerikanisch Kurzhaar, um die Größe und die Farbenvielfalt dieser Katzen zu steigern. In Europa begann die Zucht aus einem anderen Stamm erst später; das erste Kätzchen wurde 1984 geboren.

- **Merkmale** Die großen Katzen zeigen ein raffiniertes Tüpfelmuster. Fell- und Augenfarbe sind nicht miteinander gekoppelt, blaue Augen allerdings nicht zugelassen. Ein kraftvolles Erscheinungsbild ist ein wichtiges Rassemerkmal.
  - **Anmerkung** Im Namen sind zwei Bestandteile kombiniert: »Ocelette« verweist auf die Ähnlichkeit mit dem Ozelot, und »Acci-cat« bedeutet soviel wie »Zufallskatze«.

FELLTYP:
kurz, weich, leuchtend

• *Ausbuchtung zwischen Nasenrücken und Brauen*

• *ziemlich langer Schwanz*

• *klarer Kontrast zwischen Markie-rungen und Grundfarbe*

• *klar abgegrenzte Tupfen*

• *kräftige, muskulöse Beine mit dicken, ovalen Pfoten*

Englischer Name Chocolate Ocicat	Wesen Freundlich, aufgeweckt

| Ursprungsland USA | Vorfahren Siam x Siam/Abessinier | Entstehungs-zeit 1964 |

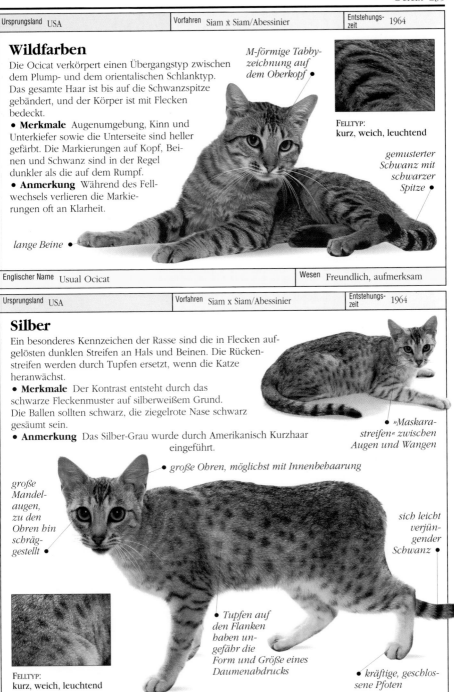

Wildfarben

Die Ocicat verkörpert einen Übergangstyp zwischen dem Plump- und dem orientalischen Schlanktyp. Das gesamte Haar ist bis auf die Schwanzspitze gebändert, und der Körper ist mit Flecken bedeckt.

• **Merkmale** Augenumgebung, Kinn und Unterkiefer sowie die Unterseite sind heller gefärbt. Die Markierungen auf Kopf, Beinen und Schwanz sind in der Regel dunkler als die auf dem Rumpf.

• **Anmerkung** Während des Fellwechsels verlieren die Markierungen oft an Klarheit.

M-förmige Tabby-zeichnung auf dem Oberkopf •

FELLTYP: kurz, weich, leuchtend

gemusterter Schwanz mit schwarzer Spitze •

lange Beine •

| Englischer Name Usual Ocicat | Wesen Freundlich, aufmerksam |

| Ursprungsland USA | Vorfahren Siam x Siam/Abessinier | Entstehungs-zeit 1964 |

Silber

Ein besonderes Kennzeichen der Rasse sind die in Flecken aufgelösten dunklen Streifen an Hals und Beinen. Die Rückenstreifen werden durch Tupfen ersetzt, wenn die Katze heranwächst.

• **Merkmale** Der Kontrast entsteht durch das schwarze Fleckenmuster auf silberweißem Grund. Die Ballen sollten schwarz, die ziegelrote Nase schwarz gesäumt sein.

• **Anmerkung** Das Silber-Grau wurde durch Amerikanisch Kurzhaar eingeführt.

»Maskara-streifen« zwischen Augen und Wangen

große Ohren, möglichst mit Innenbehaarung

große Mandel-augen, zu den Ohren hin schräg-gestellt •

sich leicht verjüngender Schwanz •

• Tupfen auf den Flanken haben un-gefähr die Form und Größe eines Daumenabdrucks

FELLTYP: kurz, weich, leuchtend

• kräftige, geschlossene Pfoten

| Englischer Name Silver Ocicat | Wesen Freundlich, aufmerksam |

California Spangled

Die »Kalifornische Paillettenkatze« wurde 1986 durch den Weihnachtskatalog eines großen amerikanischen Versandhauses mit großem Werbeaufwand bekannt gemacht. Die Züchtung ist die Schöpfung des kalifornischen Drehbuchautors Paul Casey, der eine getupfte Manxkatze, einen Silbergetupften Perser, eine Seal-Point-Siam und Britisch und Amerikanisch Kurzhaarkatzen miteinander kreuzte. Er benutzte zudem Straßenkatzen aus Kairo und gewöhnliche asiatische Hauskatzen, um eine getupfte Katze zu erzüchten, die vor allem ihren wildlebenden Verwandten gleichen sollte.

Ursprungsland	USA	Vorfahren	Rasselose und Rassekatzen	Entstehungs-zeit	1971

Golden

Das Tüpfelmuster dieser »Rasse« wurde in 5 Generationen erzüchtet, und für die Fixierung des Körperbautyps waren 6 Generationen vonnöten. Das Erscheinungsbild der California Spangled suggeriert eine viel größere Katze; sie gleicht eher einem Leoparden, dem Paul Casey die Anregung zur Schaffung dieser Zuchtform verdankt.

- **Merkmale** Das Fell ist golden getönt, doch wichtiger ist das Fellmuster. Streifen verlaufen vom Ohrenzwischenraum über den Nacken bis zur Schulter, und Tupfen überziehen den Rücken und die Seiten.
- **Anmerkung** Für die ersten Katzen wählte man Namen kalifornischer Indianerstämme.

gut abge-grenzte ovale, runde oder dreieckige Tupfen •

mittellanger Schwanz •

mandelför-mige Augen •

• *markante Schnurr-haarkissen*

FELLTYP: kurz, weich, glatt

langgestreckter, schlanker, muskulöser Körper wie bei vielen Wildkatzen •

Schwanz ziemlich lang be-haart •

Streifen ver-laufen vom Nacken bis über die Schulter •

Vorderbeine oben deutlich dunkel gebändert •

Englischer Name	Gold California Spangled	Wesen	Anhänglich, lebhaft

Ursprungsland USA	Vorfahren Rasselose und Rassekatzen	Entstehungs-zeit 1971

Silber

Das »natürliche« Aussehen dieser Katzen wurde ohne Rückgriff auf Wildkatzen erzielt und auch ohne jede Inzucht; es basiert auf 8 getrennten Blutlinien. Das Interesse an dieser Züchtung ist so groß, daß es für Jungtiere bei den wenigen Züchtern eine lange Warteliste gibt.

• **Merkmale** Die schwarzen Markierungen heben sich von der silbernen Grundfarbe ab. Dieser Kontrast ist ein wesentliches Kriterium.

• **Anmerkung** Abgebildet ist ein 10 Monate altes Jungtier aus Paul Caseys eigener Zucht.

das Schwanzende sollte mindestens zweifach dunkel geringt sein •

• *abgerundete Ohrspitzen*

• *muskulöse Schenkel*

• *vorstehende Wangenknochen*

klare Markierungen •

• *Unterseite länger behaart*

• *große Pfoten*

FELLTYP:
kurz, weich, glatt

Englischer Name Silver California Spangled	Wesen Anhänglich, lebhaft

Ursprungsland USA	Vorfahren Rasselose und Rassekatzen	Entstehungs-zeit 1971

Blau

Da die California Spangled als Symbol für bedrohte gefleckte Wildkatzenarten geschaffen wurde, versteht es sich von selbst, daß auf die Qualität des Fellmusters besonderer Wert gelegt wird.

• **Merkmale** Bei diesen Katzen variiert nur die Färbung. Das Fellmuster ist stets gleich, außer bei der hier gezeigten Schneeleopardenvariante, bei der die Kätzchen weiß geboren werden und die Markierungen sich in 18 Monaten allmählich ausbilden.

• **Anmerkung** Paul Casey wollte seine Züchtung nicht populär machen, sondern mit ihr auf den Zusammenhang zwischen Hauskatzen und ihren zahlreichen wildlebenden Verwandten hinweisen, die vom Aussterben bedroht sind.

FELLTYP:
kurz, weich, glatt

• *durchgehendes schwarzes »Halsband«, zuweilen in der Mitte hochgebogen*

• *die Ohren sitzen weit hinten*

muskulöser Körper •

die Kätzchen sind munter und verspielt •

• *geschickte Pfoten*

Englischer Name Blue California Spangled	Wesen Anhänglich, lebhaft

| Ursprungsland USA | Vorfahren Rasselose und Rassekatzen | Entstehungs-zeit 1971 |

Charcoal (Holzkohlenfarben)

Bei diesen Katzen kommt es nicht nur auf das Äußere an, sie müssen auch intelligent und körperlich fit sein. Um sich austoben zu können, brauchen sie Klettermöglichkeiten und Spielzeug. Sie sind von Natur aus gesellig, vertragen sich gut mit anderen Katzen und sogar Hunden und schließen sich eng an ihren Besitzer an.

• **Merkmale** Ein guter Kontrast ist auch bei dieser Varietät wichtig.

• **Anmerkung** Das ausdrucksvolle Gesicht unterstreicht die Individualität dieser Katzen.

• *schräg- und weit auseinandergestellte Augen*

• *durchgehender Streifen von der Schulter zur Achselhöhle*

kraftvolle Beine •

• *kräftige Pfoten*

FELLTYP:
kurz, weich, glatt

• *athletischer, muskulöser Körperbau*

• *dunkle Schwanzspitze*

| Englischer Name Charcoal California Spangled | Wesen Anhänglich, lebhaft |

| Ursprungsland USA | Vorfahren Rasselose und Rassekatzen | Entstehungs-zeit 1971 |

Braun

ausgeprägte Wangenknochen •

Der Kopf der California Spangled ist mittellang und -breit, und die Form der Wangenknochen ergibt eine »plastische« Augeneinfassung. Unterkiefer und Kinn sind gut entwickelt.

• **Merkmale** Kennzeichnend für diese Katzen ist, daß sie beim Gehen den Körper trotz der relativ langen Beine niedrig halten. Das liegt an den stark gewinkelten Gelenken; die Vorderbeine bilden mit dem Ellbogen fast einen rechten Winkel, und deswegen werden sie beim Gehen nach hinten unter den Rumpf gezogen.

• **Anmerkung** Die Hinterbeine sind ähnlich ausgebildet und stehen beim Pirschgang vom Körper ab.

• *Tupfen auf Rücken und Seiten*

• *kleiner weißlicher Latz am Hals ist erlaubt*

FELLTYP:
kurz, weich, glatt

• *Fellmuster setzt sich auf dem Schwanz fort*

| Englischer Name Brown California Spangled | Wesen Anhänglich, lebhaft |

Bengalkatze

K reuzungen zwischen kleinen Wildkatzen und Hauskatzen sind seit mehr als einem Jahrhundert belegt, und einige dieser Hybriden wurden in Viktorianischer Zeit auf Ausstellungen gezeigt. Mindestens 10 Arten wurden dabei verwendet, und seit den 1960er Jahren sind solche Verpaarungen wieder beliebt. Die Bengal entstand in einem 1963 begonnenen amerikanischen Zuchtprogramm, in dem die Genetikerin Jean Sugden einen Hauskater mit einer wilden weiblichen Bengal- oder Zwergtigerkatze kreuzte, um die Wildkatzenzeichnung auf eine domestizierte Katze zu übertragen.

Ursprungsland	USA	Vorfahren	Bengalkatzenhybriden	Entstehungs-zeit	1963

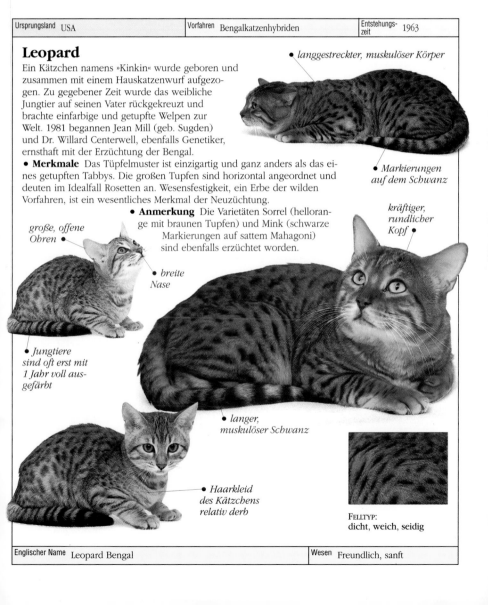

Leopard

Ein Kätzchen namens »Kinkin« wurde geboren und zusammen mit einem Hauskatzenwurf aufgezogen. Zu gegebener Zeit wurde das weibliche Jungtier auf seinen Vater rückgekreuzt und brachte einfarbige und getupfte Welpen zur Welt. 1981 begannen Jean Mill (geb. Sugden) und Dr. Willard Centerwell, ebenfalls Genetiker, ernsthaft mit der Erzüchtung der Bengal.

- **Merkmale** Das Tüpfelmuster ist einzigartig und ganz anders als das eines getupften Tabbys. Die großen Tupfen sind horizontal angeordnet und deuten im Idealfall Rosetten an. Wesensfestigkeit, ein Erbe der wilden Vorfahren, ist ein wesentliches Merkmal der Neuzüchtung.
- **Anmerkung** Die Varietäten Sorrel (hellorange mit braunen Tupfen) und Mink (schwarze Markierungen auf sattem Mahagoni) sind ebenfalls erzüchtet worden.

• *langgestreckter, muskulöser Körper*

• *Markierungen auf dem Schwanz*

• *kräftiger, rundlicher Kopf*

• *große, offene Ohren*

• *breite Nase*

• *Jungtiere sind oft erst mit 1 Jahr voll ausgefärbt*

• *langer, muskulöser Schwanz*

• *Haarkleid des Kätzchens relativ derb*

FELLTYP: dicht, weich, seidig

Englischer Name	Leopard Bengal	Wesen	Freundlich, sanft

Rasselose Kurzhaarkatzen

Diese Hauskatzen im engeren Sinne, die keiner etablierten Rasse angehören, sind wahrscheinlich die am häufigsten gehaltenen Katzen der Welt. Es gibt sie in allen Farben und Fellmustern; die zweifarbigen Tiere herrschen im allgemeinen vor, während ausgefallene Farben, wie zum Beispiel schokoladenbraun, recht selten sind. Solche Farben können indes durch Zufallsverpaarungen mit Rassekatzen zustande kommen. Obwohl die gewöhnlichen Hauskatzen per definitionem keinem Standardtyp entsprechen, kann sich jedoch durch wiederholte Paarungen ähnlicher Katzen eine bestimmte Form herausbilden. Diese Kurzhaarkatzen ohne Stammbaum haben im allgemeinen einen gedrungenen Körperbau und eine eher rundliche Gesichtsform.

Ursprungsland	Ägypten	Vorfahren	Falbkatze	Entstehungszeit	um 1500 v. Chr.

Blau und Weiß

Aus solchen Katzen haben die Viktorianer die Rasse Britisch Kurzhaar herausgezüchtet. Um einfarbige Tiere, wie etwa die Blaue Kurzhaar, zu erzielen, mußten allerdings die weißen Fellpartien eliminiert werden. Da bei der rasselosen Kurzhaar die Selektion ausgeblieben ist, sind bei diesen Katzen weiße Markierungen nach wie vor anzutreffen.

- **Merkmale** Bei rasselosen Katzen dürfen sich weiße und blaue Haare vermischen. Auch Spuren einer dunkleren Tabbyzeichnung sind zuweilen vorhanden.
- **Anmerkung** Die Reinzucht von Rassekatzen konzentriert sich darauf, bestimmte Merkmale der gewöhnlichen Hauskatzen weiterzuentwickeln.

FELLTYP: kurz, dicht, fest

• rundliche Gesichtsform mit kurzer, gerader Nase

mittelgroße Ohren mit runder Spitze und Innenbehaarung •

grünliche Augen •

• ziemlich breiter, muskulöser Rumpf

gerade Schnurrhaare •

• die Verteilung von Blau und Weiß bleibt lebenslang erhalten

kurzer, dicker Schwanz, oft mit dunkleren Tabbyringen •

große Pfoten •

Englischer Name	Blue and White Non-pedigree Shorthair	Wesen	Freundlich

| Ursprungsland | Ägypten | Vorfahren | Falbkatze | Entstehungszeit | um 1500 v. Chr. |

Schwarz und Weiß

weiße Blesse

Diese Katzen waren im 19. Jahrhundert beliebte Hausgenossen, doch ihre Zahl nahm ab, als exotischere Rassen in Mode kamen. Sie sind jedoch immer noch eine gute Wahl, da sie anpassungsfähig und leicht zu pflegen sind.
• **Merkmale** Das Aussehen der rasselosen zweifarbigen Katzen ist sehr viel variabler als das der Rassetiere. In diesem Fall sind die weißen Partien vom vorwiegend schwarzen Fell gut abgegrenzt.
• **Anmerkung** Die Augenfarbe kann individuell verschieden sein.

gedrungener Körperbau

weiße Haare sind mit schwarzen vermischt

FELLTYP: kurz, dicht, fest

variables Fellmuster •

| Englischer Name | Black and White Non-pedigree Shorthair | Wesen | Freundlich |

| Ursprungsland | Ägypten | Vorfahren | Falbkatze | Entstehungszeit | um 1500 v. Chr. |

Weiß und Schildpatt

Das Gen für Rot, das für die Schildpattfärbung verantwortlich ist, tauchte vermutlich erstmals in der Türkei und Nordafrika auf und ist auch im Orient verbreitet.
• **Merkmale** Die typischen Schildpattmarkierungen, bestehend aus Schwarz mit Rottönen, heben sich hier vom weißen Fell ab.
• **Anmerkung** Schildpattkatzen sind gewöhnlich gutmütig und langlebig.

vermischte Farben

rundlicher Kopf

FELLTYP: kurz, dicht, fest

weiße Unterseite

blaßrosa, schwarze und rote Farbtöne

dicker Schwanz •

gesprenkelte Ballen

| Englischer Name | White and Tortie Non-pedigree Shorthair | Wesen | Freundlich |

Ursprungsland	Ägypten	Vorfahren	Falbkatze	Entstehungszeit	um 1500 v. Chr.

Blaucreme

Blaucreme-Katzen gehen gewöhnlich aus der Paarung von cremefarbenen und blauen Katzen hervor.

• **Merkmale** Eine Blaucreme-Rassekatze sollte eine ausgewogene Mischung von blauen und cremefarbenen Haaren aufweisen. Bei gewöhnlichen Hauskatzen trifft man dagegen häufig deutliche blaue und cremefarbene Flecken an.

• **Anmerkung** Blaucreme-Kater können nur dann entstehen, wenn in ihrem Erbgut ein seltenes zusätzliches Chromosom enthalten ist.

Beine meist recht kurz •

• *gerundete Ohrenspitzen*

• *kräftige Kiefer*

• *kontrastierende cremefarbene und blaue Fellpartien*

FELLTYP: kurz, dicht, fest

Englischer Name	Blue-cream Non-pedigree Shorthair	Wesen	Freundlich

Ursprungsland	Ägypten	Vorfahren	Falbkatze	Entstehungszeit	um 1500 v. Chr.

Schildpatt und Weiß

Selbst wenn die Mutter attraktiv gezeichnet ist, läßt sich das Fellmuster der Nachkommen unmöglich vorhersagen; es ist stets variabel.

• **Merkmale** In diesem Fall herrscht das Schildpattmuster vor, während das Weiß zurücktritt.

• **Anmerkung** Das Schildpatt entsteht infolge der allmählichen Verkümmerung eines der paarigen weiblichen Geschlechtschromosomen in der frühen Embryonalentwicklung, wenn die Farbe mit Genen auf dem einen oder dem anderen Chromosom gekoppelt ist. In manchen Zellen fällt das Chromosom mit dem roten Gen aus, in anderen ist das schwarze betroffen.

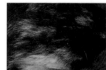

FELLTYP: kurz, dicht, fest

• *runde Augen*

• *Blesse vorhanden*

• *Farbpartien nicht klar abgegrenzt*

• *Ausmaß der farbigen Flecken variabel*

Englischer Name	Tortie and White Non-pedigree Shorthair	Wesen	Freundlich

Ursprungsland Ägypten	Vorfahren Falbkatze	Entstehungszeit um 1500 v. Chr.

Rotgestromt und Weiß

Rasselose Katzen mit dieser Färbung werden manchmal als »ingwerfarben und weiß« bezeichnet. Die Stromung ist dunkelrot.

• **Merkmale** Die weißen Partien sind völlig willkürlich verteilt, und nicht selten überlappen sich Weiß und Farbe.

Im Typ ähneln diese Katzen der Britisch Kurzhaar, sind aber gewöhnlich kleiner.

• **Anmerkung** Die Tabbyzeichnung ist hier nicht so sauber wie bei einer Rassekatze.

dunklere »Runzellinien« auf dem Kopf

FELLTYP: **kurz, dicht, fest**

variable Markierungen

weiße Pfoten

breiter Schwanz mit gerundeter Spitze

Englischer Name Red Classic Tabby and White Non-pedigree Shorthair	Wesen Freundlich

Ursprungsland Ägypten	Vorfahren Falbkatze	Entstehungszeit um 1500 v. Chr.

Blaugetigert und Weiß

Die Tabbyzeichnung ist seit Jahrhunderten bekannt. Diese getigerte Form entstand in England, wahrscheinlich im 17. Jahrhundert.

• **Merkmale** Nicht nur die Markierungen sind individuell verschieden, auch die blaue Färbung ist nicht ganz einheitlich. In einigen Fällen ist der Kontrast zwischen Grundfarbe und Tabbymuster weniger ausgeprägt als in anderen.

• **Anmerkung** Die relative Größe und Verteilung der weißen Partien ändert sich nach dem Welpenalter nicht mehr.

FELLTYP: **kurz, dicht, fest**

reinweiße Partien kontrastieren mit blauen

rundlicher Kopf mit vergleichsweise kleinen Ohren

Tabbymarkierungen sind deutlich zu erkennen

Englischer Name Blue Mackerel Tabby and White Non-pedigree Shorthair	Wesen Freundlich

Ursprungsland Ägypten	Vorfahren Falbkatze	Entstehungszeit um 1500 v. Chr.

Braungestromt und Weiß

Diese Katzen mit dem durchbrochenen Fellmuster, das durch die dunklere Stromung entsteht, können sich gut verstecken, wenn sie auf die Jagd gehen.

• **Merkmale** Die dunkle Tabby-zeichnung kontrastiert mit der helleren braunen Grundfarbe. Die weißen Partien sind hier sehr begrenzt.

• **Anmerkung** Dieser sanfte »Haustiger« ist überall sehr beliebt.

geringter Schwanz •

gerader Schwanz •

• *runder Kopf auf einem kurzen, muskulösen Hals*

• *Körper-seiten deut-lich gestromt*

• *gebän-derte Beine*

• *kurze, kräftige Beine*

FELLTYP: **kurz, dicht, fest**

Englischer Name Brown Classic Tabby and White Non-pedigree Shorthair	Wesen Freundlich

Ursprungsland Ägypten	Vorfahren Falbkatze	Entstehungszeit um 1500 v. Chr.

Braungetupft

Ein Grund für die bei gewöhnlichen Hauskatzen so häufig anzutreffende Tabbyzeichnung ist, daß dieses Muster dominant vererbt wird. Da viele rasselose Katzen aus Zufallspaarungen hervorgehen, werden die Tabby-Gene weit verbreitet.

• **Merkmale** Dieser Tabby hat eigentlich ein getigertes Fellmuster, doch ein Teil der vertikalen Streifen ist durchbrochen.

• **Anmerkung** Durch Selektion ist aus diesem Muster die symmetrische, ausgewogene Zeichnung geworden, die heute für getigerte Rassekatzen charakteristisch ist.

M-förmige Tab-bymarkierung •

dickes, durchge-hendes »Hals-band« •

• *das Streifen-muster zieht sich senkrecht an den Seiten hinab*

• *schwarze Streifen*

• *kräf-tiger schwar-zer Streifen*

FELLTYP: **kurz, dicht, fest**

gebänderte Beine •

Englischer Name Brown Spotted Non-pedigree Shorthair	Wesen Freundlich

Ursprungsland Ägypten	Vorfahren Falbkatze	Entstehungszeit um 1500 v. Chr.

Tabby Weiß und Braun

Die Tabbyzeichnung fehlt auf den weißen Fellpartien, wie hier deutlich zu sehen ist.

• **Merkmale** So viel Weiß wäre bei einer entsprechenden Rassekatze nicht akzeptabel. Die Tabbyzeichnung ist zwar begrenzt, aber klar als gestromt und nicht als getigert anzusprechen.

• **Anmerkung** Die Untersuchung der Hauskatzenpopulation in Australien hat ergeben, daß Tabbys in den jüngeren Städten häufiger sind, was auf die von Einwanderern mitgebrachten Katzen zurückzuführen ist.

keine Tabbymarkierungen auf den weißen Beinen •

• weiße Blesse zwischen den Augen

reinweißes Fell •

vereinzelte weiße Haare in Tabbypartien •

FELLTYP: kurz, dicht, fest

• dicker Schwanz

Englischer Name White and Brown Tabby Non-pedigree Shorthair	Wesen Freundlich

Ursprungsland Ägypten	Vorfahren Falbkatze	Entstehungszeit um 1500 v. Chr.

Braungetigert

Die Kinnpartie ist bei solchen Tabbies meist weiß, doch hier hat sich das Weiß bis zur Nase und über die Kiefer ausgedehnt.

• **Merkmale** Die Zeichnung ist nicht besonders gleichmäßig, so daß das Schwarz in einigen Fellregionen stärker ausgeprägt ist als in anderen. Auch die Schwanzbänderung ist unregelmäßig.

• **Anmerkung** Das Tabbymuster ist ein dominantes Merkmal, so daß in einem Tabbywurf stets ein Anteil von Tabbykätzchen anfällt.

Innenohren behaart •

FELLTYP: kurz, dicht, fest

• rosiger, dunkel umrandeter Nasenspiegel

großer schwarzer Fleck auf der Hinterpfote •

• unregelmäßiges Tabbymuster auch auf dem Schwanz

Englischer Name	Brown Mackerel Tabby Non-pedigree Shorthair	Wesen Freundlich

Nachweis der Katzen und Katzenhalter

Großen Dank schulden wir den zahlreichen Züchtern und Katzenbesitzern, die ihre Tiere von nah und fern zu uns brachten, damit sie für dieses Buch fotografiert werden konnten; ohne deren Unterstützung hätte es nicht zustande kommen können. Die Katzen sowie die Namen ihrer Besitzer und Züchter sind in der Reihenfolge der Seiten aufgeführt, wobei Abkürzungen die Position der jeweiligen Katze auf der Seite bezeichnen.

ABKÜRZUNGSSCHLÜSSEL:

Den halbfett gedruckten Seitenzahlen folgen die Positionsangaben:
b unten
c Mitte
l links
r rechts
t oben

Den Namen der Katzen geht ein abgekürzter Hinweis auf ihren derzeitigen Championstatus voraus:
GrPr Grand Premier
Pr Premier
GrCh Grand Champion
Ch Champion
EurCh European Champion
IntCh International Champion
GrEurCh Grand European Champion
SupGrCh Supreme Grand Champion
SupGrPr Supreme Grand Premier

• **1** c *Midamist Shynal* J Bright (C Bone)
• **2** tl **(grandmother)** *Ch Fleic Mimosa Magic* P & J Choppen (P & J Choppen); **tc (great grandfather)** *GrCh Fleic Chocolate Imperial* P & J Choppen (P & J Choppen); **tr (mother)** *Ch Jasrobinka Angelique* P & J Choppen (P & J Choppen); **bl (kitten)** *Jasrobinka Annamonique* P & J Choppen (P & J Choppen)
• **3** c *Pandapaws Mr Biggs* S Ward-Smith (J Varley & J Dicks)
• **5** b *Skogens Volla* A S Watt (A Moss & J Higgins); **cl** *Bealltainn Bezique* T Stracstone (T Stracstone); **tr** *UK GrCh Nobilero Loric Vilesilensa* AE & R Hobson (M Reed)
• **8** br *Marble Masquerade* F Wagner (B Strace & G Pascoe); **cl** *Kajenka Juniper* K Jenkins (J North)
• **9** bc & tr *IntGrCh Gardenia du Vaumichon* G Bock (J Simonnet); **bl (kitten)** *IntCh Giroflée du Bois de Meudon* G Bock (G Bock)
• **11** br *Friskie* (Bethlehem Cat Sanctuary)
• **12-13** c *GrCh Aerostar Spectre* J E D Mackie (S Callen & I Hotten)
• **13** cl **(white)** *Ch Miletree Memories* R Towse (P Kratz); **rc (ruff)** *Sitah Orllando* M Harvey (M Harvey)

• **16** bc **(kitten)** *Sheephouse Diamond Lil* J Bradley (J Bradley); **bl (adult)** *Ch Lancendel Santa Claw* P Ross (G Ellins & B Hollandt); **br (kitten)** *Sheephouse Precious Pearl* J Bradley (J Bradley); **cl** *Satinmist Charlie Brown* I Worsley-Waring (I Worsley-Waring); **cr (kitten)** L Berry *Kavida Amethyst* (L Berry); **cr (kitten)** L Berry *Kavida Cadberry* L Berry (L Berry); **cr (kitten)** *Kavida Primetime* L Berry (L Berry); **lc (adult)** *Adixish Talisman* M Acton (M Acton); **t (kitten)** *Lipema Monty Moon* P Brown (P Brown); **t (kitten)** *Lipema Melisa* P Brown (P Brown); **tl (adult)** *Adkrish Mary Contarie* C Andrews (P Brown)
• **17** bl kitten *Rejuta Irrisistible* T & R Quick (T & R Quick); **bl kitten** *Rejuta Prize Guy* T & R Quick (T & R Quick); **bl kitten** *Rejuta Sacramentosam* T & R Quick (T & R Quick); **br Adult** *Sarouks Sweet William* W & J Benson (T & R Quick); **cl (kitten)** *Sargenta Blue Gismo* U Graves (U Graves); **cl (left kitten)** *Leolee Larnyen Poppy* (S Lee Soper); **cl (right kitten)** *Leolee Leetee* (S Lee Soper); **cr** *GrCh Wellmar Flamenco* J Martin (M Frew); **tc** *GrCh Miletree Masquerade* R K Towse (P Allen); **tl (kitten)** *Westways Jane Seemoor* A West (E Button); **tr** *Ch Leolee Sweet Song* (S Lee Soper); **tr (below)** *Indalo Knights Templar* B Pridham (B Pridham)
• **18** br *GrPr Honeycharm Pandarella* B Patch (A Tonks); **tr** *Pr Shermese Elysium* C Simpson (F & D Powell)
• **19** bc *Cobby Chops Kitten* M Tolliday (M Tolliday); **bc** *Cobby Chops Kitten* M Tolliday (M Tolliday); **bl** *Cobby Chops Kitten* M Tolliday (M Tolliday); **c** *Cobby Chops Clarida* M Tolliday (M Tolliday); **t** *Cobby Chops Confetti* M Tolliday (M Tolliday)
• **20** br *Ch Watlove Windser* H Watson (H Watson)
• **21** tr **(great grandfather)** *GrCh Fleic Chocolate Imperial* P & J Choppen (P & J Choppen); **step-by-step kitten** *Jasrobinka Annamonique* P & J Choppen (P & J Choppen); **step-by-step kitten** *Jasrobinka Dominique* P & J Choppen (P & J Choppen); **step-by-step kitten** *Jasrobinka Jade Princess* P & J Choppen (P & J Choppen); **step-by-step kitten** *Jasrobinka Jean Pierre* P & J Choppen (P & J Choppen)
• **22** all steps *Picwick Puff Dragon* P Rogers (P Rogers); **br** *GrCh Miletree Masquerade* R K Towse (P Allen)
• **23** cr, bl, bc, & br *GrCh Pannaduloa Yentantethra* Bred by J Hansson (J Hansson)
• **23** tc & tr *GrCh Aerostar Spectre* J E D Mackie (S Callen & I Hotten)

• **26** bl *Honeymist Blue Seastar* M Howes (M Howes); **br** *Kaleetay Dextoniatoo* J Marshall (T Cornwall); **cr** *Lipema Shimazaki* P Brown (G Dean); **cr** *Jardinage Penny Royale* D Jardine (G Dean)
• **27** b *Shaird Bare Essentials* A Rushbrook & J Plumb (A Rushbrook & J Plumb); **cr** *GrCh Maruja Samson* M Moorhead (M Moorhead); **tr** *Pr Bobire Justin Tyme* I E Longhurst (A Charlton)
• **30** bl *Susian Just Judy* S Kempster (M Way); **tl** *GrCh Chermician Santa Fe* G & S Sanders (G & S Sanders); **tr** *Ch Bartania Pomme Frits* B Beck (B Beck)
• **31** cl *Parthia Angelica* (M A Skelton); **cr** *Ch Sargenta Silver Dan* U Graves (U Graves); **tl** *Ch Leolee Sweet Song* S Lee Soper (S Lee Soper); **tr** *Ch Ballantyne Sadrazam* L Miles (L Miles)
• **32** bl *Shaird Bare Essentials* A Rushbrook & J Plumb (A Rushbrook & J Plumb); **c** *GrCh Aerostar Spectre* J E D Mackie (S Callen & I Hotten) **t** *Zultan Paquita Ballet* J Powell (B & B Raine)
• **35** cl **(Somali)** *Sitah Orllando* M Harvey (M Harvey)
• **36** bc *IntGrCh Gardenia du Vaumichon* G Bock (J Simonnet)

LANGHAARKATZEN
• **40** all *GrCh Adievo Ladydido* P Woodman (P Woodman)
• **41** bl **&cr** *Annelida Shalom* A Ashford (M Butler Aust); **tl** *Ch Gleeway Iceberg* G Lee (G Lee); **tr** *Ch Lafrabella Queynote* I Bangs (G & S Sanders)
• **42** bl & br *Picwick Puff Dragon* P Rogers (P Rogers); **tl & tr** *Ch Chrysellus Cream Emperor* R Smith (G Miller)
• **43** bl *Honeymist Blue Seastar* M Howes (M Howes); **br** *Ch Lollipop Blue Rascall* M Edwicker (G Miller); **t** *Bowmans Lilac Rhapsody* E Frankland (D Thompson)
• **44** bl & br *Ch Honeymist Black Domino* M Howes (M Howes); **tl & tr** *Ch Bowmans Rose Dream* A L Frankland (A L Frankland)
• **45** bl *GrCh Chermician Santa Fe* G & S Sanders (G & S Sanders); **br** *Ch Honeycharm Amanda* B Patch (B Patch); **tl & tr** *Ch & GrPr Cherub Hendel* A Cromton (A Bowman)
• **46** bl *Chermician Teaseme* G & S Sanders (G & S Sanders); **tl & tr** *Crystalbee Bi Design* C & K Smith (E Baldwin)
• **47** bl *Chermician Who Dundat* G & S Sanders (G & S Sanders); **br** *Pr Myway Beau Sabreur* I Witney (A Tonks); **tl & tr** *Adirtsa Choc Ice* D Tynan (C & K Smith)

- 48 bl & br *SupGrCh Honeycharm Jasmine* B Patch (B Patch); tc & tr *Honeymist Roxana* M Howes (M Howes)
- 49 tc *Humdinga Heartsease* B Haigh (C Evans); tr *Angieal Naughty Butnice* A Mitchell (A Mitchell)
- 50 b *Honeycharm Channell* B Patch (B Patch); cl *Annelida Madonna* A Ashford (A Ashford); tr *GrPr Honeycharm Pandarella* B Patch (A Tonks)
- 51 b *Crystaldee Hope* C & K Smith (C & K Smith); tl & tr *Casalina Dolly Mixture* E Baldwin (E Baldwin)
- 52 bl & br *Primabella Blueberry pie* (C Gook); t *Watlove Hamish* H Watson (H Watson)
- 53 bl & br *Adraylo Silva Gabriella* N Holt (M Harvey); tl & c *Ch Pieris Thomasina* A & M Baker (A & M Baker)
- 54 b *Honeymist Taboo* M Howes (M Howes); cr *Sarasamsan Honkytonk Angel* S Corris (C Gook); t (kitten) *Rejuta Irrisistible* T & R Quick (T & R Quick); t kitten *Rejuta Prize Guy* T & R Quick (T & R Quick); t (kitten) *Rejuta Sacramentosam* T & R Quick (T & R); tr (Adult) *Sarouks Sweet William* W & J Benson (T & K Quick)
- 55 bl *Celebrity Silver Bonbon* D Slater (D Slater); br *GrCh Bellablanca Thumbelina* S Greaves (S Greaves); tl & tc *Mowbray Tanamera* D Cleford (D Cleford)
- 56 bl & br *Mandarin Halcyon* D Thomson (D Thomson); tc & tr *Ch Diwenna Mandarin* D Went (D Thomson)
- 57 b *Zultan Paquita Ballet* J Powell (B & B Raine); tc & tr *Penumbra Samsons Secret* J Palfreyman (J Palfreyman)
- 58 bl & br *Ch & GrPr Bessjet Silver Dollar* J Smith (C Wall); t *Pickwick Exquisite Pixie* P Rogers (P Rogers)
- 59 b *Taloola Oopsadaisy* J Saunders (J Saunders); cl & tr (adult) *Cashel Golden Yuppie* A Curley (A Curley); cr (kitten) *Cashel Golden Alice* A Curley (A Curley)
- 60 b *GrPr Bellrai Faberge* B & B Raine (B & B Raine); tl & tr *Bellrai Creme Chanel* B & B Raine (B & B Raine)
- 61 cl *Ch Ambergem Orlandos* A Burke (A Burke); cr & b *Adhuilo Meadowlands Alias* P Hurrell (S Josling); tr *Klaxon Matterhorn* Mary Harrington (M Harrington)
- 62 all *Anneby Sunset* A Bailey (A Bailey)
- 63 b *Impeza Chokolotti* C Rowark (E Baldwin); t *Ch Watlove Mollie Mophead* H Watson (H Watson)
- 64 b *Amocasa Beau Brummel* I Elliott (I Elliott); tr & c *GrCh Anneby Trendsetter* A Bailey (A Bailey)
- 65 bl & br *Ch Dermask Dolly Daydream* J Bettany (M Allum); tl & tr *GrCh Anneby Charisma* A Bailey (A Bailey)

- 66 b *Ch Watlove Windser* H Watson (H Watson); tl & tr *Ch Jonalynn Munchkin* J & L Wallett (J & L Wallett)
- 67 bl & br *Impeza Chokolotti* C Rowark (E Baldwin); t *Ch Crystaldee Frilly Knickers* C & K Smith (C & K Smith)
- 68 all *Saybrianna Tomorrows Cream* A Carritt (A Carritt)
- 69 bl & br *Schwenthe Kisca* F E Brigliadori (F E Brigliadori & K Robson); tl & tr *Panjandrum Bestman* A Madden (E Leach)
- 70 bc & br *Ch & GrPr Panjandrum April Suprice* A Madden (A Madden); t *GrCh Adivelo Anchantress* D Wedmore (C Flynn)
- 71 all *Shwechinthe Katha* F Bridliadori (F Robinson)
- 72 bl & br *Boemm Shantung Silk* K Bairstairs (G Rankin); t *Aesthetikat Toty Temptress* Mrs G Sharpe (H Hewitt)
- 73 bc & br *Panjandrum Pan Yan* A Madden (A Madden); c (kitten) *Shandatal Yelena* S Talboys (S Talboys); tl & tr *Panjandrum Swansong* Anne Madden (S Talboys)
- 74 bl *Shanna's Snowy Fleur* M Harms (M Harms); br *Shanna's Demiz Sayah* M Harms (I Halewyck); cr (Adult) *Ch Yemin de Saint Glinglin* H Den Ouden (M Harms)
- 75 cr & b *Shanna's Essen Demir* M Harms (D Hondijk Zuuring); t *Shanna's Tombis Hanta Yo* M Harms-Moeskops (G Rebel van Kemenade)
- 76 b & cr *Shanna's Boncuk Bertje* M Harms (Ad Senders); t *Shanna's Yasmine Sevince* M Harms (H Dieman)
- 77 b & cr *Shanna's Yacinta-Sajida* M Harms (M Harms); tc & tr *Kazibelli Kedi's Tamar* M Bosch (G Rebel van Kemenade)
- 78 all *Ch Lady Lubna Leanne Chatkantarra* T Boumeister (J van der Werff)
- 79 all *Ch Ballantyne Sadrazam* L Miles (L Miles)
- 80 all *Chantonel Snowball Express* R Elliot (R Elliot)
- 81 b & cr *Jardinage Penny Royale* D Jardine (G Dean); tc (adult) *Ohope White Mischief* C Andrews (P Brown); tr & c (kitten) *Lipema Major Balmerino* P Brown (P Brown)
- 82 b *Lipema Shimazaki* P Brown (G Dean); t (kitten) *Lipema Monty Moon* P Brown (P Brown); t (kitten) *Lipema Melisa* P Brown (P Brown); t (kitten) *Lipema Muriel* P Brown (P Brown); tr (adult) *Adkrish Mary Contarie* C Andrews (P Brown)
- 83 all *Quinkent Honey's Mi-Lei-Fo* I A van der Reckweg (I A van der Reckweg)
- 84 all *Koonluv White Fury* A Rowsell (T Cornwall)
- 85 cr & br *Charlemma Blue Balco* D Froud (D Gourd); tl & tc *USA GrCh Honeycoon Voodoo Boy* K Muller (T Cornwall)

- 86 bl & br *Namrib Silvasand* H Horton (J Lindsey); c (kitten) *Caprix Dinah* T Cornwall (Mr and Mrs Harley); cl (adult) *Caprix Marvellous Marvin* T Cornwall (T Cornwall); tr *Caprix Dynamite* T Cornwall (T Cornwall)
- 87 bl & br *Kaleetay Dextoniatoo* J Marshall (T Cornwall); tc & tr *Purpuss Mainchance* T & S A Morgan (T Morgan)
- 88 b *Caprix Silver Mist* T Cornwall (T Cornwall); c *Charlemma Fire Dancer* D Froud (Col. & E Stapleton); tr *Koonluv Chevrolet* A Rowsell (T Cornwall)
- 89 bc & br *Bealltainn Cadillac* Sheeman (T Cornwall); cl & tr *Adixillo Coon Laura* C Evans (H Horton)
- 90 all *Skogens Modi* A S Watt (G Elston & K Harvey)
- 91 br *Skogens Volla* A S Watt (A Moss & J Higgins); cl & tc *Skogens Magni* A S Watt (K Garratt)
- 92 bc & cr *Skogens Odin* M & M Laine (A S Watt); tc & tr *Skogens SF Eddan Romeo* A S Watt (S Garrett)
- 93 all *Olocha* A Danveef (H von Groneburg)
- 94 all *Ladibyrd Ragadam* S Ward-Smith (C M Carter & M Sumpter)
- 95 all *Pandapaws Blue Flash* S Ward-Smith (C M Carter & M Sumpter); bc *Pandapaws Mr Biggs* S Ward-Smith (J Varley & Jon Dicks)
- 96 all *Adhuish Alefeles Topaz* R J Allen (P G & M Frayne)
- 97 br *Sitah Kissamayo* M Harvey (M Harvey); tl & tc *Sir Duncan Van Manja* M Van Zweden (L Warwick)
- 98 bc & cr *Vestisler Risingstar* L Warwick (L Warwick); tl & tr *Bonzer Fandango* J Ponsford (L Warwick)
- 99 bl & bc *Melody Von Haimhaurschloss* N Reiger (J Holderer-Hortensius); cr *Bealltainn Bezique* T Stracstone (T Stracstone); tr *Kelmscott Falcon* T Stracstone (T Stracstone)
- 100 all *Frafadi's Silver Aurora* D Hondijk Zuuring (D Hondijk Zuuring)
- 101 bc *Uptomalian Forgetmenot* F Upton (F Upton); c & tr *Uptomalian Jessica Rabbit* F Upton (L Warwick)
- 102 all *Pakjia Pennyfromheaven* J Buroughs (T Tidey)
- 103 b *Pr Apricat Feargal* E Corps (B V Rickwood); tc & tr *Blancsanglier Rosensoleil* A Bird (A Bird)
- 104 bc & cr *Pr Blancsanglier Beau Brummel* A Bird (A Bird); t *Ronsline Whistfull Spirit* R Farthing (R Farthing)
- 105 bc & cr *Jeuphi Golden Girl* J Phillips (L Cory); tr & tc *Dasilva Tasha* J St. John (C Russel & P Scrivener)
- 106 bc *Ch Apricat Silvercascade* R Smyth (E & J Robinson); tr & c *GrCh Soleil Imperial Rufus* L Howard (L Howard)

- **107 b** *Mossgems Sheik Shimizu* M Mosscrop (H Grenney); **tc & tr** *GrPr Nighteyes Cinderfella* J Pell (J Pell)
- **108 all** *Favagello Hamlet* J Bryson (R I Bryson)
- **109 b & cr** *Kennbury Dulcienea* C Lovell (K Harmon); **c & tr** *Favagello Brown Whispa* J Bryson (J Bryson)
- **110 all** *Polar Star* L Price (L Williams)
- **111 all** *Shilley Wilderbras* C M Balemans (Family Wouters)
- **114 all** *Maggie* (Bethlehem Cat Sanctuary)
- **115 bl & bc** *Dumpling* (Bethlehem Cat Sanctuary); **tc** *Dan-I-Lion* (V Warriner)
- **116 cl & tr** *Dan* (D & C Ellis)
- **117 cr & br** *Mr Beau* (V Warriner); **tc & tr** *Stardust* (V Warriner)

KURZHAARKATZEN
- **118 all** *Ch & SupGrPr Welquest Snowman* A Welsh (A Welsh)
- **119 b** *Ch Lancendel Girl Friday* P Ross (J Bradley); **tl & tr** *GrCh Miletree Twinkle* R Towse (R Towse)
- **120 bc (adult)** *Adixish Talisman* M Acton (M Acton); **c (kitten)** *Kavida Primetime* L Berry (L Berry); **cr (kitten)** *Kavida Amethyst* L Berry (L Berry); **tc & tr** *GrCh Westways Purfect Amee* A West (G B Ellins)
- **121 tc & tr** *GrCh Maruja Samson* M Moorhead (M Moorhead); **bl (kitten)** *Kavida Cadberry* L Berry (L Berry); **br** *Satinmist Charlie Brown* I Worsley-Waring (I Worsley-Waring)
- **122 bc & br** *GrCh Blakewood Tuteine* G B Ellins (G B Ellins); **l** *Miletree Black Rod* R Towse (R Towse); **tr** *Susian Cara Mia* S Kempster (S Kempster)
- **123 bc & cr** *Ch Bartania Pomme Frits* B Beck (B Beck); **tl (kitten)** *Sheephouse Tallullah* J Bradley (J Skinners); **tr** *Bradlesmere Nerine* J Shaw (B Hollandt)
- **124 b** *Ch Sargenta Silver Dan* U Graves (U Graves); **cr (kitten)** *Sargenta Blue Gismo* U Graves (U Graves); **tc** *GrCh Wellmar Flamenco* J Martin (M Frew)
- **125 bc & br** *Tammeko Tamoshanter* M Simon (M Taylor); **tr** *Ch Wellmar Boson* J Martin (J Martin)
- **126 bc** *GrCh Tammeko Marmaduke* M Simon (M Simon); **tl & tc** *Ch Tammeko Cappuccino* M Simon (M Simon)
- **127 cl & br** *Susian Just Judy* S Kempster (M Way); **tc & tr** *GrCh Miletree Masquerade* R K Towse (P Allen)
- **128 b** *Miletree Magpie* R Towse (M Le Monnier); **cr (adult)** *Ch Lancendel Santa Claw* P Ross (G Ellins & B Hollandt); **tc (kitten)** *Sheephouse Precious Pearl* J Bradley (J Bradley); **tr (kitten)** *Sheephouse Diamond Lil* J Bradley (J Bradley)
- **129 bl & cr** *Wellmar Keziah* J Martin (A M Gothard);

tr *GrCh Starfrost Dominic* E Conlin (C Greenall)
- **130 bc & br** *Ch Adreesh Lotte* J Bradley (K McKenna)
- **130 c & tr** *Ch Semra Smokeancoke* M Sutton (J M Allison)
- **131 bc & cr** *GrCh (CA) Ch (GCCF) Westways Dusty Miller* A West (A West)
- **131 cl & tr** *Ch Phykell Milliways* M Sparshot (Mrs R K Towse)
- **132 all** *Kavida Hamilton* L Berry (V Clerkin)
- **133 bc** *Boadicat Bertie* P Griffiths (J Jones); **cr** *Cordelia Cassandra* J Codling (C Excell); **l & tr** *Boadicat Bizzie Lizzie* P Griffiths (P Griffiths)
- **134 bl & br** *Kavida Sweet Georgia Brown* L Berry (L Berry); **cr** *Beeblebox Plum Crazy* J Crafer (C Boyd); **tr** *Adhuish Cattino* C Excell (C Excell)
- **135 bl & cr** *Boadicat Camilla* P Griffiths (L Berry); **tc** *Adhuish Carnival Queen* C Excell (C Excell); **tr** *Kavida Misty Daydream* L Berry (L Berry)
- **136 cl & cr** *Blondene Choochy chops* G Butler (M Smith); **tl** *Tzarkesh Aint Misbehavin* J Rogers (M Smith)
- **137 c & b** *Adqwesh Avra* Mrs Farmer (S W McEwen); **tr** *Pennydown Penny Black* S W McEwen (S W McEwen)
- **138 bl & bc** *IntCh Silvery Glow Dwarrelhof* A P Groeneugen (A P Groeneugen); **c** *French Can Can* M Schuriderski (E Christian Tilli)
- **139 bc & cr** *EurCh None Such of the Golden Rainbow* A P Groeneuegen (A P Groeneuegen); **tc** *Pennydown Touch of Class* S W McEwen (S W McEwen)
- **140 all** *Myrneen Cloudy Man Sell* L Price (L Williams)
- **141 bc & cr** *Myrneen Timmiswara* L Williams (L Williams); **tr** *Minty* L Williams (H Walker & K Bullin)
- **142 br** *Adrish Alenka* L Price (L Williams); **tc & cr** *Tattleberry Signed* J Hellman (L Williams)
- **143 all** *Ngkomo Ota* A Scruggs (L Marcel)
- **144 all** *Delicious Panda Vanzechique* M Wijers (M Wijers)
- **145 all** *Lucky Boy Wildebras* C M Balemans (C M Balemans)
- **146 b** *Esmaralda Wildebras* C M Balemans (C M Balemans); **cl & tc** *Ambre de Brentwood Drive* M Lisart (M Wijers)
- **147 bl & tr (kitten)** *Linkret Evie* M Trompetto (J Swinyard); **br & cl** *Linkret Barclay Mews* M Trompetto (M Trompetto)
- **160 all** *IntCh & Pr Rimsky de Santanoe* L Kenter (L Kenter)
- **161 bl & br** *Eldoria's Crazy Girl* O van Beck and Aat Quast (O van Beck and Aat Quast); **t** *Eldoria's Graziana* O van Beck and Aat Quast (O van Beck and Aat Quast)
- **162 bl & cr** *Eldoria's Goldfinger* O van Beck and Aat Quast (O van Beck and Aat Quast); **t** *Eldoria's Yossarian* O van Beck and Aat Quast

(O van Beck and Aat Quast)
- **163 all** *IntCh Orions Guru* Lomaers (Mulder-Hopma)
- **164 all** *Aurora de Santanoe* L Kenter (L Kenter)
- **165 bc & tr** *IntGrCh Gardenia du Vaumichon* G Bock (J Simonnet); **bl (kitten)** *IntCh Giroflée du Bois de Meudon* G Bock (G Bock)
- **166 all** *Pr Adkrish Samson* P K Weissman (P K Weissman)
- **167 b** *Ch Adhuish Anak Barong* P K Weisman (P K Weissman); **tc & tr** *Rastacat Yzella* J Cross (J Cross)
- **168 bc & cr** *Amaska Fantasia* S Luxford-Watts (S Luxford-Watts); **tl & tr** *Leshocha Little Gem* E Himmerston (E Himmerston)
- **169 bc & cr** *Amaska Tia Maria* S Luxford-Watts (S Luxford-Watts); **cl & tr** *Amaska Silver Cinnerama* S Luxford-Watts (S Luxford-Watts)
- **170 br** *Leshocha Azure My Friend* E Himmerston (E Himmerston); **tc & tr** *Myowal Rudolph* J Cornish (T Compton)
- **171 b** *Lohteyn Whispered Word* L Heath (J Green); **tc & tr** *Ch Myowal Moppers Blues* G Cornish (G Cornish)
- **172 all** *Capillatus White Simba* J Cook (J Cook)
- **173 bl & cr** *Adhuish Grainne* N Jarrett (J Burton); **tc & tr** *Adhuish Happy Joker* M & H Benson (J Burton)
- **174 b** *GrCh Ikari Donna* S Davey (J Plumb); **tc & tr** *Sailorman Horay Henery* K Hardwick (K Hardwick)
- **175 bl & cr** *Washtog Oil Slick* C Plumbly (C Plumbly); **tr** *Washtog Intoeverything* C Plumbly (C Plumbly)
- **176 b** *GrPr Berilleon Dandi Lyon* B Lyon (M Chitty); **cl & tr** *Myowal Susie Sioux* G Cornish (J and B Archer)
- **177 br** *Pr Bobire Justin Tyme* I E Longhurst (A Charlton); **tl & tc** *UK GrCh Nobilero Loric Vilesilensa* AE & RE Hobson (M Reed)
- **178 all** *Riahon Auda Bebare* Shana Scanlin (A Rushbrook & J Plumb)
- **179 all** *Shaird Bare Essentials* A Rushbrook & J Plumb (A Rushbrook & J Plumb)
- **180 all** *Shearling Faerie Neem* Mary Harrington (M Harrington)
- **181 bc (adult)** *Shearling Annie Smith Peck* Mary Harrington (M Harrington); **bl (kitten)** *Shearling Swiss Bliss* Mary Harrington (M Harrington)
- **182 all** *Astahazy Zeffirelli* (M von Kirchberg)
- **183 all** *GrCh Aerostar Spectre* J E D Mackie (S Callen & I Hotten)
- **184 all** *GrCh Pannaduloa Yentantethra* J Hansson (J Hansson)
- **185 bl & br** *Ch Willowbreeze Goinsolo* Mr & Mrs Robinson (T K Hull-Williams); **tr** *Downus Caruso* A Douglas (A Douglas)
- **186 bl** *Leolee Sweet Song* S Lee Soper (S Lee Soper); **cr** *Leolee Larnyen Poppy* S Lee Soper (S Lee Soper); **tc & tr** *Ch Pannaduloa Phaedra* J Hansson (J Hansson)

- **187 b & cr** *GrCh Dawnus Primadonna* A Douglas (A Douglas); **tl & tr** *Pr Parthia Black Watch* M Skelton (O Watson)
- **188 b** *Midamist Shynal* J Bright (C Bone); **tc & tr** *Rocamadour Heightofashion* K Holder (K Holder)
- **189 b** *Midamist Taffetalace* J Bright (J Bright); **tc & tr** *Ch Darling Copper Kingdom* I George (S Mauchline)
- **190 bc & cr** *Ch Sisar Brie* L Pummell (L Pummell); **tc & tr** *GrPr Bluecroft Sunsationallad* P Mapes (M Brazier)
- **191 bc & cr** *Indalo Knights Templar* B Pridham (B Pridham); **t** *Parthia Giselle* M Skelton (S Johnson & P Norman);
- **192 b** *Peryorsia Casandra* L E Martin (L E Martin); **tc & tr** *Jophas Mysticetti* J Reed (M Saunders)
- **193 b** *Ch Bosan Carmen* S Bell (L E Martin); **t** *Ch Rondell Christmas Cracker* F Jackson (F Jackson)
- **194 all** *Braeside Moonflower* H Hewitt (H Hewitt)
- **195 bc & cr** *Ch Hobberdy Hokey Cokey* A Virtue (A Virtue); **tl & tr** *Braeside Red Sensation* H Hewitt (H Hewitt)
- **196 bc & cr** *GrCh Bambino Alice Bugown* B Boizard-Neil (B Boizard-Neil); **t** *Ch Bambino Seawitch* B Boizard-Neil (B Boizard-Neil)
- **197 b & cr** *Kamehahd Pecious Purrdy* D Tomlinson (D Tomlinson); **tc & tr** *Ch Mootam Flyaway Peter* S Fearon (S Hillman)
- **198 all** *Ch Bambino Dreamy* B Boizard-Neil (B Boizard-Neil)
- **199 bl & br** *Impromptu Crystal* M Garrod (M Garrod); **tc & tr** *Oakenshield Blue Willow* C Kemp (C Kemp)
- **200 br** *Adhuish Atlas* T J H Bishop (M S Hodgekinson); **cl & tr** *Adonis* D Bishop (D Bartlett)
- **201 bl** *Yanazen Birmanie* D Bartlett (M Harvey); **br** *Tajens Rula Girl* T Jenkinson (D Bartlett); **cr** (kitten) *Tajens Irridescent Opal* T Jenkinson (T Jenkinson); **tc** *Pearls Princess* M Martin (T Jenkinson)
- **202 bc** *Tajens Isabella* T Jenkinson (T Jenkinson); **bl** (kitten) *Tajens Oliver* T Jenkinson (T Jenkinson); **cr** *Yanazen Bonnechance* D Bartlett (M Harvey); **tc** *Yankie Doodle Dandy* J Elkington (S Klein)
- **203 bc & cr** *Adhuish Plumtree* N J & C Young (M S Hodgekinson); **t** *Amber* H Foreshaw (A Crowther)
- **204 all** *Lasiesta Miss Puddleduck* G W Dyson (G W Dyson)
- **205 br & cr** *Ballego Betty Boo* J Gillies (J Gillies); **tl & tr** *Lasiesta Nutcracker* J P Dyson (D Boad)
- **206 bc & cr** *Kartush Benifer* C & T Clark (C & T Clark); **tc & tr** *Kartush Cyberleh* C & T Clark (C & T Clark)
- **207 all** *Favagello Tabitha* J Bryson (J Bryson)
- **208 b** *Astahazy Zoltan* (M von Kirchberg); **cl** (kitten) *Braeside Sunsukinyasohn* H Hewitt (H Hewitt); **tc** *Yolanda Maple* *Zuzi* Late Y Symes (H Hewitt)
- **209 b & cr** *Lasiesta Blackberry Girl* G W Dyson (G W Dyson); **cl & tc** *Vatan Mimi* D Beech & J Chalmers (J Moore)
- **210 all** *Boronga Black Savahra* P Impson (R Stanbrook)
- **211** (kittens) *Silvaner Pollyanna* & *Un-named kitten* C Thompson (C Thompson); **c** (adult) *Silvaner Kuan* C Thompson (C Thompson)
- **212 all** *GrCh Sukinfer Samari* J O'Boyle (J O'Boyle)
- **213 bl & bc** *Ch Pr Adixish Minos Mercury* A Concanon (A Concanon); **t** *Patrican Palomino* S Humphris (G Ford)
- **214 bl** *Adhuish Champignon Sattin* N Williams (N Williams); **cr** *Adhuish Tuwhit Tuwhoo* N Williams (N Williams); **t** *Marilane Bryony* G Ford (G Ford)
- **215 b & cr** *Sunjade Brandy Snap* E Wildon (E Tomlinson); **t** *Scilouette Angzhi* C & T Clark (C & T Clark)
- **216 b & cr** *GrPr Jasrobinka Jeronimo* P & J Choppen (B & T Plumb); **cl & tr** *Shelemay Logan* B Castle (L Flint)
- **217 bl & cr** *Simonski Sylvester Sneakly* S Cosgrove (S Cosgrove); **tl & tr** *Tenaj Blue Max* J Tonkinson (K Iremonger)
- **218 bl & br** *Sayonora Cinnamon Specs* G Worthy (C Harrison); **t** *Salste Mr Mistoffelees* S Franklin (S Franklin)
- **219 b** *Bosskats Jenny Anydots* G Hemmings (G Hemmings); **tc & tr** *Ercit Diadem Chelone* K & L Spencer-Mills (K & L Spencer-Mills)
- **220 b** *Joysewel Ernisteminway* J Stevens (L Muffett); **tl & tr** *Ch Jasrobinka Angelique* (P & J Choppen)
- **221 b** *Felides Vivres Purr-sé* Y C Kleyn (A P Groeneuegen); **tc & tr** *Myomah Madelaine* K Toft (S Elliot)
- **222 b** *Siaforebur Black Marketeer* L Muffett (L Muffett); **tl** (adult) *Salste Kaneelbusterboy* S Franklin (K McGrath); **tc** (kitten) *Salste Kaneelbobby* S Franklin (S Franklin); **tr** (kitten) *Salste Kaneelbusterboy* S Franklin (S Franklin)
- **223 bc & cr** *Parthia Angelica* M A Skelton (M A Skelton); **cl & tc** *Lynfield New Moon* E Morse (L Muffett)
- **224 all** *Salste Edwin* S Franklin (D & A Popham)
- **225 bc & br** *Scintilla Silver Whirligig* P Turner (D Walker); **t** *Greysbrook Polly Doodle* M Hornet (P R Wilkinson)
- **228 br** (kitten) *Karthwine Elven Moonstalk* R Clayton (M Crane); **cl & cr** (adult) *Kingcup Lilac Wine* M Cook (P Gillison); **tr** (kitten) *Karthwine Elven Moonstalk* R Clayton (M Crane)
- **229 cl & br** *Giselle Chocolate Ceres* C Bachellier (V Spragg); **tc & cr** *GrCh Emarelle Milos* M R Lyall (R Hopkins)
- **230 bl** *Charriet Cupid* H & C Patey (H & C Patey); **cr** (kitten) *Satusai Fawn Amy* I Reid (I Reid); **tc** *Giselle Silver Spirit* C Bachelier (E & S Hoyle); **tr** (kitten) *Braeside Marimba* H Hewitt (H Hewitt)
- **231 bc & cr** *Ch Anera Ula* C Macaulay (C Symonds); **tc & tr** *Lionelle Rupert Bear* C Bailey (C Tencor)
- **232 all** *Adqwesh Chi Chi Chablis* A Cooper (A Cooper)
- **234 all** *Gogees Jungle Jim* G Johnson (M Hornett)
- **235 b & cr** *Thickthorn Carroway* G Johnson (S Sweeny); **t** *Gogees Firespot* G Johnson (M Hornett)
- **236 all** *Carragato Lassik* T Edwards (V Maria Tatti)
- **238 bc & cr** *Carragato Kotaki* T Edwards (V Maria Tatti);
- **239 bl** *Jungle Spirit* F Wagner (G Pascoe & B Street); **cl** *Jezabel Jamberee* F Wagner (G Pascoe & B Street); **cr & tr** (adult) *Gogees Warhawk* G Johnson (G Pascoe & B Street)
- **240 bl** (kitten) *Misty* (P Pickering); **cl & br** *Sinbad Sailor Blue* (V Lew)
- **241 bl & br** *Crumpet* (Bethlehem Cat Sanctuary); **tl** *Esther* (D & C Ellis); **tr** *Peanut* (P Pickering)
- **242 b** *Vikivashti* (D Fagg); **tc & tr** *Dreamy Woman* (Bethlehem Cat Sanctuary); **tl & tr** *Thomson* (D & C Ellis)
- **243 bl & br** *Truffles* (V Warriner)
- **244 bc & cr** *Tiger* (D & C Ellis); **t** *Friskie* (Bethlehem Cat Sanctuary)
- **245 bl & br** *Rosie* (V Warriner); **tc & tr** *Nigel* (D & C Ellis)
- **249 tr** *Grimswald de Shiva Devale* M & S Gubbel-Noens (M & S Gubbel-Noens)
- **252 b** *Eldoria's Crazy Girl* O van Beck and Aat Quast (O van Beck & A Quast)
- **254 tl & tr** *Braeside Pikilo* H Hewitt (H Hewitt)
- **256 b** *GrCh Starfrost Dominic* E Conlin (C Greenall)

Begriffserläuterungen

Aalstrich Farblich abgesetzter Streifen über dem Rückgrat.

Abhaaren Abstoßen toter Haare beim regelmäßigen Haar- oder Fellwechsel.

Abzeichen (Points) Dunklere Färbung des Gesichts, der Ohren, der Pfoten und des Schwanzes bei verschiedenen Rassen, insbesondere Siamkatzen.

Adult Erwachsen, geschlechtsreif.

Agouti Fellfarbe des Wildtyps bei Katzen und vielen anderen Tieren: Die einzelnen Haare sind hell-dunkel gebändert. Gleichbedeutend mit Bänderung (s. d.) oder Ticking.

Albino Tier ohne jedes Pigment; es ist reinweiß und hat rötliche Augen.

Bänderung (Ticking) Zwei- oder mehrfache Ringelung der Einzelhaare durch dunkle Pigmenteinlagerungen (s. auch Agouti).

Bi-Colour Zweifarbig bzw. zweifarbige Katze.

Blesse Farblich, meist weiß abgesetzter Streifen zwischen Stirn und Nasenspiegel.

Butlinie Gruppe von Katzen, die über mehrere Generationen bzw. den Stammbaum miteinander verwandt sind.

CA Abkürzung für Cat Association (bedeutender britischer Zuchtverband).

Cameo Fell mit cremefarbener oder roter Spitzenfärbung (s. d.).

Chocolate Schokoladenfarben (hell- bis mittelbraun).

Cinnamon Zimtfarben, ein warmer brauner Farbton.

Colourpoints Farblich abgesetzte Abzeichen (s. d.) oder Points nach Art der Siamkatzen bei bestimmten Lang- und Kurzhaarkatzen.

Deckhaar Gesamtheit der Leithaare.

Domestikation Haustierwerdung.

Einkreuzung Verpaarung mit einem nichtverwandten Tier, vielfach aus einer anderen Rasse.

Farbschlag Siehe Schlag.

FIFE (F.I.Fe.) Abkürzung für Fédération Internationale Féline (1943 gegründeter und 1973 erweiterter internationaler, vorwiegend kontinentaleuropäischer Dachverband).

GCCF Abkürzung für Gouverning Council of the Cat Fancy (1910 gegründeter britischer Dachverband).

Gen Erbfaktor, Träger der Erbanlagen in den Chromosomen.

Genetik Vererbungslehre.

Gestromt Fellmuster des Tabby (s. d.), bestehend aus breiten und schmalen Streifen, Schmetterlingszeichen auf den Schultern und austernförmigen Flecken auf den Flanken. Auch als Räder- oder Marmormuster bezeichnet.

Getigert Tigerähnliches Fellmuster des Tabby (s. d.): eine Art »Fischgratmuster«, deshalb im Englischen »mackerel« (Makrele) genannt.

Getupft Tüpfelmuster des Tabby (s. d.): zu Tupfen aufgelöste Streifen.

Hybride Nachkomme aus einer Kreuzung erbverschiedener Tiere.

Inzucht Verpaarung sehr nah verwandter Tiere.

Letalfaktor (Letalgen) Zum Tode führender ererbter Defekt.

Lilac Farbbezeichnung (engl. »lilac« = Flieder), oft mit »lila« übersetzt, doch in Wirklichkeit eher ein zartrosa getöntes Grau.

Mackerel Siehe Getigert und Tabby.

Maske Kontrastierende dunklere Färbung des Gesichts.

Mutation Spontan entstandene oder künstlich herbeigeführte Erbänderung.

Nasenspiegel Unbehaarte Außenhaut der Nase.

Ohrbüschel Behaarung der Innenseite des Ohrs.

Points Siehe Abzeichen.

Rasse Durch künstliche Zuchtwahl entstandene einheitliche und erbfeste Gruppe innerhalb einer Art. Alle Hauskatzenrassen stammen von der Wildart *Felis libyca* (Falbkatze) ab und werden wissenschaftlich unter dem Namen *Felis libyca* f. catus zusammengefaßt (das »f.« steht für lat. »forma« und bedeutet soviel wie Haustierform).

Schlag   Gruppe von Tieren innerhalb einer Rasse mit gemeinsamen Merkmalen; bei Katzen bezieht sich das vor allem auf die Färbung (Farbschlag).

Schnurrhaarkissen   Austrittsstellen der Schnurr- oder Tasthaare am Kopf.

Seal   International gebräuchliche Farbbezeichnung für Dunkel- oder Schwarzbraun, abgeleitet vom englischen Namen des Seehunds (seal).

Selektion   Auslese, Zuchtwahl.

Shell   Perlmutt; hellste Variante des Cameo (s. d.).

Skarabäuszeichnung M-förmige Zeichnung auf der Stirn, vor allem bei Tabbys.

Smoke   Rauchfarbe. Das Fell der Smoke-Katzen besteht aus silberweißer Unterwolle und bis zur Hälfte gefärbten Deckhaaren.

Sohlenstreifen   Dunkel gefärbte Streifen zwischen Fußballen und Sprunggelenk der Hinterbeine.

Spitzenfärbung (Tipping) Dunkel gefärbte Spitzen der Einzelhaare.

Stammbaum   Abstammungsreihe bzw. -nachweis einer Rassekatze.

Standard   In der Katzenzucht gleichbedeutend mit Zuchtziel: Beschreibung der (idealen) Körperbau- und Farbmerkmale der jeweiligen Rasse, wie sie innerhalb eines bestimmten Verbands maßgeblich sind.

Stop   Stirnabsatz, Vertiefung im Nasenprofil.

Tabby   Katze mit Tabbyzeichnung oder dieses Fellmuster selbst: gestromt (blotched oder classic), getigert (mackerel), getupft (spotted) oder Agouti (s. d.).

Ticking   Siehe Bänderung.

Tipping   Siehe Spitzenfärbung.

Tortie   Kurzform von Tortoiseshell (=Schildpatt).

Typ   Gesamterscheinung einer Rassekatze, besonders Kopfform und Körperbau.

Unterhaar   Weichere Haare unter den Leithaaren.

Varietät   Spielart, Variante, in der Katzenzucht gleichbedeutend mit Schlag (s. d.).

Verdünnung   Hellere Variante einer Farbe; Creme ist z. B. die Verdünnung von Rot.

Welpe   Junge Katze bis zur Entwöhnung oder Abgabe mit etwa 8 Wochen.

Wurf   Die Gesamtheit der Nachkommen aus einer Geburt.

Wichtige Adressen

Erster Deutscher Edelkatzenzüchter-Verband e.V. Humboldtstraße 9 65189 Wiesbaden (Deutsches Mitglied der Fédération Internationale Féline; Zeitschrift: Die Edelkatze)

Verein Deutscher Katzenfreunde e.V. Silberberg 11 22119 Hamburg

Register

Abessinier 228
  Blau 229
  Chocolate 229
  Fawn (Beige) 230
  Lilac 228
  Schwarz-Silber 230
  Sorrel (Rotbraun) 231
  Sorrel-Silber 232
  Wildfarben 231
Ägyptische Mau 226
  Bronze 227
  Schwarz-Smoke 227
  Silber 226
American Curl 112
  Braungetigert und Weiß 113
  Schwarz 112
  Schwarz und Weiß 113
American Curl 158
  Braungestromt-Schildpatt 158
  Schwarz 159
  Seal-Tabby-Point 159
Amerikanisch Drahthaar 156
  Braungetigert 157
  Schildpatt und Weiß 156
  Schildpatt-und-Weiß-Van 157
Amerikanisch Kurzhaar 148
  Blaucreme 153
  Blaucreme und Weiß 153

Blaugetigert 151
Braungefleckt 151
Braungestromt 150
Chocolateschattiert 155
Cremegestromt 154
Cremegetigert 152
Rotgestromt 150
Schwarz 148
Schwarz-Smoke 149
Silbergestromt 154
Silberschattiert 155
Van-Tabby Rot und Weiß 151
Weiß mit verschiedenfarbigen Augen 149
Angora 80
  Chocolate 82
  Cinnamon (Zimtfarben) 82
  Lilac 81
  Weiß mit blauen Augen 80
  Weiß mit grünen Augen 81
Asian 207
  Braungetigert 207
  Burmesenbraun-Smoke 208
  Chocolate-Smoke 209
  Rot (Cornelian) 208
  Schwarz-Smoke 209

Balinese 102
  Blue-Point 103
  Blue-Tabby-Point 106
  Chocolate-Point 103
  Chocolate-Schildpatt-Point 105
  Chocolate-Tabby-Point 107
  Lilac-Point 102
  Red-Tabby-Point 106
  Seal-Point 104
  Seal-Schildpatt-Point 104
  Seal-Schildpatt-Tabby-Point 105
  Seal-Tabby-Point 107
Bengalkatze 239
  Leopard 239
Birmakatze 68
  Blue-Point 70
  Blue-Tabby-Point 73
  Chocolate-Point 71
  Cream-Point 68

Lilac-Point 69
Red-Point 69
Seal-Point 70
Seal-Tabby-Point 73
Seal-Tortie-Point 72
Seal-Tortie-Tabby-Point 72
Bombaykatze 210
  Schwarz 210
Britisch Kurzhaar 118
  Black-Tipped 131
  Blau 121
  Blau und Weiß 128
  Blaucreme 127
  Blaugestromt 129
  Blaugetupft 124
  Blauschildpatt und Weiß 123
  Braungestromt 125
  Chocolate 121
  Creme 120
  Creme und Weiß 122
  Cremegetupft 126
  Lilac 120
  Red-Tipped 131
  Rotgestromt 129
  Rotgetigert 126
  Rotgetupft 125
  Schildpatt 127
  Schildpatt und Weiß 123
  Schildpatt-Smoke 130
  Schwarz 122
  Schwarz und Weiß 128
  Schwarz-Smoke 130
  Silbergetupft 124
  Weiß mit blauen Augen 119
  Weiß mit orangefarbenen Augen 118
  Weiß mit verschiedenfarbigen Augen 119
Burmakatze 194
  Blau 196
  Blau-Schildpatt 199
  Braun 197
  Braun-Schildpatt 199
  Chocolate 195
  Chocolate-Schildpatt 197
  Creme 194
  Lilac 196
  Lilac-Schildpatt 198
  Rot 195
Burmilla 204
  Brown-Tipped 206
  Chocolate-Tipped 204
  Light-Chocolate-Tipped 206

Lilac-Silberschattiert 205
Lilacschattiert 205

California Spangled 236
Blau 237
Braun 238
Charcoal (Holzkohlenfarben)
238
Golden 236
Silber 237
Colourpoint-Britisch-Kurzhaar
132
Blue-Cream-Point 135
Blue-Point 133
Chocolate-Point 134
Cream-Point 132
Red-Point 134
Seal-Point 133
Seal-Schildpatt-Point 135
Colourpoint-Europäisch-Kurz-
haar 164
Blue-Point 164
Colourpoint-Langhaar 62
Blue-Cream-Point 65
Blue-Cream-Tabby-Point 67
Blue-Point 64
Chocolate-Point 63
Chocolate-Tabby-Point 67
Cream-Point 62
Lilac-Cream-Point 65
Lilac-Point 63
Lilac-Tabby-Point 66
Red-Tabby-Point 66
Seal-Point 64
Cornish Rex 166
Blau und Weiß 167
Blau-Smoke 170
Blaucreme-Smoke 171
Chocolate-Point-Si-Rex
169
Cinnamon-Silber 169
Creme 167
Rot-Smoke 170
Schildpatt 168
Schildpatt-und-Weiß-Van
168
Schwarz-Smoke und Weiß
171
Weiß 166
Cymric (Kymrische Katze)
110
Weiß mit orangefarbenen
Augen 110

Devon Rex 172
Blau 173
Blaucreme und Weiß 176
Braun-Tabby 177
Creme 173
Creme und Weiß 175
Creme-Tabby-Point-Si-Rex
174
Rot-Silber-Tabby 177
Schwarz-Smoke 176
Silber-Schildpatt-Tabby 174
Weiß 172
Weiß-und-Schwarz-Smoke
175

Europäisch Kurzhaar 160
Creme 160
Cremeschattiert-Cameo-
Gestromt 162
Rotschattiert-Cameo-Getigert
161
Schildpatt-Smoke 161
Silber-Rotgetigert 162
Silber-Schwarzgetigert 163
Exotisch Kurzhaar 136
Blau 136
Braungetupft 139
Colourpoint Blue-Point 137
Colourpoint Lilac-Tabby-
Point 139
Goldenschattiert 138
Schwarz 137
Silber-Schildpattgestromt
138

Japanische Stummelschwanz-
katze 143
Rot und Weiß 143
Javanese 83
Cinnamon (Zimtfarben) 83

Kartäuserkatze 165
Blaugrau 165
Koratkatze 183
Blau 183
Kurzhaarkatzen 118

Langhaarkatzen 40

Maine Coon 84
Blau und Weiß 85
Blausilber-Schildpatt-Tabby
89

Braungestromt 87
Braungetigert und Weiß 87
Creme-Silber-Tabby 86
Schildpatt-Tabby und Weiß
88
Schwarz 85
Schwarz-Smoke und Weiß
89
Silber-Schildpatt-Tabby 88
Silber-Tabby 86
Weiß mit goldenen Augen
84
Manxkatze 140
Rotgestromt 141
Rotgestromt und Weiß 142
Schildpatt 142
Schwarz und Weiß 141
Weiß 140

Norwegische Waldkatze 90
Blaugestromt und Weiß 91
Blauschildpatt-Smoke und
Weiß 91
Braungestromt und Weiß 92
Braungetupft und Weiß 93
Schwarz und Weiß 90
Schwarz-Smoke und Weiß
92

Ocicat 234
Chocolate 234
Silber 235
Wildfarben 235
Orientalisch Kurzhaar 212
Beige (Foreign Fawn) 214
Blau (Foreign Blue) 217
Caramel-Silver-Ticked-Tabby
218
Caramel-Ticked Tabby 223
Chocolate-Schildpatt 219
Chocolate-Ticked-Tabby 224
Chocolategestromt 223
Chocolategetupft 220
Cinnamon-Schildpatt 218
Creme (Foreign Cream) 213
Havana 216
Karamelfarben (Foreign
Caramel) 216
Lilac (Foreign Lilac) 213
Lilac-Ticked-Tabby 222
Lilacgestromt 220
Red-Ticked-Tabby 222
Rot (Foreign Red) 214

Orientalisch Kurzhaar
 Rot und Weiß 215
 Schildpatt-Silber-Schwarz-getupft 219
 Schwarz (Foreign Black) 217
 Schwarz-Smoke 221
 Schwarz-Smoke und Weiß 221
 Silber-Chocolategestromt 225
 Silber-Schwarzgetupft 225
 Weiß (Foreign White) 212
 Zimtfarben (Foreign Cinnamon) 215

Perser 40
 Blau 43
 Blau und Weiß 46
 Blau-Smoke 56
 Blaucreme 48
 Blaucreme und Weiß 49
 Blaucreme-Smoke 57
 Blaugestromt 52
 Blauschildpatt-Smoke 49
 Braungestromt 54
 Chinchilla 55
 Chocolate 44
 Chocolate und Weiß 47
 Chocolate-Schildpatt 51
 Creme 42
 Creme und Weiß 45
 Creme-Shell-Cameo 60
 Creme-Smoke 56
 Cremeschattiert-Cameo 60
 Golden 59
 Lilac 43
 Lilac und Weiß 46
 Lilacgestromt 52
 Pewter (Zinnfarben) 58
 Rot 42

Rot und Weiß 45
Rotgestromt 53
Rotschattiert-Cameo 61
Schildpatt 48
Schildpatt und Weiß 50
Schildpatt-Cameo 59
Schildpatt-Chocolatege-stromt 51
Schildpatt-Schwarzgestromt 54
Schildpatt-Smoke 58
Schildpatt-und-Weiß-Van 50
Schwarz 44
Schwarz und Weiß 47
Schwarz-Smoke 57
Silbergestromt 53
Silberschattiert 55
Weiß mit blauen Augen 41
Weiß mit orangefarbenen Augen 40
Weiß mit verschiedenfarbigen Augen 41

Ragdoll 94
 Blue-Mitted 95
 Seal Bi-Colour 95
 Seal-Point 94
Rasselose Kurzhaarkatzen 240
 Blau und Weiß 240
 Blaucreme 242
 Blaugetigert und Weiß 243
 Braungestromt und Weiß 244
 Braungetigert 245
 Braungetupft 244
 Rotgestromt und Weiß 243
 Schildpatt und Weiß 242
 Schwarz und Weiß 241
 Tabby Weiß und Braun 245
 Weiß und Schildpatt 241
Rasselose Langhaarkatzen 114
 Blau 114
 Braungestromt 116
 Cremefarben und Weiß 115
 Rotgetupft 116
 Schildpatt und Weiß 117
 Schwarz 115
 Silber und Weiß 117
Russisch Blau 182
 Blau 182

Scottish Fold (Langhaar) 111
 Blaucreme und Weiß 111

Scottish Fold (Kurzhaar) 144
 Blau und Weiß 145
 Schildpatt und Weiß 146
 Schwarz und Weiß 144
 Schwarz-Smoke und Weiß 146
Selkirk Rex 180
 Blaucreme 180
 Schildpatt 181
 Schwarz-Schildpatt-Smoke 181
Siamkatze 184
 Blue-Point 186
 Blue-Tabby-Point 191
 Blue-Tortie-Point 187
 Blue-Tortie-Tabby-Point 192
 Chocolate-Point 186
 Chocolate-Tabby-Point 191
 Chocolate-Tortie-Point 188
 Chocolate-Tortie-Tabby-Point 193
 Cream-Tabby-Point 190
 Creme-Point 184
 Lilac-Point 185
 Lilac-Tabby-Point 190
 Lilac-Tortie-Tabby-Point 192
 Red-Point 185
 Red-Tabby-Point 189
 Seal-Point 187
 Seal-Tabby-Point 189
 Seal-Tortie-Point 188
 Seal-Tortie-Tabby-Point 193
Sibirische Waldkatze 93
Singapura 211
 Sepia-Agouti 211
Snowshoe 147
 Seal und White-Point 147
Somali 96
 Blau 98
 Blauschildpatt 101
 Blausilber 99
 Chocolate-Silber 101
 Cremesilber 98
 Lilac 99
 Silber 100
 Sorrel (Rotbraun) 97
 Sorrel Silver (Rotbraun-Silber) 96
 Wildfarben 97
Sphynx 178
 Braun und Weiß 178
 Schwarz und Weiß 179

Tiffanie 108
  Blue-Tipped Silver 109
  Braun 109
  Rot 108
Tonkanese 200
  Blau 201
  Braun 202
  Braun-Schildpatt 203
  Chocolate 202
  Creme 200
  Lilac 201
  Lilac-Schildpatt 203
  Türkisch Angora 74
  Blaucreme 75

Blaugetigert 77
  Cremegestromt 76
  Cremegestromt und Weiß 76
  Schwarz 75
  Schwarz-Schildpatt-Smoke
  77
  Weiß 74
  Türkisch Van 78
  Creme und Weiß 78
  Kastanienrot und Weiß 79

Wild-Abessinier 233
  Wildfarben 233

Danksagung

Der Autor bedankt sich bei den vielen freundlichen Katzenliebhabern, die ihre Katzen für dieses Buch fotografieren ließen. Besonderer Dank gilt Fiona Henrie und Phyllis Choppen für die Koordinierung dieser Fotoarbeit und Marga Harms und Marijke Wijers, die in den Niederlanden Katzen für Aufnahmen beschafft haben. Ebenso bedankt er sich bei Marc Henrie, mit dem die Zusammenarbeit stets ein Vergnügen war; bei Colin Watson und Irene Lyford für ihre Sorgfalt und Kompetenz bei der Gestaltung bzw. redaktionellen Betreuung des Buches; bei Jane Laing, Mary-Clare Jerram und Gill Della Casa vom Verlag Dorling Kindersley für ihre wertvollen Beiträge zu dem Projekt. Rita Hemsley dankt er für die Schreibarbeiten und nicht zuletzt Therese Clarke, Daphne Negus und Baroness Miranda von Kirchberg für ihre unschätzbaren Ratschläge und Anregungen.

Dorling Kindersley dankt Paul Casey für Mithilfe bei der California Spangled; Phyllis und John Choppen für ihre Gastfreundschaft bei den Aufnahmen zu den Orientalen; Andrea Fair für die Unterstützung bei den Fotos zu den Kapiteln »Die Wahl der richtigen Katze« und »Schönheitspflege«; Jan Osborne für seine Gastfreundlichkeit und die Bereitstellung von Zubehör; Ruta und Peter Towse für ihre Hilfe bei den Aufnahmen von Kurzhaar- und Siamkatzen. Bedanken möchten wir uns auch bei Dr. A. W. Gentry vom Natural History Museum und bei Dr. Andrew S. Nash von der tierärztlichen Fakultät der Universität Glasgow für ihre Mitarbeit und Beratung. Dank schulden wir außerdem Michael Allaby für das Korrekturlesen und die Erstellung des Registers; Mike Darton ebenfalls für Korrekturlesen; Angeles Gavira, Carol McGlynn und Bella Pringle für redaktionelle Mitarbeit; Steve Tilling für die Mithilfe bei der Bestimmungsübersicht; Alastair Wardle für wertvollen technischen Beistand.

Bildnachweis

Alle speziell in Auftrag gegebenen Fotos stammen von Marc Henrie, ausgenommen die auf S. 14/15, die Jane Burton anfertigte.

Der Verlag dankt den nachfolgenden Fotografen und Organisationen für die Abdruckerlaubnis der unten angegebenen Aufnahmen:
Bridgeman Art Library 7ul; Chanan Photography 7o, 3lul, 36oMl, 149u, 149or, 151o, 152u, 152ol, 152or, 153o, 157u, 157o, 237M, 237ur, 237o, 238o; Michael Holford 6ul; Johnson Photography 25or; Dr. Andrew S. Nash, University of Glasgow Veterinary School 26o; Science Photo Library 8or; Through the Cat's Eye 153u; Tony Stone Worldwide 8M; Tetsu Yamazaki 27Ml, 31ur, 49u, 112u, 112o, 113ul, 113ur, 113o, 148l, 148r, 150ul, 150ol, 150ur, 154ul, 154ur, 154or, 154ol, 154or, 155ur, 155ol, 155or, 156l, 156r, 158, 159ul, 159ol, 159ur, 159or, 181o, 226ur, 226M, 226or, 227ul, 227ur, 227ol, 227or, 233r, 233l; Dave King 7ur, 116uM, 151ul, 151Mr. Die Schwarz-Weiß-Aufnahmen auf S. 6 und S. 18 wurden The Book of the Cat von Frances Simpson (Cassell and Co., 1903) entnommen.

Zeichnungen auf dem Vorsatz: Caroline Church
Alle übrigen Zeichnungen: Janos Marffy
Bildbeschaffung: Julia Pashley

Damit Ihre Katze sich wohlfühlt

Bruce Fogle
Katzen kennen und verstehen
Ein liebenswerter, informativer Bildband,
der faszinierende Einblicke in das Leben,
die »Sprache« und die Verhaltensrituale
der Katzen bietet.

Doris Quinten-Graef
Was fehlt denn meiner Katze?
Durch richtige Haltung und Fütterung
Krankheiten vorbeugen; medizinische
Daten nachschlagen, Erste Hilfe leisten,
Heilmittel selbst einsetzen.

George Macleod
Homöopathischer Ratgeber
Katzen
Umfassendes Grundlagenwissen
zu homöopathischen Behandlungs-
methoden für Katzen; homöo-
pathische Mittel und deren gezielte
Anwendung.

Rolf Spangenberg
Die Liebe der Katzen
Alles über das geheimnisvolle Sexual-
leben der Samtpfoten
Das Liebesleben der Katzen – unter-
haltsam und informativ dokumentiert
am Lebensweg eines Katzenpaares.

Elizabeth Martyn/David Taylor
Katzenkinder
Liebevoll gestaltetes Geschenkbändchen, das Einblick gibt in das auf-
regende Leben der kleinen Samtpfötchen.

Elizabeth Martyn/David Taylor
Perserkatzen
Bezauberndes Geschenkbändchen: die
schönsten Perser und andere Langhaarkatzen, ihre besonderen Charakteristika
und ihre faszinierende Persönlichkeit.

Rolf Spangenberg
Katzen
Grundlegendes Wissen für alle, die eine
Katze haben oder anschaffen möchten:
alles über Katzenrassen und ihr Verhalten,
über artgerechte Haltung und Pflege.

BLV Verlagsgesellschaft GmbH
Postfach 40 03 20 • 80703 München